도서명: 물갈퀴의 상류수학 (중등수학400제)

발　행 | 2024년 08월 22일
저　자 | 제갈은성, 손재민, 김태건, 박지환
펴낸이 | 한건희
펴낸곳 | 주식회사 부크크
출판사등록 | 2014.07.15.(제2014-16호)
주　소 | 서울특별시 금천구 가산디지털1로 119 SK트윈타워 A동 305호
전　화 | 1670-8316
이메일 | info@bookk.co.kr

ISBN | 979-11-419-5485-7

제갈은성

現 Jekal's LAB 대표
취리히연방공대 물리학과 박사 졸

이 세계가 품은 신비로움에 홀려 수학과 물리학에
빠져들었고, 지금도 그 속에서 행복하게 헤엄치는
중입니다. 현재는 Jekal's LAB 이라는 이름하에
과학기술 논문 및 특허작업, 그리고 꿈나무들을
가르치는 일을 하고 있습니다.

손재민

남학생임에도 불구하고 체육보다 수학 과학이 더
재밌습니다.

김태건

미래의 수학자가 되기 위해 열심히 공부하고 있는
김태건입니다.

박지환

어릴 때 부터 운동을 했다면 지금쯤 야구선수의 길을
걷고 있었겠지만 아쉽게도 왜소한 체격 때문에 공부를
시작하게 된 평범한 중학생입니다.

목차

소인수분해

1. <보기>에서 옳은 것은 모두 몇 개인가?

<보기>
ㄱ. 소수는 모두 홀수이다.
ㄴ. 두 홀수의 곱은 합성수이다.
ㄷ. 서로 다른 두 홀수는 서로소이다.
ㄹ. 한 자리 자연수 중에 소수는 4 개이다.
ㅁ. 두 수가 서로소이면 두 수는 모두 소수이다.
ㅂ. 모든 합성수는 소수들의 곱으로 나타낼 수 있다.

① 1 개
② 2 개
③ 3 개
④ 4 개
⑤ 5 개

2. A$\times$140 을 소인수분해하면 $2^a \times b \times 7$ 이고, A$\times$72 를 소인수분해하면 $2^b \times 3^c$ 이라 할 때, $a+b+c$ 의 값은? (단, A 는 자연수)

① 7
② 8
③ 9
④ 10
⑤ 11

3. $2\times 3 \times 4 \times 5 \times 6 \times \cdots \times 40$ 를 소인수분해한 결과를 거듭제곱을 사용하여 나타냈을 때, 2 의 지수를 구하면?

① 8
② 12
③ 24
④ 30
⑤ 38

4. 54 에 자연수를 곱한 것이 어떤 자연수의 제곱이 될 때, $54 \times a = b^2$ 과 같이 나타낼 수 있다. 곱할 수 있는 수 중 세 번째로 작은 자연수를 a 라고 할 때, $b-a$ 의 값은?

① -12
② -6
③ 0
④ 36
⑤ 12

5. 다음 <보기> 중에서 두 수가 서로소인 것의 개수는?

<보기>
ㄱ. 14, 20	ㄴ. 17, 35
ㄷ. 18, 56	ㄹ. 25, 33
ㅁ. 21, 49	ㅂ. 27, 81

① 1 개
② 2 개
③ 3 개
④ 4 개
⑤ 5 개

6. 다음 조건을 모두 만족하는 A 의 값은?

(1) A 는 45 의 배수이다.
(2) A 와 72 의 최대공약수는 18 이다.
(3) A 는 700 이상 900 이하의 정수이다.

① 720
② 750
③ 810
④ 860
⑤ 900

7. 그림과 같이 세 변의 길이가 각각 48m, 54m, 60m인 삼각형 모양의 잔디밭 둘레를 따라 똑같은 간격으로 향나무를 심으려고 한다. 나무의 개수를 최소로 하려면, 나무는 모두 몇 그루를 심어야 할까? (단, 세 귀퉁이 A, B, C에는 나무를 심지 않는다.)

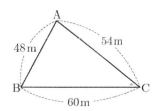

① 12그루　　　　② 18그루

③ 24그루　　　　④ 27그루

⑤ 30그루

8. 두 자연수의 곱이 2352이고, 최대공약수가 14일 때, 두 자연수의 합을 구하면?
(단, 두 수는 두 자리 자연수이다.)

① 96　　　　　　② 97

③ 98　　　　　　④ 99

⑤ 100

9. 자전거로 공원을 한바퀴 도는데 주하는 8분, 지훈이은 12분이 걸린다. 공원을 한 바퀴 돌고 4분씩 쉰 다음 다시 돌기로 하였다. 오전 8시에 두 사람이 동시에 출발하였을 때, 처음으로 다시 동시에 출발하는 시각은?

① 오전 8시 30분　　　② 오전 8시 48분

③ 오전 9시　　　　　④ 오전 9시 12분

⑤ 오전 9시 24분

10. 학성중학교 1학년 학생은 200명보다 많고 300명보다 적다. 1학년 학생 전체가 수련회를 가는데 6명씩, 8명씩, 10명씩 조를 짜면 항상 2명만이 남게 된다고 한다. 이때 7명씩 조를 짜면 남는 학생 수는?

① 1명　　　　　　② 2명

③ 3명　　　　　　④ 4명

⑤ 5명

11. a와 15의 최대공약수는 5이고 b는 4로 나누면 3이 남고 5로 나누면 4가 남고 6으로 나누면 5가 남는 자연수 중에서 가장 작은 수일 때 a가 될 수 있는 수 중 가장 큰 수와 가장 작은 수의 차는?
(단, a는 b보다 큰 두 자리 자연수이다.)

① 35　　　　② 30　　　　③ 25

④ 20　　　　⑤ 15

12. a이상 b이하인 자연수 중에서 2와 3의 배수이면서 7의 배수가 아닌 수의 개수를 $n(a,\ b)$로 나타낸다. $n(100,\ x)=50$일 때, $n(1,\ x)$를 구하시오.

13. $1\times2\times3\times\cdots\times28\times29\times30$를 소인수분해하여 거듭제곱으로 나타내었을 때, 3의 지수는?

① 4   ② 7   ③ 10

④ 14   ⑤ 22

14. 신정중학교에서 체험학습에 참가한 1학년 전체 학생을 8명, 12명, 16명씩 조를 짜면 각각 5명이 남는다고 한다. 체험학습에 참가한 1학년 전체 학생 수가 300명보다 많고 350명보다 적을 때, 13명씩 조를 짜면 몇 명이 남게 되는가?

① 3명   ② 4명   ③ 5명

④ 6명   ⑤ 7명

15. 서로 다른 두 주사위를 던져서 나온 눈의 수를 각각 a, b라 하자. $72\times a\times b$가 어떤 자연수의 제곱이 되게 하려고 할 때, 가능한 $(a,\ b)$의 개수는 모두 몇 개인가?

① 3개   ② 4개   ③ 5개

④ 6개   ⑤ 7개

16. 세 자연수 A, 36, 90의 최대공약수가 18이고, 최소공배수는 540일 때, A가 될 수 있는 값을 모두 구하시오.

17. 물갈퀴는 5일마다 게임을 한다. 어느 해 6월 9일은 일요일이고 게임을 하는 날이었다. 같은 해 7월 중에서 일요일이면서 게임을 하는 날은 7월 며칠인가?

① 1일   ② 7일   ③ 8일

④ 14일   ⑤ 15일

18. 재민이는 25층으로 된 아파트에 살고 있는데, 엘리베이터 입구에는 '약수의 개수가 1개 또는 3개인 층에서만 섭니다.'라는 안내문이 적혀 있다. 엘리베이터가 서는 층들은 모두 몇 개인가? (단, 아파트는 1층부터 시작한다.)

① 2개   ② 3개   ③ 4개

④ 5개   ⑤ 6개

19. 빨간색, 노란색, 파란색 세 종류의 전구로 나무를 장식하였다. 빨간색 전구는 14초 동안 켜져 있다가 2초 동안 꺼지고, 노란색 전구는 20초 동안 켜져 있다가 4초 동안 꺼지고, 파란색 전구는 32초 동안 켜져 있다가 8초 동안 꺼진다. 오후 5시 30분에 세 전구가 동시에 켜진 후, 그 다음에 처음으로 다시 동시에 켜지는 시각을 소인수분해를 이용하여 구하고 풀이 과정과 답을 쓰시오.

20. 어떤 자연수로 34를 나누면 2가 부족하고, 93을 나누면 3이 남고, 108를 나누면 나누어떨어진다. 이때, 어떤 자연수가 될 수 있는 것은 몇 개인가?

① 1개   ② 2개   ③ 3개

④ 4개   ⑤ 5개

21. 가로와 세로가 각각 21cm와 12cm인 직사각형타일 700개가 있다. 이 타일들을 겹치지 않게 이어 붙여서 정사각형을 만들려고 할 때, 만들 수 있는 가장 큰 정사각형의 한 변의 길이를 구하여라.

22. 채현이와 규리는 운동을 하기로 하였다. 채현이는 4일 동안 운동을 한 후 하루를 쉬고, 규리는 7일 동안 운동을 한 후 3일을 쉰다. 두 사람이 5월 1일부터 같이 운동을 시작했다면 8월 31일까지 같이 운동을 하게 되는 날은 모두 며칠인가? (단, 5월과 7월은 31일, 6월은 30일까지 있다.)

① 72일   ② 73일   ③ 74일

④ 75일   ⑤ 76일

23. 남산초등학교는 40분 수업 후 10분간 쉬었다가 수업을 진행하고, 학성고등학교는 50분 수업 후 10분간 쉬었다가 수업을 진행한다. 9시에 동시에 수업을 시작한 후 몇 시간 후 동시에 수업이 끝나는가? (단, 점심시간 없음)

① 3시간 10분   ② 3시간 20분   ③ 4시간 30분

④ 4시간 50분   ⑤ 5시간

24. 주훈이가 사탕을 포장하려고 하는데 5개씩 넣으면 2개가 남고, 6개씩 넣으면 3개가 남았다. 그러나 7개씩 넣으면 남는 사탕 없이 모두 포장할 수 있었다. 주훈이가 가진 전체 사탕의 개수를 구하면? (단, 사탕의 개수는 200개 미만이다.)

① 112개　　② 122개　　③ 137개

④ 142개　　⑤ 147개

25. 이상한 나라의 앨리스는 트럼프 여왕이 초대한 파티에 참석 하였다. 파티가 열린 홀에는 50개의 전구가 다음과 같은 순서에 따라 켜지고 꺼지기를 반복하면서 멋진 풍경을 만들고 있다. 파티가 끝날 때 켜져 있는 전구는 모두 몇 개인지 구하면?

> ① 파티가 시작되기 전에 모든 전구는 꺼져 있다.
> ② 50개의 전구는 50개의 스위치와 각각 연결되어 있는데 스위치를 누를 때마다 전구가 켜지거나 꺼진다.
> ③ 1번의 트럼프 병사는 모든 스위치를 누른다.
> ④ 2번의 트럼프 병사는 2의 배수에 해당하는 스위치를 모두 누른다.
> ⑤ 3번, 4번, 5번, …의 트럼프 병사는 각각 자기 번호의 배수에 해당하는 스위치를 모두 차례로 누른다.
> ⑥ 50번의 트럼프 병사가 50의 배수에 해당하는 스위치를 모두 누르면 파티가 끝난다.

① 3　　② 5　　③ 6

④ 7　　⑤ 10

26. 자연수 N을 소인수분해 했을 때, 2의 개수를 $<N>$으로 표시한다.
예를 들면 $24 = 2 \times 2 \times 2 \times 3$이므로 $<24> = 3$, $20 = 2 \times 2 \times 5$ 이므로 $<20> = 2$이다. $<N> = 4$가 되는 두 자리의 자연수 N은 모두 몇 개인가?

① 3　　② 5　　③ 7

④ 9　　⑤ 11

27. 50보다 작은 자연수 a의 약수의 개수가 4개일 때 a가 될 수 있는 수는 모두 몇 개인가?

① 9개　　② 12개　　③ 15개

④ 18개　　⑤ 21개

28. 50이하의 서로 다른 두 자연수의 최대공약수가 7이다. 이 두 자연수에 각각 7을 더한 수의 최대공약수가 21이고, 최소공배수는 원래 두 자연수의 최소공배수보다 28이 작다고 한다. 이 두 자연수의 합을 구한 것은?

① 14　　② 35　　③ 49

④ 63　　⑤ 100

29. 그림과 같이 담장 옆의 가로, 세로의 길이가 각각 66 m, 78 m인 직사각형 모양의 밭의 가장자리에 나무를 심으려고 한다. 담장으로부터 일정한 간격으로 가능한 적은 수의 나무를 심으려고 할 때, 물음에 답하시오. (단, 담장 쪽 세로 방향으로는 나무를 심지 않으며 오른쪽 두 모퉁이에는 반드시 나무를 심는다.)

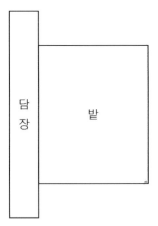

(1) 나무의 간격은 얼마로 해야 하는지 소인수분해를 이용하여 구하시오.

(2) 필요한 나무는 모두 몇 그루인지 구하시오.

30. 1초에 톱니바퀴가 1개씩 맞물려 돌아가는 톱니바퀴 A, B가 있을 때, 톱니바퀴 A의 톱니수는 15개로 1부터 15까지 번호가 적혀있고 톱니바퀴 B의 톱니수는 25개로 1부터 25까지 번호가 적혀있다. 두 톱니바퀴가 1과 1, 2와 2, 3과 3, …의 순으로 서로 맞물려 돌아간다면 6분 20초 동안 두 톱니바퀴의 같은 번호가 서로 맞물리는 것은 모두 몇 번인지를 구하면?

① 70번   ② 75번   ③ 80번

④ 85번   ⑤ 90번

31. 가로의 길이가 5cm, 세로의 길이가 6cm, 높이가 10cm인 직육면체 모양의 블록이 있다. 이 블록을 여러 개 쌓아 올려 부피가 28500cm³인 직육면체 모양을 만들었다. 이것을 무너뜨리고 다시 블록을 쌓아 가능한 한 가장 작은 정육면체 모양으로 만들었을 때, 남은 블록은 모두 몇 개인지 구하시오.

(1) 전체 블록의 개수

(2) 남은 블록의 개수

정수와 유리수

32. 다음 설명 중 옳지 <u>않은</u> 것은?

$$-9 \quad -1.7 \quad -2 \quad 0.5 \quad 0 \quad -\frac{1}{4} \quad \frac{9}{3}$$

① 양수는 0.5, $\frac{9}{3}$ 이다.

② 음수는 -9, -1.7, -2, $-\frac{1}{4}$ 이다.

③ 양의 정수는 0, $\frac{9}{3}$ 이다.

④ 음의 정수는 -9, -2 이다.

⑤ 정수가 아닌 유리수는 -1.7, 0.5, $-\frac{1}{4}$ 이다.

34. 다음 중 수직선과 절댓값에 대한 설명으로 옳지 않은 것은?

① $\left|-\frac{7}{3}\right| = \frac{7}{3}$

② $|a| < |b|$ 이면 b 는 a 보다 크다.

③ 절댓값이 5 인 수는 $+5$ 와 -5 이다.

④ 절댓값이 2 이하인 정수는 5 개이다.

⑤ 수직선 위에서 어떤 수를 나타내는 점과 원점 사이의 거리를 그 수의 절댓값이라고 한다.

33. 다음 수직선에 대한 설명으로 옳은 것은?

(단, -4 와 -3, 0 과 1, 4 와 5 사이는 각각 4 등분, 3 등분, 2 등분한 것임.)

① 점 A 에 대응하는 수는 -3.75 이다.

② 점 A 에 대응하는 수는 점 B 에 대응하는 수보다 크다.

③ 점 C 에 대응하는 수는 $1\frac{1}{3}$ 이다.

④ 점 B 와 점 D 의 절댓값의 곱은 -9 이다.

⑤ 절댓값이 가장 작은 수에 대응하는 점은 A 이다.

35. 절댓값이 10 이상 20 이하인 정수 몇 개를 곱하였더니 그 곱이 56160 이 되었고, 합하였더니 그 합이 -4 가 되었다. 이 정수 중 가장 작은 수는?

① -20　　　　　② -18

③ -16　　　　　④ -15

⑤ -12

36. 다음 그림은 왼쪽에 있는 수와 오른쪽에 있는 수의 합이 가운데 수가 되도록 계속해서 수를 적어 나간 것이다. 예를 들어 두 번째의 수 $-\dfrac{10}{3}$은 첫 번째의 수 $-\dfrac{1}{3}$과 세 번째의 수 -3의 합이다. 이때 29번째에 나오는 수를 옳게 구한 것은?

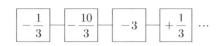

$$\boxed{-\dfrac{1}{3}}\ -\ \boxed{-\dfrac{10}{3}}\ -\ \boxed{-3}\ -\ \boxed{+\dfrac{1}{3}}\ \cdots$$

① $-\dfrac{11}{3}$ ② $-\dfrac{8}{3}$

③ $-\dfrac{1}{3}$ ④ $+3$

⑤ $+\dfrac{10}{3}$

37. 숫자가 적힌 말 $\dfrac{1}{2},\ -1,\ -6$ 이 있다. 한 개를 선택하고 놀이판의 갈림길에 있는 조건에 따라 $\boxed{\text{YES}}$, $\boxed{\text{NO}}$ 를 선택하여 말에 있는 수와 선택한 길에 있는 계산을 한다. ㉠, ㉡, ㉢을 각각 그 결과 값이라고 할 때, ㉠＋㉡＋㉢ 으로 옳은 것은?

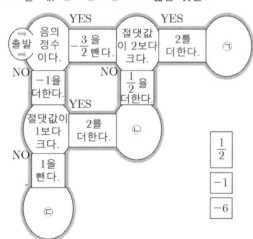

① -3 ② -1

③ 0 ④ 1

⑤ 3

38. 다음을 모두 만족하는 서로 다른 세 정수 $a,\ b,\ c$ 에 대하여 $a-b-c$의 값을 구하면?

ㄱ. $|a| < |b| < |c|$
ㄴ. $a \times b \times c = 8$
ㄷ. $a+b+c = -5$

① 3   ② 4

③ 5   ④ 6

⑤ 7

39. 세 유리수 $a,\ b,\ c$ 가 다음 조건을 만족할 때, $a-b\times c$ 의 값은?

- a 는 5 와의 합이 0 보다 크고, 3 과의 합이 0 보다 작은 정수
- b 는 a 보다 -9 만큼 작은 수
- $c = \left(\dfrac{1}{2}-1\right) \times \left(\dfrac{1}{3}-1\right) \times \left(\dfrac{1}{4}-1\right) \times \left(\dfrac{1}{5}-1\right)$

① -5 ② -3

③ -1 ④ 0

⑤ 1

40. 다음 주어진 상황에 대하여 틀리게 말한 학생을 찾으면?

> 태희와 지수가 계단에서 가위바위보를 하여 이기면 3칸을 올라가고, 지면 2칸을 내려가기로 하였다. 같은 위치에서 시작하여 가위바위보를 6번 한 결과 태희가 4번 이기고 2번 졌다.

① 지은 : 올라가는 것을 $+$, 내려가는 것을 $-$ 로 나타낼 수 있어.

② 은수 : 지수는 처음 위치에서 2칸 내려갔어.

③ 창현 : 두 사람은 6칸 떨어져 있어.

④ 은호 : 태희는 처음 위치에서 8칸 올라갔어.

⑤ 준혁 : 태희가 지수보다 처음 위치에서 더 많이 떨어져 있어.

41. $\left(-\dfrac{1}{2}\right) \div \left(+\dfrac{2}{3}\right) \div \left(-\dfrac{3}{4}\right) \div \cdots \div \left(+\dfrac{48}{49}\right) \div \left(-\dfrac{49}{50}\right)$ 을 계산하면?

① $\dfrac{25}{4}$ ② $\dfrac{25}{2}$ ③ 10

④ $-\dfrac{25}{4}$ ⑤ $-\dfrac{25}{2}$

42. 다음을 계산한 값은?

$$\left(\dfrac{1}{1}+\dfrac{1}{2}+\dfrac{1}{3}+\dfrac{1}{4}+\dfrac{1}{5}\right)-\left(\dfrac{2}{2}+\dfrac{2}{3}+\dfrac{2}{4}+\dfrac{2}{5}\right)$$
$$+\left(\dfrac{3}{3}+\dfrac{3}{4}+\dfrac{3}{5}\right)-\left(\dfrac{4}{4}+\dfrac{4}{5}\right)+\dfrac{5}{5}$$

① $\dfrac{7}{15}$ ② $\dfrac{2}{3}$ ③ $\dfrac{13}{15}$

④ $\dfrac{16}{15}$ ⑤ $\dfrac{19}{15}$

43. 두 유리수 a, b가 $a+b<0$, $a\times b<0$, $|a|<|b|$ 를 만족시킬 때, 가장 큰 수와 가장 작은 수의 합은?

a	b	$-a$	$-b$	$a-b$	$b-2a$

① $-2a$ ② $-a$ ③ $-a+b$

④ $a-b$ ⑤ $-b$

44. 두 수 a, b에 대하여
$$a\bigcirc b = a\div b-1, \quad a\bigstar b = a\times b+1$$
로 약속할 때, $\left(\dfrac{3}{4}\bigcirc\dfrac{9}{4}\right)\bigstar\left(\dfrac{5}{4}\bigcirc\dfrac{5}{2}\right)$ 을 계산하면?

① $-\dfrac{10}{9}$ ② $-\dfrac{2}{3}$ ③ $+\dfrac{4}{3}$

④ $+\dfrac{10}{9}$ ⑤ $+\dfrac{11}{9}$

45. 4개의 건물 중 A, B, C, D의 높이에 대한 설명이다. 가장 높은 건물과 가장 낮은 건물의 높이의 차는?

> ㉠ 건물 B는 건물 A보다 높이가 $\dfrac{47}{5}$m 낮다.
>
> ㉡ 건물 C는 건물 B보다 높이가 $\dfrac{23}{2}$m 높다.
>
> ㉢ 건물 D는 건물 C보다 높이가 6m 높다.

① $\dfrac{35}{2}$m ② $\dfrac{37}{2}$m ③ $\dfrac{39}{2}$m

④ $\dfrac{41}{2}$m ⑤ $\dfrac{43}{2}$m

46. 다음 조건을 만족시키는 서로 다른 세 유리수 a, b, c의 대소 관계를 바르게 나타낸 것은?

> • b의 역수는 c이다.
> • a, b, c의 곱 $a \times b \times c$는 양수이다.
> • a, b, c중 적어도 하나는 음수이다.
> • b의 절댓값은 1보다 크다.

① $b < c < a$ ② $c < a < b$ ③ $a < b < c$
④ $a < c < b$ ⑤ $c < b < a$

47. 정수 a, b, c에 대하여 다음 문제를 해결하시오.

(1) $a \times b \times c < 0$, $a + b + c > 0$을 만족하는 정수 a, b, c 중 음수의 개수를 구하시오.

(2) (1)의 조건을 만족하며 $a < |b| < |c|$, $a \times b \times c = -6$이 되도록 하는 정수 a, b, c의 모든 경우를 구하여 표에 넣으시오.

> <예> $a = 1$, $b = 2$, $c = 3$ / $a = 2$, $b = 1$, $c = 3$인 경우
>
> | a | b | c |
> |---|---|---|
> | 1 | 2 | 3 |
> | 2 | 1 | 3 |
>
> 과 같이 표현함.

(3) (2)에서 구한 정수 a, b, c 중 $a + b + c = 6$을 만족하는 정수 a, b, c의 값을 구하시오.

48. 네 개의 서로 다른 정수 a, b, c, d가 다음 식을 만족할 때, $a+b+c+d$의 값은?

$(10-a)\times(10-b)\times(10-c)\times(10-d)=4$

① 10   ② 20   ③ 30

④ 40   ⑤ 50

49. 다음과 같이 어떤 수를 넣으면 A, B, C의 과정을 거쳐 계산하는 기계가 있다. -5를 이 기계에 넣었을 때, 계산 결과를 구하시오.

> A: 들어온 수에 -3을 더한 후 2로 나눈다.
>
> B: 들어온 수에서 8을 뺀 후 $-\dfrac{2}{3}$를 곱한다.
>
> C: 들어온 수를 -4로 나눈 후 7를 더한다.

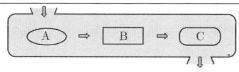

(1) A에 들어온 수의 계산값을 구하시오.

(2) B에 들어온 수식을 표현하시오.

(3) C에 들어온 수의 계산값을 구하시오.

50. 유리수 a의 절댓값은 $\dfrac{7}{6}$이고 유리수 b는 a와 다른 부호이며 b의 절댓값은 a의 절댓값 보다 2만큼 크다. $a-b$ 중 가장 큰 값을 M, 가장 작은 값을 m이라 할 때, $M-m$의 값은?

① $-\dfrac{5}{6}$ ② $-\dfrac{26}{3}$ ③ 0

④ $\dfrac{26}{3}$ ⑤ $\dfrac{5}{6}$

51. $A=1+2+3+ \cdots +99+100$일 때, A의 소인수의 개수는?

① 1개   ② 2개   ③ 3개

④ 4개   ⑤ 5개

52. 두 유리수 $\dfrac{3}{11}$과 $\dfrac{4}{7}$사이에 있는 분수 중 분자가 12인 기약분수의 개수를 구하여라.

① 4개   ② 5개   ③ 6개

④ 7개   ⑤ 8개

53. 다음을 계산하면?

$$\left(\frac{1}{2}-1\right)\times\left(\frac{1}{3}-1\right)\times\left(\frac{1}{4}-1\right)\times\cdots\times\left(\frac{1}{99}-1\right)$$

① $\dfrac{91}{99}$ ② $\dfrac{1}{99}$ ③ $-\dfrac{1}{2}$

④ $-\dfrac{1}{99}$ ⑤ $-\dfrac{98}{99}$

54. 마주 보는 면의 합이 항상 6이 되는 2개의 주사위를 다음 그림과 같이 쌓았다. 위에 놓인 주사위에서 보이지 않는 3개의 면에 적힌 수들과 아래에 놓인 주사위에서 보이지 않는 4개의 면에 적힌 수들의 합은?

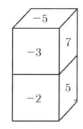

① -15 ② -6 ③ 12

④ 24 ⑤ 34

55. 네 수 $\dfrac{3}{4}$, -3, $\dfrac{7}{2}$, -2 중 세 개를 선택하여 다음 그림의 □ 안에 한 번씩 써넣어 계산하였을 때, 나올 수 있는 수 중에서 가장 작은 값을 구하고자 한다. 다음 단계에 따라 구하시오.

$$\boxed{\text{㉠}} - \boxed{\text{㉡}} \div \boxed{\text{㉢}}$$

(1) ㉠, ㉡, ㉢에 알맞은 수를 쓰시오.

(2) (1)의 결과를 이용하여 식을 세우고 계산하시오. (단, 등호를 3번 이상 사용하여 풀이과정과 답을 쓸 것.)

56. 분배법칙을 이용하여 $\dfrac{2017^2+2017}{2018}$ 의 값을 구하여라.

문자와 식

57. $|a|=|b|=2$이고 $a>b$일 때, $\dfrac{a^2+2b^2}{3a^3-b^3+4}$의 값은?

① -2

② 0

③ $\dfrac{1}{3}$

④ $\dfrac{4}{5}$

⑤ 1

58. A마트와 B마트에서는 1개의 가격이 a원인 같은 음료수 2개를 한 묶음으로 팔고 있다. 이 음료수 한 묶음을 구입하면, A마트는 1개를 더 주고, B마트는 30%를 할인해 준다. 다음 중 옳은 것은?

① A마트에서 $3a$원을 내면 음료수를 7개를 가져갈 수 있다.

② 음료수 한 묶음을 구입할 때, 원래 가격이 1200원인 음료수를 B마트에서 900원에 살 수 있다.

③ 음료수 한 묶음을 구입할 때, A마트가 B마트보다 음료수 1개당 가격이 더 저렴하다.

④ 음료수 1개의 가격이 1000원일 때, A마트에서는 음료수 3개를 1000원에 살 수 있다.

⑤ B마트에서 음료수 6개를 구입하려고 할 때, 음료수 1개당 가격은 $4.2a$원이다.

59. 다음 직사각형에서 색칠한 부분의 넓이를 문자를 사용한 식으로 나타낸 것은?

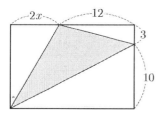

① $3x+78$

② $13x-78$

③ $16x+96$

④ $-6x+36$

⑤ $-26x-36$

60. 넓이가 $(14x+21)m^2$인 논에 모내기를 하고 있다. 첫째 날에는 전체 넓이의 $\dfrac{2}{7}$, 둘째 날에는 $10m^2$, 셋째 날에는 남은 넓이의 $\dfrac{1}{5}$에 모내기를 하였다. 아직 모내기를 하지 않은 논의 넓이를 $(ax+b)m^2$라 할 때, 상수 a, b에 대하여 $\dfrac{b}{a}$의 값을 구한 것은?

① -2

② $-\dfrac{1}{2}$

③ 1

④ $\dfrac{1}{2}$

⑤ 2

61. 다음 x에 대한 두 일차방정식의 해가 같을 때, 수 a의 값을 구하면?

$$\frac{1}{3} - \frac{3x-5}{6} = -\frac{2x}{3}$$
$$0.2(x+a) - 0.3 = 0.1x$$

① -7 ② -5

③ 3 ④ 5

⑤ 7

62. x에 대한 일차방정식 $\dfrac{x+1-2a}{2} = \dfrac{a+1}{4}$의 해와 $\dfrac{x-1}{5} - \dfrac{2a-3}{3} = 1$의 해의 비가 $2:3$일 때, 상수 a의 값은?

① $a = -\dfrac{21}{5}$ ② $a = -\dfrac{12}{5}$

③ $a = \dfrac{12}{5}$ ④ $a = \dfrac{21}{5}$

⑤ $a = 6$

63. 6시와 7시 사이에 시침과 분침이 일치하는 시각은?

① 6시 $31\dfrac{2}{3}$분   ② 6시 $32\dfrac{1}{2}$분

③ 6시 $31\dfrac{2}{11}$분   ④ 6시 $32\dfrac{3}{11}$분

⑤ 6시 $32\dfrac{8}{11}$분

64. A모둠 남녀 학생의 비율은 $2:5$, B모둠 남녀 학생의 비율은 $6:1$이다. A, B 두 모둠을 합한 남녀 학생의 비율은 $4:3$이고 전체 학생 수는 98명일 때, A모둠의 학생 수는?

① 46   ② 47

③ 48   ④ 49

⑤ 50

65. 어느 옷가게에서는 옷의 가격을 정할 때 원가에 20%의 이익을 붙여서 정가를 정한다. 그런데 처음 정가에 20벌을 판매한 후, 더 이상 옷이 잘 팔리지 않아 정가에서 10%를 할인하여 팔았더니 80벌이 더 팔렸다. 총 100벌을 판매한 결과 한 벌당 4992원의 이익이 남은 셈이었다면, 이 옷의 원가는 얼마인가?

① 46000원   ② 47000원

③ 48000원   ④ 49000원

⑤ 50000원

66. 지아는 두 자리 자연수 $A, B(A < B)$를 나란히 적어 네 자리 비밀번호를 만들었다. $A \times B$는 다음 조건을 만족시킬 때, 지아가 만든 비밀번호는?

- 100보다 크고 200보다 작은 수이다.
- 각 자리의 숫자의 합이 11이다.
- 십의 자리의 숫자와 일의 자리의 숫자를 바꾸면 처음 수보다 54만큼 작다.

① 1115   ② 1314

③ 2091   ④ 2419

⑤ 4159

67. 어떤 사람이 세 개의 문을 통과하여 과수원에 들어가서 귤을 땄다. 그가 과수원을 떠날 때, 첫 번째 문에서 문지기에게 딴 귤의 절반을 주고 한 개를 더 주었고, 두 번째 문에서 문지기에게 나머지 귤의 절반을 주고 두 개를 더 주었다. 세 번째 문에서 문지기에게 나머지 귤의 절반을 주고 세 개를 더 주었더니 그에게는 단 한 개의 귤만 남았다. 그가 처음 딴 귤의 개수는?

① 42 ② 52
③ 62 ④ 72
⑤ 82

68. 아주 먼 옛날, 사람들은 필요한 곡식과 고기 등을 물물 교환으로 구했다. 다음 대화를 읽고 염소 1 마리와 교환할 수 있는 것을 고르면?

> 우가 : 소금 1 자루로 염소 2 마리와 닭 5 마리를 바꾸어 왔는데 말야... 옥수수를 구해볼까?
>
> 둥가 : 나는 닭 1 마리와 옥수수 2 자루를 바꾸어 주지!
>
> 차차 : 콩은 필요하지 않니? 염소 1 마리를 콩 5 자루와 바꿀 수 있어!
>
> 버둥 : 콩 2 자루는 바나나 4 송이와 같아. 나와도 바꾸자!
>
> 추피 : 혹시 옥수수를 많이 구하면 나에게 3 자루를 줘. 그러면 내가 파인애플 5 개 또는 생선 4 마리를 줄게.
>
> 치카 : 어, 잠깐... 나는 소금 1 자루로 염소 3 마리와 닭 2 마리를 바꾸었는데...

① 파인애플 10 개 ② 닭 2 마리
③ 바나나 8 송이 ④ 옥수수 5 자루
⑤ 생선 4 마리

69. 표의 각 칸에 식을 넣어 가로, 세로, 대각선에 놓인 세 식의 합이 모두 같게 하려고 한다. A와 B에 알맞은 식을 쓰면?

$-x+1$	A	$3x+5$
$6x+8$	$2x+4$	$-2x$
$x+3$	2	B

① $A:4x+6,\ B:5x+7$
② $A:4x+6,\ B:5x-7$
③ $A:4x-6,\ B:3x-2$
④ $A:4x-6,\ B:3x+2$
⑤ $A:5x+2,\ B:6x+1$

70. 다음 그림은 한 변의 길이가 4인 정사각형 모양의 종이 n장을 겹쳐 놓은 것이다. 한 꼭짓점이 다른 정사각형의 두 대각선의 교점에 오도록 11장을 겹쳐 놓았을 때, 보이는 부분의 넓이는? (단, 각 정사각형의 대각선이 만나는 점은 한 직선 위에 있다.)

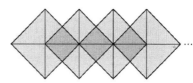

① 120 ② 136 ③ 144
④ 160 ⑤ 176

71. 등식 $2(x-a)=4bx+1$ 이 모든 x 에 대해 항상 성립할 때, $\dfrac{1}{a}+\dfrac{b}{a^2}+\dfrac{b^2}{a^3}+\cdots+\dfrac{b^9}{a^{10}}$ 의 값은?

① -2 ② -1 ③ 0

④ 1 ⑤ 2

72. 덕순이는 A 문제집에서 다음과 같은 문제를 풀고 있었다. 덕순이의 문제를 읽고 물음에 답하여라.

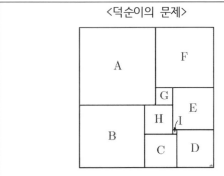

<덕순이의 문제>

주어진 그림의 사각형 A, B, C, D, E, F, G, H, I는 모두 정사각형이고, 정사각형 I의 한 변의 길이는 1이다. 사각형 A, B, C, D, E, F, G, H, I가 이루는 전체 사각형이 정사각형이라면 H의 한 변의 길이는 얼마인가?

① H의 한 변의 길이는 6이다.

② H의 한 변의 길이는 7이다.

③ H의 한 변의 길이는 8이다.

④ H의 한 변의 길이는 9이다.

⑤ H의 한 변의 길이를 미지수로 두고 구한 해가 문제의 뜻에 맞지 않으므로 주어진 덕순이의 문제는 오류가 있다.

73. x에 대한 두 일차방정식 $\dfrac{x+2}{3}-\dfrac{3(5-x)}{2}=x+\dfrac{3}{2}$ 와 $5x-10=2(x-a)$의 해의 비가 $5:2$일 때, a의 값을 구하면?

① -1 ② 1 ③ 4

④ 5 ⑤ 10

74. 학교에서 100m 떨어진 도서관까지 자전거로 가는데 A는 12초 걸리고, B는 A시간의 $\dfrac{4}{3}$배가 걸린다. 둘레가 300m인 호수를 A와 B가 같은 지점에서 동시에 서로 다른 방향으로 달려서 A가 총 90바퀴 돌았다면 도중에 A, B가 처음의 출발점에서 서로 만난 횟수는? (단, A와 B의 속력은 일정하다.)

① 20회   ② 21회   ③ 22회

④ 23회   ⑤ 24회

75. A 상자와 B 상자에 흰 공과 검은 공이 섞여 있다. A, B 두 상자 속에 있는 공의 개수의 비는 $7:8$, A 상자 속의 흰 공과 검은 공의 개수의 비는 $3:4$, B 상자 속의 흰 공과 검은 공의 개수의 비는 $7:9$ 이다. A, B 두 상자의 공을 모두 모으면 흰 공보다 검은 공의 개수가 16 개 더 많다. 이때, A 상자의 공의 개수를 구하면?

① 56 ② 58 ③ 60
④ 62 ⑤ 64

76. 정현이가 아침 운동을 하려고 집을 나설 때 시계를 보니 7시와 8시 사이에서 시침과 분침이 180° 를 이루고 있었다. 이때 정현이가 운동을 하러 나간 시각을 구하면?

① 7시 $5\frac{5}{11}$ 분 ② 7시 $5\frac{6}{11}$ 분

③ 7시 $5\frac{7}{11}$ 분 ④ 7시 $\frac{8}{11}$ 분

⑤ 7시 $5\frac{9}{11}$ 분

77. 지훈이는 자전거 동호회 멤버들과 함께 남한강 강변길을 따라 자전거를 타고 가다가 뒤에서부터 지나가는 시내버스 한 대를 만났다. 이 시내버스의 배차간격은 50 분이며 속력은 시속 $60\,\mathrm{km}$ 로 일정하다고 한다. 동호회 회원들과 지훈이는 그 버스가 가는 길을 그대로 따라가 시내로 들어가기로 했다. 자전거의 속력이 시내버스 속력의 $\frac{1}{3}$ 일 때, 지훈이가 다음 시내버스를 만날 때까지 걸리는 시간을 구하시오. (단, 미지수 x 를 제시하고, 일차방정식을 이용하여 구하시오.)

78. A 와 B 두 사람에게 주어진 일을 A 가 혼자하면 20일 걸리고, B 가 혼자하면 10일이 걸린다. B 가 5일을 먼저 일하고, A 가 그 뒤를 이어 4일을 일한 다음, 두 사람이 함께 남은 일을 모두 끝내고 100만 원을 받았을 때, B 의 몫을 구하시오.

79. 다음 표의 가로, 세로, 대각선에 놓인 네 식의 합이 같도록 빈 칸을 채워나가려고 한다. 물음에 답하시오.

	$-6x+2$	A	$4x+9$
	x		$-x-5$
	$-3x-1$	$-2x+3$	B
$-5x-6$	$6x+5$	$5x+1$	

(1) 네 식의 합을 계산하여 일차항의 계수와 상수항의 합을 구하시오.

(2) 일차식 A, B를 구한 후, $\dfrac{1}{2}(4B-2A)-(-2A+3B)$ 를 계산하시오.

80. 구슬이 들어 있는 세 주머니 A, B, C가 있다. A주머니에서 구슬의 $\dfrac{1}{5}$을 꺼내어 B주머니에 넣은 후 B주머니에서 $\dfrac{2}{5}$를 꺼내어 C주머니에 넣었더니 세 주머니 A, B, C에 들어 있는 구슬의 개수가 각각 60개로 모두 같았다. 다음 설명 중 옳은 것은?

① 처음 A 주머니에 들어 있던 구슬은 100개
② 처음 B 주머니에 들어 있던 구슬은 45개
③ 처음 C 주머니에 들어 있던 구슬은 26개
④ A 주머니에서 B 주머니에 넣은 구슬은 25개
⑤ B 주머니에서 C 주머니에 넣은 구슬은 40개

81. A컵에는 14%의 설탕물 300g이 들어있고, B컵에는 10%의 설탕물 200g이 들어 있다. A, B컵에서 각각 x g의 설탕물을 덜어내어 서로 바꾸어 넣었더니 두 컵에 들어있는 설탕물의 농도가 같아졌다. x의 값을 구하면?

① 24　　　② 50　　　③ 100
④ 120　　　⑤ 180

82. 다음에서 빈칸에 들어갈 말들이 모두 **옳은** 것은?

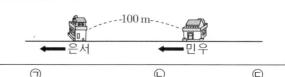

은서네 집과 민우네 집은 100m 떨어져 있다. 두 사람이 각자의 집에서 　㉠　 출발하여 은서는 매분 40m, 민우는 매분 60m의 속력으로 같은 방향으로 걸어갈 때, 　㉡　　㉢　 분 후에 서로 만난다.

	㉠	㉡	㉢
①	동시에	출발한 지	1
②	은서가 먼저 출발하고 1분 후에 민우가	은서가 출발한 지	7
③	은서가 먼저 출발하고 1분 후에 민우가	민우가 출발한 지	5
④	민우가 먼저 출발하고 1분 후에 은서가	은서가 출발한 지	2
⑤	민우가 먼저 출발하고 1분 후에 은서가	민우가 출발한 지	4

83. 해군의 정찰 헬기는 함대의 항해 방향으로 함대에 앞서 가서 정찰하라는 명령을 받았다. 정찰 헬기는 함대의 항해 방향을 따라 곧장 날아갔다가 같은 길로 2시간 후에 함대로 되돌아와야 한다. 헬기는 1시간에 180km, 함대는 1시간에 45km를 이동한다고 하면 헬기는 함대를 떠난 시각으로부터 몇 시간 후에 방향을 돌려 함대로 되돌아와야 하는지 구하려 한다. 다음 물음에 답하여라.

(1) 정찰헬기가 x시간 후에 방향을 돌려야 한다고 하면, 그 때 헬기와 함대의 거리의 차를 x를 이용하여 나타내어라.

(2) 되돌아올때의 거리를 이용하여 문제에 맞는 방정식을 세워라.

(3) (2)에서 세운 방정식을 풀어 문제의 답을 구하여라.

84. 어벤져스의 영웅 캡틴아메리카가 400m를 달리는 동안 헐크는 500m를 달린다고 한다. 두 사람이 둘레의 길이가 10km인 호수의 같은 지점에서 서로 반대 방향으로 동시에 출발하여 20분 만에 만났다고 할 때, 캡틴아메리카의 달리는 속력은? (단, 속력은 소수점 아래 첫째자리에서 반올림한다.)

① 132m/분   ② 178m/분   ③ 222m/분

④ 256m/분   ⑤ 290m/분

85. 일정한 속력으로 달리는 어느 기차가 길이가 2400m인 터널에 진입해서 완전히 빠져나가는데 1분 40초가 걸렸으나, 길이 900m인 다리를 지날 때는 속력을 반으로 감속하여 다리를 진입하여 완전히 빠져나가는 데 1분 20초 걸렸다. 이 기차의 길이는?

① 90m   ② 100m   ③ 200m

④ 250m   ⑤ 300m

수학을 모르는 사람은
자연의 진정한 아름다움을 알 수 없다.
-리처드 파인만-

좌표평면과 그래프

86. 그림에서 점 $P(a,b)$가 직사각형 $ABCD$의 둘레를 움직인다. $-a+b$의 값이 가장 큰 값이 될 때, $3a+b$의 값은?

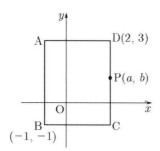

① 0
② 1
③ 2
④ 3
⑤ 4

87. 일차방정식 $6\left(\dfrac{2}{3}x-\dfrac{1}{2}\right)-4\left(\dfrac{5}{4}x-\dfrac{3}{2}\right)=0$을 $ax=b$ 을 꼴로 고쳤을 때, 다음 좌표평면에서 (a,b)가 될 수 있는 점을 모두 고르면? (정답 2개)

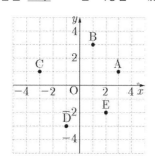

① A
② B
③ C
④ D
⑤ E

88. 놀이동산으로 놀러 간 두 친구가 자신의 위치를 다음과 같이 설명하고 있다. 서영이의 위치를 원점으로 하였을 때, 유진이의 위치를 좌표로 바르게 나타낸 것은?

- 서영: 회전목마의 위치를 원점으로 하면 내 위치의 좌표는 $(4,3)$이야.
- 유진: 내 위치를 원점으로 하면 입구의 위치의 좌표는 $(-4,-2)$야.

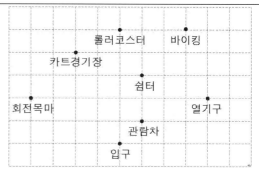

① $(4,-3)$
② $(-4,3)$
③ $(-3,-1)$
④ $(3,3)$
⑤ $(1,-2)$

89. 두 점 $A(-2a+4,1+b)$, $B\left(-b+4,-\dfrac{b}{a}+1\right)$이 모두 y축 위의 점이고, $C(1+b,-2a+3)$라 한다. 이때, 세 점 A, B, C를 꼭짓점으로 하는 삼각형의 넓이는?

① 30
② 15
③ 6
④ 5
⑤ 4

90. 다음은 장미가 수학 수업을 들을 때 생긴 감정 변화를 그래프로 나타낸 것이다. 수학 수업이 시작된 지 x분 후의 기분을 y로 표현했다고 했을 때, 그래프를 가장 옳지 <u>않게</u> 해석한 학생은? (단, 기분이 좋으면 양수, 나쁘면 음수로 표현하며 수학 수업 시간은 45분)

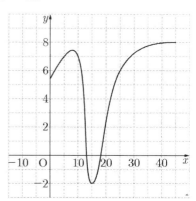

① 하늘 : 장미는 수학 수업시간 동안 기분이 좋았다가 나빠지고 다시 좋아졌어.

② 바다 : 맞아. 수학 수업이 끝날 때쯤은 기분이 제일 좋아.

③ 구름 : 그런데 수업이 시작된 지 15분 후에 무슨 일이 있었던 걸까? 장미의 기분 점수가 -2가 될 정도의 사건이 뭐였을까?

④ 별 : 그러게. 심지어 그 안 좋은 기분이 똑같이 5분 동안이나 지속 되네.

⑤ 태양 : 얘들아, 그런데 저것 봐봐. 장미는 수학 시간이 좋은가 봐. 수학 시간이 시작될 때부터 기분이 좋다고 하네!!

91. 영수는 수도꼭지를 틀어 욕조에 물을 받았다. 수도꼭지를 잠근 후 몇 분이 지나고 욕조 마개를 뽑아 욕조에 담긴 물을 모두 뺐다. 다음은 이 상황에 대한 시간에 따른 욕조에 담긴 물의 양 변화를 나타내는 그래프이다. 그래프를 보고, 다음 중 설명이 옳지 <u>않은</u> 것은?

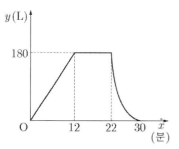

① 수도꼭지를 잠근 시간은 12분 후이다.

② 욕조 마개를 뽑은 시간은 22분 후이다.

③ 수도꼭지를 잠글 때, 욕조에 담긴 물의 양은 180L 이다.

④ 1분 동안 수도꼭지에 물이 나오는 양은 15L로 일정하다.

⑤ 욕조 마개를 뽑은 후 물이 모두 빠지는 데 걸린 시간은 30분이다.

92. 다음 그림과 같이 정비례 관계 $y = ax$의 그래프는 점 P를 지난다. 세 점 A, B, C의 좌표는 각각 $(0, 7)$, $(0, 4)$, $(5, 0)$이고 삼각형 PAB와 삼각형 POC의 넓이가 같을 때, a의 값을 구하면?

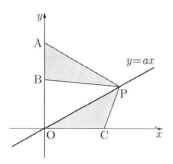

① $\dfrac{4}{5}$ ② $\dfrac{3}{5}$

③ $\dfrac{3}{4}$ ④ $\dfrac{2}{3}$

⑤ $\dfrac{1}{2}$

93. 수도꼭지를 틀어 같은 양의 물이 흘러나오도록 했을 때, 병의 모양과 그래프의 모양의 짝으로 알맞지 않은 것은? (단, x축은 시간, y축은 높이이다.)

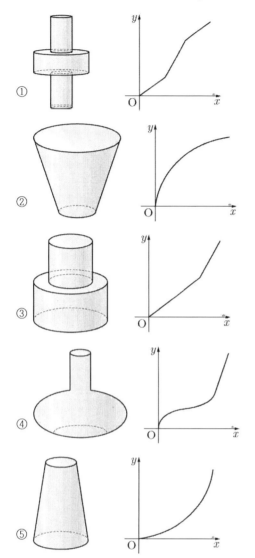

94. 그림의 직사각형 $ABCD$에서 점 B와 점 C는 x축 위의 점이고, 점 D는 $y=x$의 그래프 위의 점이고, 점 A는 $y=-\dfrac{1}{2}x$의 그래프 위의 점이다. 이때 선분 AD의 길이가 8일 때, 꼭짓점 A의 좌표 (a,b)에 대하여 $a+b$의 값은?

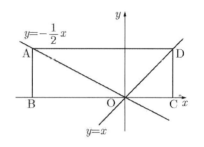

① $-\dfrac{16}{5}$ ② -3

③ $-\dfrac{8}{3}$ ④ 4

⑤ $\dfrac{15}{4}$

95. 다음 그림에서 식 $y=-\dfrac{12}{x}$의 그래프 위의 두 점 A와 C의 x좌표는 각각 두 점 B와 D의 x좌표와 서로 같다. 점 B의 좌표는 $(-4a,0)$, 점 D의 좌표는 $(4a,0)$일 때, 사각형 $ABCD$의 넓이를 바르게 구한 것은? (단, $a>0$)

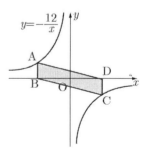

① 18   ② 20

③ 22   ④ 24

⑤ 26

96. 다음 그림과 같이 정비례 관계 $y = kx$의 그래프와 반비례 관계 $y = \dfrac{16k}{x}$의 그래프가 만나는 제1사분면의 점 P에서 y축에 내린 수선의 발을 A라 하자. 직각삼각형 AOP의 넓이가 56일 때, 상수 k의 값은?

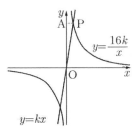

① 6   ② 7

③ 8   ④ 9

⑤ 10

97. 다음은 토끼와 거북이의 달리기 경주를 나타낸 그래프이다. 다음 중 옳지 <u>않은</u> 것을 <u>모두</u> 고르면? (정답 2개)

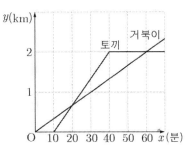

① 토끼는 거북이 보다 10분 더 늦게 출발하였지만 출발한 지 10분 후 거북이와 만났다.

② 토끼의 속력은 거북이의 속력보다 3배 빠르다.

③ 거북이가 출발한 지 40분 후 둘 사이의 거리는 $\dfrac{2}{3}$km 이다.

④ 토끼는 거북이를 추월하여 1.3km를 더 간 후 (잠을 잔 듯) 멈추었고, 거북이는 멈추지 않고 계속 갔다.

⑤ 거북이는 출발한 지 60분이 지나서야 토끼를 추월할 수 있었다.

98. 준서와 성근이가 가위바위보를 하여 다음과 같은 규칙으로 좌표평면 위의 점 $A(2,0)$를 이동시키려고 한다. 5번의 가위바위보를 하여 준서가 3번, 성근이가 2번 이겼을 때, 점 A가 이동된 점의 좌표를 구하면?

- 준서가 이기면 x축의 방향으로 1만큼, y축의 방향으로 2만큼 이동시킨다.
- 성근이가 이기면 x축의 방향으로 -2만큼, y축의 방향으로 -1만큼 이동시킨다.

① $(0,4)$ ② $(1,4)$ ③ $(-1,4)$

④ $(2,3)$ ⑤ $(-2,3)$

99. 다음 그림은 정비례 관계 $y = \dfrac{3}{2}x$와 $y = ax$의 그래프이다. 사각형 $AOBC$는 직사각형이고 세 점 A, D, C의 y좌표는 3이다. 또한 선분 AD와 선분 DC의 길이의 비가 $4:5$일 때, 점 F의 좌표는?

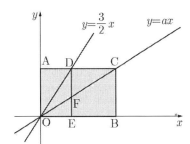

① $(2, 1)$ ② $\left(2, \dfrac{4}{3}\right)$ ③ $\left(2, \dfrac{12}{5}\right)$

④ $\left(\dfrac{5}{2}, \dfrac{4}{3}\right)$ ⑤ $\left(\dfrac{5}{2}, \dfrac{12}{5}\right)$

100. 다음 그림에서 두 점 $A(m-2, n+3)$, $B(2m, n-3)$는 각각 y축, x축 위의 점이고, 선분 AB와 정비례 관계 $y=ax$의 그래프가 점 P에서 만날 때, 다음 물음에 답하시오.

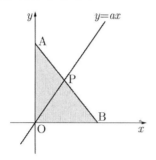

(1) m과 n의 값을 각각 구하시오.

(2) 삼각형 ABO의 넓이가 삼각형 POB의 넓이의 2배일 때, 상수 a의 값을 구하시오.

101. 정비례 관계 $y=ax$, 반비례 관계 $y=-\dfrac{7a}{x}$ $(x<0)$의 그래프에 대하여 사각형 ABCD는 가로와 세로의 길이의 비가 $4:1$인 직사각형이고 두 점 A, C의 x좌표는 각각 -2, 2일 때, 상수 a의 값은? (단, 직사각형의 각 변은 좌표축과 평행하다.)

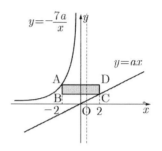

① $\dfrac{1}{4}$ ② $\dfrac{1}{3}$ ③ $\dfrac{2}{3}$

④ 1 ⑤ $\dfrac{4}{3}$

102. 반비례 관계 $y=\dfrac{20}{x}$ $(x>0)$의 그래프 위의 점 $Q(a, b)$에서 x축, y축에 내린 수선과 x축, y축이 만나는 점을 각각 R, P라 하자. a, b가 자연수일 때, 직사각형 PORQ의 둘레를 계산해 보니 최댓값은 m이고, 최솟값은 n이다. $m+n$의 값은?(단, m, n은 상수)

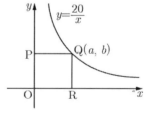

① 30 ② 42 ③ 51
④ 60 ⑤ 82

기본도형

103. 다음 조건을 모두 만족하는 서로 다른 다섯 개의 점 A, B, C, D, E 중 왼쪽에서 네 번째 점을 고르면?

> (I) 점 A, B, C, D, E는 한 직선 위에 있고, 점 A는 점 C의 오른쪽에 있다.
>
> (Ⅱ) 점 B는 선분 AC의 중점이다.
>
> (Ⅲ) $\overline{AD} = \dfrac{1}{2}\overline{AB}$
>
> (Ⅳ) 다섯 개의 점들 중 이웃한 점들 사이의 거리는 모두 같다.

① A   ② B   ③ C
④ D   ⑤ E

104. 다음 그림에서 점선은 빛이 세 개의 평면거울 $\overline{AB}$, $\overline{BC}$, $\overline{CA}$에서 반사된 것을 나타낸다. $\angle x : \angle y : \angle z = 3 : 5 : 7$일 때, $\angle C$의 크기를 구하면? (단, 입사각과 반사각의 크기는 같다.)

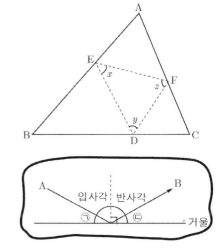

① 36°   ② 48°   ③ 60°
④ 72°   ⑤ 84°

105. 그림과 같이 시계가 3분 35분을 가리킬 때, 시침과 분침이 이루는 각 중에서 작은 쪽의 각의 크기를 구하면?

① 87°   ② 93.5°   ③ 97°
④ 102.5°   ⑤ 105.5°

106. 정사각형 모양의 종이 ABCD가 있다. $\overline{AB}$와 $\overline{BC}$의 중점을 각각 E, F라고 할 때, 점선을 따라 접어 만든 입체도형에 대하여 면 EBF와 수직인 면의 개수는 a개, $\overline{DF}$와 꼬인 위치에 있는 모서리의 개수는 b개라 하자. 이때 $a-b$의 값은?

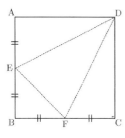

① 0   ② 1   ③ 2
④ 3   ⑤ 4

107. 다음 그림에서 $\overrightarrow{AB}$∥$\overrightarrow{CD}$이고
$\angle ABP = 3\angle PBQ$, $\angle CDP = 3\angle PDQ$이다.
$\angle BPD = \angle x$, $\angle BQD = \angle y$라고 할 때,
$\angle y = h\angle x$를 만족시키는 상수 h에 대하여 $9h$의
값을 구하면?

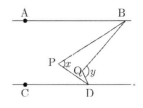

① 12   ② 15   ③ 18

④ 21   ⑤ 27

108. 다음 그림에서 l∥m일 때, $\angle a + \angle b$의 값을 구하면?

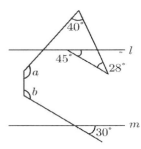

① 276˚   ② 277˚   ③ 278˚

④ 279˚   ⑤ 280˚

109. 다음 그림과 같이 $\angle C = 40°$인 삼각형 ABC가
있다. 이 삼각형을 점 A를 중심으로 시계 방향으로
$50°$만큼 회전시켜 삼각형 AB′C′을 만들 때,
$\angle BAC'$의 크기를 구하면? (단, 점 B는 $\overline{C'B'}$ 위에
있다.)

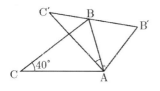

① 15˚   ② 20˚   ③ 25˚

④ 30˚   ⑤ 35˚

110. 다음 그림과 같이 삼각형 ABC에서 $\overline{AB}$, $\overline{AC}$를
각각 한 변으로 하는 정삼각형 ADB, ACH를 그렸
을 때, $\angle DFH$의 크기는?

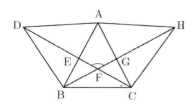

① 100˚   ② 110˚   ③ 115˚

④ 120˚   ⑤ 135˚

111. 다음 그림에서 △ABC와 △CDE는 정삼각형이다. 다음 물음에 답하시오.

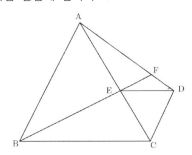

(1) △ACD와 합동인 삼각형을 찾으시오.

(2) (1)의 합동조건을 구하시오.

(3) ∠AFE의 크기를 구하시오.

112. 그림에서 사각형 ABCD와 사각형 GCEF가 정사각형일 때, 다음 물음에 답하시오.

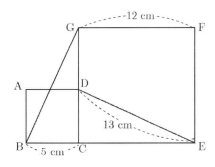

(1) 합동인 삼각형을 찾아 기호로 표시하시오.

(2) (1)에서 찾은 두 삼각형이 합동인 이유를 서술하시오. (단, $\overline{AB}$나 ∠ABC 등과 같이 기호를 사용하여 표현해야하며, SSS합동처럼 간단히 표현하는 것은 인정 안 됨)

(3) $\overline{BG}$의 길이를 구하시오.

평면도형과 입체도형

113. △ABC에서 ∠B의 삼등분선과 ∠C의 외각의 삼등분 교점을 각각 D, E라고 할 때, ∠x+∠y을 구하면?

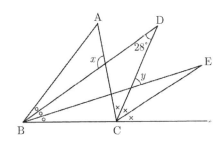

① 158°   ② 166°   ③ 180°

④ 194°   ⑤ 208°

114. 다음 그림과 같이 오각형 ABCDE의 각 변의 연장선 위의 점 F, G, H, I, J, K, L, M, N, O을 잡아 사각형 AFGB, 사각형 BHIC, 사각형 CJKD, 사각형 DLME, 사각형 AONE를 만들 때, ∠F+∠G+∠H+∠I+∠J+∠K+∠L+∠M+∠N+∠O 의 크기를 구하면?

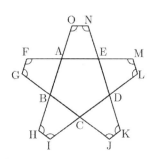

① 980°   ② 1024°   ③ 1080°

④ 1360°   ⑤ 1440°

115. 정오각형 ABCDE와 정삼각형 BCQ, APE가 있다. $\overline{CQ}$와 $\overline{PE}$의 교점을 R라 할 때, ∠PRQ의 크기는?

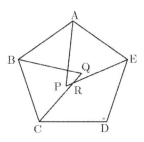

① 148°   ② 150°   ③ 156°

④ 158°   ⑤ 160°

116. 다음 그림의 정오각형 ABCDE에서 점 F는 ∠C의 외각의 이등분선과 ∠E의 외각의 삼등분선의 교점일 때, ∠x-∠y의 값은?

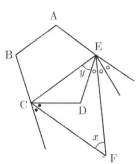

① 10°   ② 12°   ③ 14°

④ 16°   ⑤ 18°

117. 정사각형 ABCD에서 색칠한 부분의 넓이를 각각 a, b, c라고 할 때, $a-b+c$의 값은?

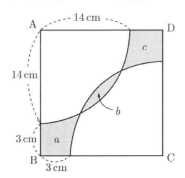

① $(289-98\pi)\mathrm{cm}^2$ ② $(289+98\pi)\mathrm{cm}^2$

③ $(289-49\pi)\mathrm{cm}^2$ ④ $(289+49\pi)\mathrm{cm}^2$

⑤ $(196-98\pi)\mathrm{cm}^2$

118. 다음 그림에서 반원 AED는 반지름의 길이가 6cm인 반원 ACB를 점 A를 중심으로 50°만큼 회전시킨 것이고, $\overarc{BD}$는 점 B가 움직인 자리이다. 다음 물음에 답하시오.

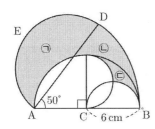

(1) 색칠된 부분 중 ㉠과 ㉡의 넓이의 합을 구하시오.

(2) 색칠된 부분 중 ㉢의 넓이를 구하시오.

119. 다음 그림과 같이 한 변의 길이가 1cm인 정육각형 ABCDEF에서 각 변의 연장선을 긋고, 꼭짓점 A, B, C, D, E, F, A를 중심으로 하여 차례로 부채꼴을 그려서 나선 모양을 만들어 간다. 부채꼴을 열 한 개까지 그렸을 때, 나선의 총 길이는?

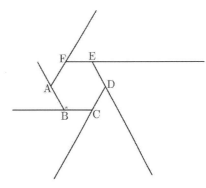

① 22π ② $\dfrac{64}{3}\pi$ ③ 24π

④ $\dfrac{55}{2}\pi$ ⑤ 33π

120. 다음 그림과 같이 반지름의 길이가 1cm인 원을 중심각의 크기가 90°이고 반지름의 길이가 5cm인 부채꼴 주위를 따라 한 바퀴 굴렸을 때, 원의 중심이 지나간 자리의 길이는?

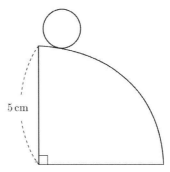

① $(3\pi+10)\mathrm{cm}$ ② $\left(\dfrac{9}{2}\pi+10\right)\mathrm{cm}$

③ $\left(\dfrac{9}{2}\pi+20\right)\mathrm{cm}$ ④ $(6\pi+10)\mathrm{cm}$

⑤ $(6\pi+20)\mathrm{cm}$

121. 직육면체에서 두 점 M, N은 각각 모서리 BC, CD의 중점이다. 네 점 M, F, H, N을 지나는 평면으로 직육면체를 자를 때, 나누어지는 두 입체도형의 면의 개수 합을 a, 꼭짓점 개수의 합을 b, 모서리 개수의 합을 c라 하자. $a+b+c$의 값은?

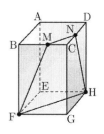

① 40   ② 44   ③ 46

④ 48   ⑤ 49

122. 어떤 입체도형의 전개도이다. 이 전개도로 만든 입체도형의 겉넓이는?

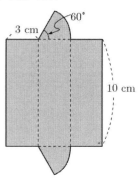

① $73\pi \text{cm}^2$ ② $(3\pi+90)\text{cm}^2$

③ $(9\pi+60)\text{cm}^2$ ④ $(10\pi+90)\text{cm}^2$

⑤ $(13\pi+60)\text{cm}^2$

123. 다음 그림은 가로 10cm, 세로 8cm, 높이 6cm인 직육면체 모양의 상자에서 한 꼭짓점에 줄로 공을 연결한 것이다. 줄의 길이가 6cm일 때, 이 공이 움직일 수 있는 공간의 최대 부피는? (단, 공의 크기는 생각하지 않는다.)

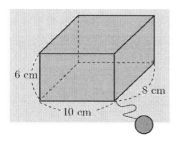

① $216\pi\text{cm}^3$ ② $252\pi\text{cm}^3$ ③ $432\pi\text{cm}^3$

④ $480\pi\text{cm}^3$ ⑤ $512\pi\text{cm}^3$

근본적인 수학탐구에는 마지막 종착점이 없으며 최초의 출발점도 없다.
-펠릭스 클라인-

통계

124. 다음은 동완이네 반 학생 20명의 음악 수행평가 성적을 조사하여 나타낸 변량과 도수분포표이다. 기본 점수는 10점이고 50점이 만점이다. 각 점수는 4점 간격으로 주어지고 $A-B=20$이다. 다음 물음에 답하여라.

(단위 : 점)

10	10	14	18	22	22	26	26
30	34	38	38	38	42	42	46
46	46	A	B				

*A, B는 순서와 관계없음

성적(점)	학생 수 (명)
$10^{이상} \sim 18^{미만}$	3
18 ~ 26	3
26 ~ 34	4
34 ~ 42	
42 ~ 50	
합계	20

(1) B가 속하는 계급은?

(2) A가 속하는 계급은?

(3) 성적이 8번째로 좋은 학생이 속하는 계급의 도수는?

125. 승기네 반 학생들의 줄넘기 횟수에 대한 상대도수의 분포를 그래프로 나타낸 것인데, 일부가 찢어져 보이지 않는다. 100회 이상 120회 미만인 계급의 상대도수를 x, 120회 이상 140회 미만인 계급의 상대도수를 y라 하고, $10x$, $10y$가 모두 2의 배수인 자연수일 때, 줄넘기 횟수가 100회 이상 120회 미만인 학생은 전체의 몇 %인지 구하는 과정을 쓰고 답을 구하시오. (단, $x > y$)

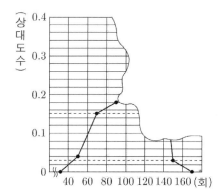

126. 다음 그림은 A반과 B반의 매달리기 기록에 대한 도수분포다각형이다. 다음 설명 중 옳은 것은?

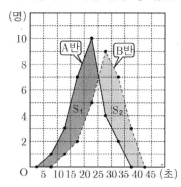

① A반의 학생 수와 B반의 학생 수는 각각 29명으로 같다.

② 매달리기 기록이 좋은 학생은 B반보다 A반에 더 많다.

③ 어두운 부분의 넓이를 각각 S_1, S_2라고 할 때, $S_1 < S_2$이다.

④ 매달리기 기록이 20초 미만인 학생은 A, B 두 반 전체 학생 수의 30%이다.

⑤ A, B 두 반 전체 학생 중에서 매달리기 기록이 가장 좋은 학생은 B반에 있다.

127. 어느 학급 학생들의 수학 성적을 조사하여 나타낸 표이다. 1차 지필평가 성적과 2차 지필평가의 성적을 조사해보니, 성적이 향상되어 한 계급이 올라간 학생 수가 4명이라고 한다. 이 때, $2a-b$의 값은? (단, 전체 학생 수는 변화가 없고, 성적이 떨어지거나 두 계급 이상 올라간 학생은 없다고 한다.)

수학 점수(점)	1차 지필평가 도수(명)	2차 지필평가 상대도수
$40^{이상}$ ~ $50^{미만}$	4	0.1
50 ~ 60	6	0.35
60 ~ 70	4	a
70 ~ 80	1	0
80 ~ 90	3	b
90 ~ 100	2	0.1
합계	20	1

① 0.1　　　② 0.15　　　③ 0.2

④ 0.3　　　⑤ 0.45

128. 다음 그래프는 A중학교와 B중학교의 1학년 학생들을 대상으로 한 달 동안의 봉사 활동 시간에 대한 상대도수의 분포를 나타낸 것이다. 봉사활동 시간이 8시간 이상 10시간 미만인 학생의 수가 A 중학교가 B 중학교의 2배이고 두 학교의 1학년 전체 학생 수의 최소공배수가 900일 때, 두 학교의 1학년 전체 학생 수를 각각 구하시오.

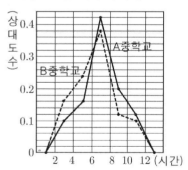

129. 다음은 2010년과 2011년에 8월 한 달 동안 서울의 최고 기온을 조사하여 나타낸 도수분포다각형이다. 옳은 것을 고르면?

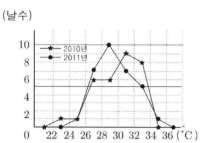

① 2010년 최고기온이 30℃ 이상인 날은 전체의 약 11.9%이다.

② 최고기온이 32℃ 이상인 날은 2010년이 2011년보다 2일 더 많다.

③ 2010년과 2011년의 최고기온이 22℃ 이상 26℃ 미만인 날 수는 같다.

④ 2011년의 최고기온이 7번째로 높은 날이 속하는 계급의 도수는 8이다.

⑤ 2010년의 도수분포다각형에서 도수가 가장 큰 계급은 28℃ 이상 30℃ 미만이다.

130. 다음은 A동아리 학생, B동아리 학생을 대상으로 일주일 동안 평균 컴퓨터 사용 시간을 조사하여 상대도수의 분포를 그래프로 나타낸 것이다. A동아리 학생 수는 B동아리 학생 수보다 100명이 더 많고, 전체 학생 중 컴퓨터 사용 시간이 4시간이상 5시간 미만인 학생 수는 142명이다. 전체 학생 중 사용 시간이 5시간 이상 6시간 미만인 학생 수는?

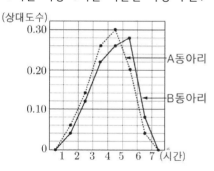

① 116명　　　② 118명　　　③ 120명

④ 122명　　　⑤ 124명

131. 다음은 어느 반 학생 40명이 여름방학동안 실시한 봉사활동 시간을 나타낸 히스토그램의 일부이다. 모든 계급의 도수가 15를 넘지 않고, 6시간 이상 8시간 미만인 계급과 10시간 이상 12시간 미만인 계급의 도수의 비가 2:1일 때, 다음 물음에 답하시오.

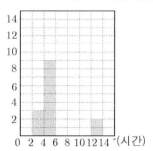

(1) 10시간 이상 12시간 미만인 계급의 도수를 x라 할 때, 8시간 이상 10시간 미만인 계급의 도수를 x에 관하여 표현하시오.

(2) 도수가 주어지지 않은 세 계급의 가능한 도수를 모두 구하여 순서대로 순서쌍으로 나타내어라.

(3) 도수가 세 번째로 큰 계급이 4시간 이상 6시간 미만일 때, 위의 히스토그램을 완성하시오.

132. 다음 표는 독서반 학생들의 여름방학동안의 독서 시간을 조사하여 나타낸 표이다. 이 표에서 a, b의 최대공약수가 6일 때, 이 조사에 참여한 학생은 모두 몇 명인가?

독서시간(시간)	도수(명)	상대도수
0이상 ~ 4미만	a	$\frac{1}{4}$
4 ~ 8		$\frac{1}{5}$
8 ~ 12		$\frac{1}{8}$
12 ~ 16		$\frac{1}{10}$
16 ~ 20	b	$\frac{1}{5}$
20 ~ 24		$\frac{1}{8}$

① 60명　　② 72명　　③ 120명

④ 180명　　⑤ 240명

133. 다음은 수진이네 반 학생들의 수학 성적을 조사하여 표로 나타낸 것이다. 지난 학기와 이번 학기의 성적을 조사해보니, 성적이 향상되어 한 계급이 올라간 학생 수가 4명이라고 한다. 이 때, $\frac{x}{y}$의 값은? (단, 전체 학생 수는 변화가 없고, 성적이 떨어지거나 두 계급 이상 올라간 학생은 없다.)

수학 성적(점)	지난 학기 도수(명)	이번 학기 상대도수
40이상 ~ 50미만	3	0.05
50 ~ 60	4	0.25
60 ~ 70	7	x
70 ~ 80	1	0
80 ~ 90	3	y
90 ~ 100	2	0.1
합계	20	1

① 2　　② 3　　③ 4

④ 5　　⑤ 6

134. 다음은 준구네 학급과 현준이네 학급에 대한 수학성적을 나타낸 도수분포표이다. 준구네 학급에서 60점 이상 70점 미만인 계급의 학생 수는 수학 점수가 60점 이상인 학생 수의 $\frac{1}{4}$이고 현준이네 학급에서 80점 미만인 학생수는 현준이네 학급 전체 학생 수의 85%이다.

수학성적(점)		학생수(명)	
		준구네 학급	현준이네 학급
$20^{이상}$ ~ $30^{미만}$		1	2
30 ~ 40		4	3
40 ~ 50		6	6
50 ~ 60		10	9
60 ~ 70		A	C
70 ~ 80		5	5
80 ~ 90		B	D
90 ~ 100		2	4
합계		41	40

(1) 도수분포표의 계급의 크기를 구하여라.

(2) A의 값을 구하여라.

(3) B의 값을 구하여라.

(4) C의 값을 구하여라.

(5) D의 값을 구하여라.

수 와 식

135. $S=\dfrac{(2\times4\times\cdots\times2n)\times5}{(1\times2\times\cdots\times n)\times k}$ 에서 S가 자연수가 아닌 유한소수가 되는 k의 개수는 $n=1$이면 17개고, $n=2$이면 15개다. 이 때, S가 자연수가 아닌 유한소수가 되는 k의 개수가 짝수인 n의 개수를 구하면?(단, k는 256 이하 자연수이고 n은 83이하 자연수이다.)

① 73   ② 74

③ 75   ④ 76

⑤ 77

136. 다음 그림은 1보다 작은 어떤 분수 $\dfrac{a}{b}$를 소수로 나타내기 위하여 나눗셈을 하는 과정인데 일부가 찢어져서 보이지 않는다. 이 분수를 순환소수로 나타낼 때, 순환마디를 이루는 숫자의 개수가 c개이면 $a+b+c$의 값은?

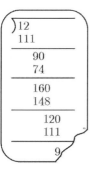

① 51   ② 52

③ 53   ④ 54

⑤ 55

137. 철이와 아영이가 다음과 같은 게임 규칙에 따라 보드게임을 하고 있다. (단, 철이가 먼저 출발한다.)

> ① 크기가 다른 두 주사위를 던져 큰 주사위 눈의 수를 분모, 작은 주사위 눈의 수를 분자로 하는 분수를 만든다.
>
> ② ①에서 만든 분수가 정수이면 1칸, 유한소수로 나타낼 수 있으면 2칸, 순환소수로 나타낼 수 있으면 3칸 앞으로 움직인다.
>
> ③ 상대방 말을 잡을 수 있고, 잡은 사람은 주사위를 한 번 더 던질 수 있다. 잡힌 사람은 다시 출발 지점에서 시작한다.
>
> ④ 출발 지점으로 먼저 돌아오는 사람이 이긴다.

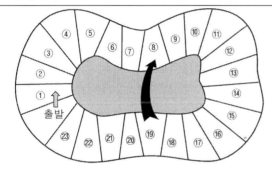

현재 철이 말의 위치는 ⑩, 아영이 말의 위치는 ⑨이다.

철이가 던진 주사위 눈이 이고, 아영이가 던진 큰 주사위 눈이 일 때, 아영이 말이 철이 말을 잡을 수 있게 하는 작은 주사위 눈의 수를 모두 합하면?

① 3

② 6

③ 9

④ 10

⑤ 12

138. $(8^3+8^3+8^3+8^3)\times(5^6+5^6+5^6+5^6+5^6)$ 을 계산하면 n자리 자연수이고, 각 자리 숫자의 합은 a이다. $a+n$의 값은?

① 13

② 14

③ 15

④ 16

⑤ 17

139. 수 $A=(30^2+30^2+30^2+30^2+30^2)^2$에 대하여
$$A\times(4^2+4^2+4^2+4^2+4^2)^2\div(15^2+15^2+15^2)$$
가 n자리의 자연수이고, A의 각 자리의 숫자의 합을 m이라고 할 때, $m+n$의 값을 구하면?

① 18

② 19

③ 20

④ 21

⑤ 22

140. 다음은 앞의 두 항의 곱이 다음 칸에 나타나는 규칙으로 항을 나열한 것이다. 이 때, $A\times G$의 값은?

A	B	C	D	$-y^3$	$-3x^2y^3$	E	F	G

① 1

② 3

③ x^{21}

④ $-y^{21}$

⑤ $x^{21}y^{21}$

141. 그림과 같은 두 원기둥 (가), (나)가 있다. (가)와 (나)의 밑면의 반지름의 길이의 비는 $1:3$이고, 높이의 비는 $5:4$일 때, (나)의 부피는 (가)의 부피의 몇 배인가?

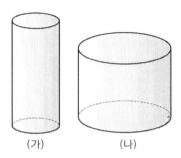

(가) (나)

① $\dfrac{5}{36}$ 배

② $\dfrac{5}{38}$ 배

③ $\dfrac{36}{5}$ 배

④ $\dfrac{38}{5}$ 배

⑤ 6배

142. $\overline{AD}=4x^2y^2$, $\overline{AB}=2x^3y$인 직사각형의 선분 AD와 선분 AB를 각각 축으로 하여 직사각형을 회전시킬 때 생기는 두 회전체의 부피를 각각 P, Q라고 할 때, $\dfrac{Q}{P}$를 구한 것은?

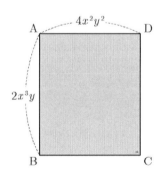

① y

② $\dfrac{1}{x}$

③ $\dfrac{y}{x}$

④ $\dfrac{y}{2x}$

⑤ $\dfrac{2y}{x}$

143. 그림과 같이 한 모서리의 길이가 x인 정육면체에서 세 모서리의 중점 A, B, C를 지나는 평면으로 똑같이 각 꼭짓점에서 모두 잘라 내었다. 잘라낸 8개의 삼각뿔의 부피의 합을 P, 남은 입체도형의 부피를 Q라고 할 때, Q는 P의 몇 배인가?

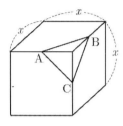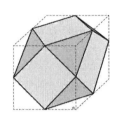

① 2

② 5

③ 8

④ 10

⑤ 12

144. 그림과 같이 전체 모양이 정사각형인 밭을 딸기밭과 오이밭이 정사각형 모양이 되도록 나누었다. 딸기밭과 오이밭의 넓이가 각각 16^a, 9^b이고 나머지 두 밭의 넓이가 각각 $4^a \times 3^3$, $2^{10} \times 3^b$일 때, $a+b$의 값은?

$4^a \times 3^3$	오이밭 9^b
딸기밭 16^a	$2^{10} \times 3^b$

① 8

② 10

③ 11

④ 13

⑤ 14

145. 세 식 A, B, C가 다음과 같이 주어질 때, $5A - [B + \{4A - 2(B - 3C)\}]$를 간단히 한 것은?(단, $x \neq 0$)

$$A = (5x^2 - x - 4) - 2(2x^2 + x - 1)$$
$$B = x(-x + 2) + (x^2 - 4x) \div x$$
$$C = \frac{2x^2 - x + 4}{3} - \frac{5x^2 - x + 8}{6}$$

① $-3x^2 - 10$

② $-x^2 - x - 6$

③ $x^2 + x - 6$

④ $x^2 + x - 10$

⑤ $3x^2 - 10$

146. 다음을 모두 만족시키는 세 식 A, B, C에 대하여 $B \div C$를 옳게 계산한 식은?

- 어떤 식 A에 $-4x^2y + 4xy - 2xy^2$을 빼야 할 것을 잘못하여 더하였더니 $-7x^2y + 12xy - 7xy^2$이 되었다. 옳게 계산한 식을 B라 하자.

- 어떤 식 C에 $\left(-\frac{1}{2}xy^2\right)^2$을 나누어야 할 것을 잘못하여 곱하였더니 $-\dfrac{x^5y^6}{12}$이 되었다.

① $\dfrac{9}{xy} - \dfrac{24}{x^2y} + \dfrac{15}{x^2}$

② $-\dfrac{3}{xy} - \dfrac{12}{x^2y} + \dfrac{9}{x^2}$

③ $\dfrac{9}{4}xy - 6y + \dfrac{15}{4}y^2$

④ $-\dfrac{3}{4}xy^3 - 3y^3 + \dfrac{9}{4}y^4$

⑤ $45x^4y^5 - 60x^3y^5 + 33x^3y^6$

147. 한 모서리의 길이가 a인 정육면체를 그림과 같이 삼각기둥과 삼각뿔 모양으로 두 번 잘라냈을 때, 남는 부분의 부피를 a와 b를 사용한 식으로 나타내면?

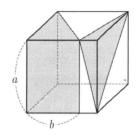

① $\dfrac{5a^3}{6} - \dfrac{2a^2b}{3}$

② $\dfrac{5a^3}{6} - \dfrac{a^2b}{3}$

③ $\dfrac{5a^3}{6} + \dfrac{a^2b}{3}$

④ $\dfrac{a^3}{2}$

⑤ $\dfrac{a^3}{6}$

148. 두 수 a, b가 각각 1이 아닌 10미만의 자연수일 때, 분수 $\dfrac{a}{2^3 \times 3 \times 5^2 \times b}$가 유한소수가 되도록 하는 순서쌍 (a, b)의 개수는?

① 11개

② 12개

③ 13개

④ 14개

⑤ 15개

149. 분수 $\dfrac{3}{7}$ 를 소수로 나타내었을 때, 소수점 아래 n 번째 자리의 숫자를 $f(n)$ 이라 하자. 다음 중 옳지 않은 것은?

① $f(2) = 2$

② $f(3) = f(33)$

③ $f(8) + f(9) = 10$

④ $f(6) \times f(12) \times f(18) = 1$

⑤ $f(1) \times f(7) \times f(13) \times f(19) = 16$

150. 어떤 기약분수를 소수로 나타내는데 준희는 분모를 잘못 보고 풀어 $0.14\dot{6}$ 으로 나타내었고, 태영이는 분자를 잘못 보고 풀어 $0.7\dot{2}$ 로 나타내었다. 처음 기약분수의 역수를 순환소수로 나타내면? (단, 준희와 태영이가 잘못 본 분수도 기약분수이다.)

① $0.07\dot{2}$

② $0.17\dot{3}$

③ $0.6\dot{1}$

④ $1.\dot{6}\dot{3}$

⑤ $2.02\dot{7}$

151. $A = 0.\dot{a}bcd\dot{0}$, $B = 0.\dot{a}bc0\dot{d}$ 일 때, $A - B$ 를 나타낸 식은?

① $\dfrac{d}{11100}$

② $\dfrac{d}{11110}$

③ $\dfrac{d}{33330}$

④ $\dfrac{d}{66660}$

⑤ $\dfrac{d}{99990}$

152. $\dfrac{1}{9} + \dfrac{1}{99} + \dfrac{1}{999} + \cdots$ 을 소수로 나타낼 때, 소수점 아래 30번째 자리의 숫자는?

① 2

② 4

③ 6

④ 8

⑤ 9

153. $1 \times 2 \times 3 \times \cdots \times 2019$ 가 10^x 으로 나누어 떨어질 때, 자연수 x 의 값 중 가장 큰 값은?

① 500

② 501

③ 502

④ 503

⑤ 504

154. $2^x \times 3^y \times 5^8$ 이 10자리 자연수일 때, $x + y$ 가 될 수 없는 수는? (단, x, y 는 자연수이고 $x \geq 8$ 이다.)

① 10

② 11

③ 12

④ 13

⑤ 14

155. 3, 3^2, 3^3, $\cdots$, 3^9을 한 번씩 사용하여 정사각형 모양으로 나열하여 가로, 세로, 대각선으로 배열된 각각의 수의 곱이 모두 같도록 할 때, ♥의 값으로 적당한 수는?

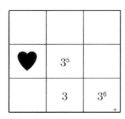

① 3^2 ② 3^3

③ 3^4 ④ 3^7

⑤ 3^8

156. 그림과 같이 가로의 길이가 $3a^3b^2$, 세로의 길이가 $4ab^3$인 직사각형 $ABCD$가 있다. 이 직사각형을 변 AB, BC를 회전축으로 하여 1회전시킬 때 생기는 두 회전체의 부피를 각각 V_1, V_2라고 할 때, $\dfrac{V_2}{V_1}$를 구하면?

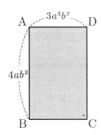

① $\dfrac{b^2}{2a^2}$ ② $\dfrac{3b^2}{2a^2}$

③ $\dfrac{b}{3a^2}$ ④ $\dfrac{2b}{3a^2}$

⑤ $\dfrac{4b}{3a^2}$

157. $\dfrac{1}{x}+\dfrac{1}{y}=3$, $\dfrac{y}{x}+\dfrac{x}{y}=\dfrac{5}{2}$일 때, $\dfrac{5xy-(x+y)}{x^2+y^2+x+y}$의 값은?

① $\dfrac{4}{11}$ ② $\dfrac{5}{11}$

③ $\dfrac{6}{11}$ ④ $\dfrac{4}{9}$

⑤ $\dfrac{5}{9}$

158. $A=x^2-x+1$,
$B=(-8x^3+2x^2-6x)\div(-2x)$, $C=(2xy)^3\div xy^3$일 때, $A-[2B-\{A+(B-C)\}]$를 계산한 것은?

① $-2x^2+3x+7$ ② x^2-5x+1

③ $3x^2+2x-4$ ④ $7x^2+5x-2$

⑤ $-10x^2-x-1$

159. $a+b+c=0$, $abc\neq0$일 때, $\dfrac{a+b}{c}+\dfrac{b+c}{a}+\dfrac{a+c}{b}$의 값을 구하면?

① -3 ② 0

③ 1 ④ 3

⑤ 5

부등식과 연립방정식

160. 길동이가 실내 수영장에서 길이가 $50\,\mathrm{m}$인 수영장을 왕복하는데 T_1초가 걸렸고, 유속이 있는 강에서 $50\,\mathrm{m}$ 떨어진 상류와 하류 지점을 왕복하는데 T_2초가 걸렸다고 한다. 이때, T_1과 T_2의 대소 관계를 올바르게 구한 것은? (단, 길동이의 수영 속력과 강물의 유속은 항상 일정하고 길동이의 수영 속력은 강물의 유속보다 빠르다.)

① $T_2 \geq T_2$ ② $T_1 \leq T_2$

③ $T_1 = T_2$ ④ $T_1 > T_2$

⑤ $T_1 < T_2$

161. x에 대한 일차부등식 $(a-b)x+(2a+3b)<0$의 해가 $3x+1>0$의 해와 같을 때, $(a-2b)x-(5a-2b)<0$의 해는?

① $x > 3$ ② $x < 3$

③ $x > -3$ ④ $x < -3$

⑤ $x > 5$

162. 일차부등식 $\dfrac{5x+2a}{3} > 2x$ 를 만족시키는 자연수 x가 3개 일 때, 상수 a의 값의 범위는?

① $\dfrac{3}{2} < a \leq 2$ ② $\dfrac{3}{2} \leq a < 3$

③ $2 \leq a \leq 4$ ④ $3 \leq a < 4$

⑤ $3 < a \leq 4$

163. 연립방정식 $\begin{cases} 8x+5y=4 \\ 3x-ay=17 \end{cases}$ 의 해에 각각 1을 더하면 연립방정식 $\begin{cases} -4x+7y=-37 \\ bx-3y=17 \end{cases}$ 의 해가 된다고 한다. 이때 상수 a, b에 대하여 $a+b$의 값은?

① -2 ② 0

③ 2 ④ 4

⑤ 5

164. 연립방정식 $\begin{cases} ax-2y=20 \\ 3x+2y=1 \end{cases}$ 을 가감법을 이용하여 풀면서 a를 잘못보고 풀어서 $x=3$, $y=-4$를 얻었다. 원래의 a값은 잘못 본 a의 값보다 10만큼 작다고 한다. 원래 방정식의 해를 $x=p$, $y=q$라 할 때, $a-p+q$의 값을 구하면?

① 12 ② 8

③ 4 ④ 0

⑤ -2

165. A지점에서 B지점을 거쳐 C지점까지 운행하는 버스의 구간별 요금은 그림과 같다. 이 버스가 A지점을 출발할 때, 버스를 탄 승객 수는 40명이고, C지점에 도착하여 내린 승객 수는 35명이다. 이 버스의 승차권의 판매 요금이 총 58100원일 때, B지점에서 탄 승객 수와 내린 승객 수의 합은 몇 명인가?

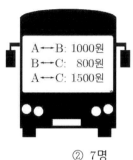

① 6명   ② 7명

③ 8명   ④ 9명

⑤ 10명

166. 합동인 정삼각형 모양의 종이 42 장을 모두 사용하여 다음 그림과 같은 마름모와 정육각형 모양의 도형을 만들었다. 이 때 만들어진 마름모와 정육각형의 개수의 합이 13 개일 때, 마름모의 개수는?

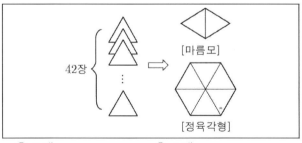

① 5 개   ② 6 개

③ 7 개   ④ 8 개

⑤ 9 개

167. 초록중학교 2학년의 남녀 학생 수의 비는 3 : 2이다. 2학년 학생들에게 체육시간에 농구와 배구 중 한 가지를 고르게 하였더니, 농구를 선택한 남녀 학생 수의 비는 4 : 5, 배구를 선택한 남녀 학생 수의 비는 5 : 1이었다. 농구를 선택한 학생 수가 총 162명일 때, 2학년 전체 학생 수는?

① 270명   ② 275명

③ 285명   ④ 290명

⑤ 300명

168. A, B 두 사람이 반지름의 길이가 2km인 원 모양의 길을 따라 자전거를 타려고 한다. A는 시속 $x$km로, B는 같은 지점에서 반대방향으로 시속 $y$km로 달렸다. 동시에 출발하여 2시간 후 생기는 색칠한 부채꼴 모양의 땅의 넓이가 πkm^{2}이고, A의 속력은 B의 속력의 $\dfrac{3}{2}$배라고 할 때, A의 속력 (km/h)은?

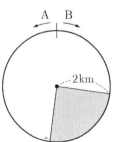

① $\dfrac{2}{5}\pi$ ② $\dfrac{3}{5}\pi$

③ $\dfrac{9}{10}\pi$ ④ $\dfrac{6}{5}\pi$

⑤ $\dfrac{9}{5}\pi$

169. 수하네 집에서 영화관까지의 거리는 $5km$이다. 수하가 집에서 출발하여 영화관까지 가는데 처음에는 걸어가다가 늦을 것 같아 일정한 속력으로 달리기 시작하였다. 달리기 시작한지 10분 후에 집으로부터의 거리가 $1200m$가 되었고, 30분 후에는 집으로부터의 거리가 $3000m$가 되었다. 집으로부터의 거리가 $4350m$가 되는 것은 수하가 달리기를 시작한지 몇 분 후인지 구하면?

① 35분 후   ② 40분 후

③ 45분 후   ④ 50분 후

⑤ 55분 후

170. 은비, 태현, 인수는 A도시에서 B도시까지 가야 할 일이 있다. 은비는 태현이 보다 2시간 **빨리** 출발하였고, 태현이는 인수보다 2시간 **빨리** 출발하였다. 은비의 속력은 태현이 보다 시속 $1km$ 느리고, 태현의 속력은 인수보다 시속 $2km$ 느리다고 한다. 세 사람이 동시에 B도시에 도착하였을 때, A도시에서 B도시까지의 거리는?

① $12km$ ② $16km$

③ $20km$ ④ $24km$

⑤ $28km$

171. 두 일차부등식

$$\frac{x}{2} - \frac{x-1}{3} > \frac{7}{6}, \quad a(x-2)+b(x+1) < 0$$ 의 해가 서로 같을 때, 일차부등식 $a(x-3)+b(4-3x) > 0$ 의 해는?

① $x < 2$ ② $x > 2$

③ $x < 3$ ④ $x > 3$

⑤ $x < \dfrac{2}{3}$

172. 부등식 $(a-b)x + a - 9b < 0$의 해가 $x > \dfrac{1}{3}$일 때, 부등식 $(a-4b)x + 3a - 6b \geq 0$의 해는? (단, a, b는 상수)

① $x \leq -5$ ② $x \geq -5$

③ $x \geq -7$ ④ $x \leq 7$

⑤ $x \geq 5$

173. 일차부등식 $0.3(x-1) \leq 0.1(x-7) + a$을 만족시키는 자연수 x가 3개 이상이 되도록 하는 a의 값의 범위는?

① $a \geq -1$ ② $a \leq -1$

③ $a \leq 1$ ④ $a \geq 1$

⑤ $a \geq 3$

174. 입장료가 한 사람당 1000원인 미술관에서 30명 이상 40명 미만인 단체는 입장료의 15%를 할인해 주고, 40명 이상의 단체는 입장료의 20%를 할인해 준다고 한다. 30명 이상 40명 미만인 단체가 입장 하려고 할 때, 몇 명부터 40명의 단체 입장권을 사는 것이 유리한가?

① 35명　　　　　　② 36명

③ 37명　　　　　　④ 38명

⑤ 39명

175. 지연이는 친구와 약속시간이 9시라서 8시 25분에 집을 나와 시속 4km로 걷는 중이었다. 집에서 약속장소까지 $\frac{1}{3}$ 지점까지 갔다가 친구에게 줄 물건을 놓고 온 것을 알고 그때부터 시속 5km의 속력으로 집으로 되돌아갔다. 물건을 가져오는 시간 5분이 소요되고 시속 5km의 속력으로 걸어 약속장소에 갔더니 늦지 않고 도착할 수 있었다. 약속장소는 집으로부터 몇 km 이내에 있는가?

① $\frac{600}{7} \text{km}$　　　　② $\frac{21}{4} \text{km}$

③ $\frac{30}{13} \text{km}$　　　　④ $\frac{10}{7} \text{km}$

⑤ $\frac{3}{2} \text{km}$

176. 연립방정식 $2x + 3y = 4x - by + 2 = 10$의 해가 연립방정식 $\begin{cases} ax + y = -1 \\ 3x + 2y = 5 \end{cases}$ 의 해와 같을 때, $a - b$의 값은? (단, a, b는 상수)

① 10　　　　　　② 8

③ 5　　　　　　④ -2

⑤ -5

177. 연립방정식 $\begin{cases} 2x + y = -2 \\ x - y = 5 \end{cases}$ 을 푸는데 $x - y = 5$의 5를 다른 수로 잘못 보고 풀어서 $x = 3$을 얻었다. 5를 어떤 수로 잘못 보았는가?

① 7　　　　　　② 8

③ 9　　　　　　④ 10

⑤ 11

178. 연립방정식 $\begin{cases} ax + by = 7 \\ bx + ay = -8 \end{cases}$ 에서 잘못하여 a와 b를 서로 바꾸어 놓고 풀었더니 해가 $x = 1$, $y = -2$ 이었다. 처음의 연립방정식을 풀면? (단, a와 b는 수이다.)

① $x = -2$, $y = 1$　　　② $x = -2$, $y = 3$

③ $x = -1$, $y = 2$　　　④ $x = 2$, $y = -1$

⑤ $x = 2$, $y = -3$

179. 연립방정식 $\begin{cases} ax+by=5 \\ 3x-2y=c \end{cases}$ 의 해는 $x=2$, $y=1$이다. 그런데 (가) 학생은 c를 잘못 보고 풀었더니 해가 $x=1$, $y=3$이 되었다. 이때 $a+b-c$의 값은? (단, a, b, c는 상수)

① -1 ② 0

③ 4 ④ 6

⑤ 7

180. A지점에서 B지점을 거쳐 C지점까지 운행하는 버스의 구간별 요금은 〈보기〉와 같다. A지점을 출발할 때, 버스를 탄 승객 수는 30명이고 C지점에 도착하여 내린 승객의 수는 25명이다. 이 버스 승차권의 판매 요금이 총 58000원일 때, B지점에서 탄 승객 수와 내린 승객 수는 각각 몇 명인지 구하면?

〈보기〉
$A \rightarrow B$: 1200원
$B \rightarrow C$: 1000원
$A \rightarrow C$: 2000원

	탄 승객 수	내린 승객 수
①	10명	15명
②	15명	10명
③	15명	20명
④	20명	15명
⑤	20명	25명

181. 다음 [그림1], [그림2]를 만족하는 직사각형의 긴 변과 짧은 변의 길이의 값은? (단, [그림1], [그림2]의 직사각형은 합동이다.)

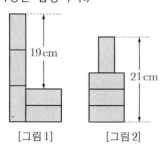

[그림1]   [그림2]

① 긴 변 : 4, 짧은 변 : 9

② 긴 변 : 9, 짧은 변 : 4

③ 긴 변 : 18, 짧은 변 : 1

④ 긴 변 : 11, 짧은 변 : 7

⑤ 긴 변 : 7, 짧은 변 : 1

182. 일차함수 $y=f(x)$가 다음을 만족시킬 때, $f(22)-f(15)$의 값을 구하면?

$$\frac{f(120)-f(1)}{119}+\frac{f(119)-f(2)}{117}+\frac{f(118)-f(3)}{115}$$
$$+\cdots+\frac{f(61)-f(60)}{1}=180$$

① 20   ② 21

③ 22   ④ 23

⑤ 24

183. 다음 그림은 두 일차함수 $y=-\dfrac{3}{2}x+p$와 $y=\dfrac{2}{5}x+q$의 그래프이다. $\overline{AB}:\overline{BO}=2:1$이고, $\overline{CD}=9$일 때, 두 수 p, q에 대하여 $\dfrac{p}{q}$의 값은?

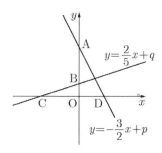

① 1   ② 2

③ 3   ④ 4

⑤ 5

184. 세 점 $A(0,6)$, $C(5,0)$, $O(0,0)$에 대하여 그림과 같이 일차함수 $y=ax$의 그래프가 직각삼각형 OAC의 넓이를 $\triangle OAB:\triangle OBC=1:2$로 나눌 때, B의 좌표는?

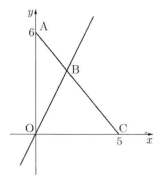

① $\left(4,\dfrac{5}{3}\right)$ ② $\left(\dfrac{5}{3},4\right)$

③ $\left(2,\dfrac{5}{6}\right)$ ④ $\left(\dfrac{5}{6},2\right)$

⑤ $\left(2,\dfrac{7}{2}\right)$

185. 다음 그림과 같이 일차함수 $y=-\dfrac{3}{4}x+3$의 그래프와 x축, y축으로 둘러싸인 도형의 넓이를 일차함수 $y=mx$와 $y=nx$의 그래프가 삼등분할 때, $m+n$의 값은? (단, $m>0$, $n>0$)

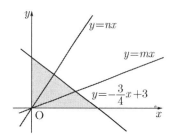

① $\dfrac{3}{2}$ ② $\dfrac{15}{8}$

③ 2   ④ $\dfrac{7}{4}$

⑤ $\dfrac{9}{4}$

186. 점 $(1,-3)$를 지나는 일차방정식 $ax-y-b=0$의 그래프가 제1사분면을 지나지 않도록 하는 정수 a의 개수는? (단, a, b는 상수)

① 2개   ② 3개

③ 4개   ④ 5개

⑤ 6개

187. 일차함수 $y=ax+b$의 그래프를 갑은 기울기를 잘못 보고 그려서 두 점 $(1, 3)$, $(3, 5)$를 지나게 그렸고, 을은 y절편을 잘못 보고 그려서 두 점 $(0, -1)$, $(2, 3)$을 지나게 그렸다. 일차함수 $y=ax+b$의 그래프가 점 $(9, k)$를 지날 때, k의 값은? (단, a는 수)

① 16   ② 17

③ 18   ④ 19

⑤ 20

188. 다음 그림과 같이 네 직선 $y=-x+5$, $y=ax+b$, $y=5$, $y=-1$의 교점을 각각 A, B, C, D라고 할 때, 사각형 $ABCD$는 평행사변형이다. 사각형 $ABCD$의 넓이가 18일 때, 사각형 $ABCD$를 y축을 회전축으로 하여 1회전 시킨 회전체의 부피는? (단, $b>5$)

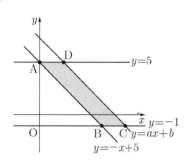

① 120π ② 134π

③ 162π ④ 171π

⑤ 234π

189. 다음 그림과 같이 일차방정식 $3x-y-3=0$의 그래프와 두 직선 $y=1$, $y=-4$의 교점을 각각 A, B라고 하자. 일차함수 $y=ax+b$의 그래프와 두 직선 $y=-4$, $y=1$의 교점을 각각 C, D라고 하면 사각형 $ABCD$는 넓이가 $\dfrac{25}{3}$인 평행사변형이 된다. 이때 $a+b$의 값은? (단, a, b는 상수, $b>0$)

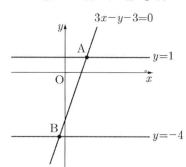

① -1 ② 1

③ 5 ④ -5

⑤ 3

190. 다음 그림과 같은 정사각형 $ABCD$에서 두 점 A, D는 각각 일차함수 $y=2x$, $y=-\dfrac{2}{3}x+4$의 그래프 위의 점이고, 두 점 B, C는 모두 x축 위의 점이다. 점 A의 x좌표가 a이고 $y=2x$, $y=-\dfrac{2}{3}x+4$의 교점을 E라 할 때, 점 E를 지나면서 정사각형 $ABCD$의 넓이를 이등분하는 직선의 방정식을 구하면?

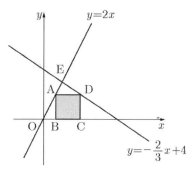

① $y=-6x+8$ ② $y=-5x+10$

③ $y=-4x+9$ ④ $y=-3x+10$

⑤ $y=-2x+9$

191. 그림과 같이 일차함수의 그래프인 세 개의 직선 l, m, n이 모두 점 $(1,3)$을 지나고, 사각형 $ABCD$는 정사각형일 때, 직선 m을 그래프로 하는 일차함수는?

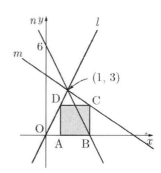

① $y = -\dfrac{3}{2}x + \dfrac{9}{2}$ ② $y = -\dfrac{3}{2}x + \dfrac{7}{2}$

③ $y = -\dfrac{5}{2}x + \dfrac{9}{2}$ ④ $y = -\dfrac{5}{2}x + 4$

⑤ $y = -\dfrac{5}{2}x + \dfrac{7}{2}$

192. 좌표평면 위에 네 점 $A(2,0)$, $B(6,0)$, $C(0,4)$, $D(0,12)$이 있고, $\overline{AD}$와 $\overline{BC}$의 교점을 P라 한다. $\triangle PCD$를 x축을 중심으로 하여 1회전하였을 때의 회전체의 부피는? (단, 원주율은 π로 한다.)

① $\dfrac{191}{3}\pi$ ② 68π

③ $\dfrac{221}{3}\pi$ ④ 76π

⑤ $\dfrac{288}{3}\pi$

193. 그래프는 A, B 두 주차장에서 각각 x분간 주차했을 때의 이용요금을 y원이라고 하여 x와 y사이의 관계를 나타낸 것이다. A주차장의 이용요금은 주차 대행비 1400원과 이용시간에 따라 발생하는 주차비를 합산하여 요금을 지불한다. B주차장의 이용요금은 주차대행비 없이 이용시간에 따라 발생하는 주차비만 지불한다. A주차장을 이용하는 것이 B주차장을 이용하는 것보다 이용요금이 저렴한 시점은 언제인가?

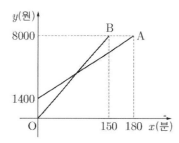

① 84분 미만   ② 84분 초과

③ 92분 미만   ④ 92분 초과

⑤ 96분 초과

194. 일차방정식 $4x - y = 0$, $x + y - 4 = 0$, $3x - 2y = 0$, $x + y - 6 = 0$의 직선의 그래프 위에 점 A, B, C, D가 순서대로 한 점씩 놓여져 있다. □ABCD는 정사각형이고, $\overline{AD}$는 x축에 평행하다고 할 때, □ABCD와 직선 $y = kx + 1$가 두 점에서 만나도록 하는 상수 k의 값의 범위는?

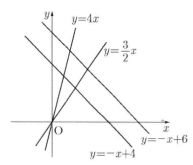

① $1 < k < 2$ ② $1 < k < 3$

③ $2 < k < 4$ ④ $3 < k < 4$

⑤ $3 < k < 5$

195. 일차함수 $y = ax + b$의 그래프를 그리는데 하나는 x의 계수의 부호를 잘못 보아 $(-1, 2)$를 지나는 직선을 그렸고, 세화는 상수항의 부호를 잘못 보아 $(-3, 4)$을 지나는 직선을 그렸다. 바르게 그려진 일차함수의 그래프의 x절편을 구하면?

① $-\dfrac{5}{3}$ ② -2

③ $\dfrac{1}{2}$ ④ 2

⑤ $\dfrac{5}{3}$

196. 그림의 일차함수 그래프는 두 점 $(0, 1)$, $(2, 0)$ 을 지난다. 색칠한 부분만을 지나는 일차함수는?

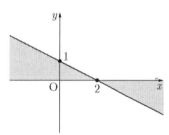

① $y = 2x - 4$ ② $y = \dfrac{1}{3}x - \dfrac{2}{3}$

③ $y = -\dfrac{3}{2}x + 3$ ④ $y = -\dfrac{1}{4}x + \dfrac{1}{2}$

⑤ $y = -3x + 6$

197. 다음 그림과 같은 정사각형 $OCBA$에서 점 A를 지나고 변 BC 위의 한 점 D를 지나는 직선을 그을 때, 색칠한 부분의 넓이가 정사각형 $OCBA$의 넓이의 $\dfrac{1}{3}$이 되도록 하는 직선 AD의 기울기는?

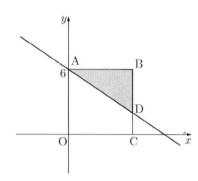

① $-\dfrac{2}{3}$ ② $-\dfrac{1}{2}$

③ $-\dfrac{1}{3}$ ④ $\dfrac{1}{3}$

⑤ $\dfrac{2}{3}$

198. a, b, c, d의 값은 각각 -3, 0, 5, 7 중 하나이다. 세 가지 일차함수의 그래프가 다음과 같다. $f(x) = bx + a$라면, $f(-5)$의 값은?

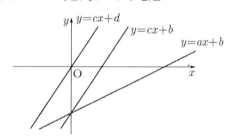

① -38 ② -28

③ 5 ④ 20

⑤ 22

199. 높이가 7.5cm 인 종이컵을 한 개 더 쌓을 때마다 그 높이가 0.5cm 씩 높아진다고 한다. 종이컵을 x 개 쌓았을 때의 높이를 y cm 라고 하자. 다음은 갑, 을 두 명의 친구들이 x 와 y 의 변화 관계를 표와 식으로 나타내보고 y 가 x 에 대한 일차함수인지 판단하는 대화이다. 종이컵을 100 개 쌓았을 때의 높이를 a, x 와 y 사이의 관계를 $y=bx+c$ 라 할 때, $a+2b+c$ 의 값은?
(단, 종이컵 수거함의 높이는 생각하지 않는다.)

갑 : 종이컵을 x 개 쌓았을 때의 높이를 y cm 라고 하면 y 가 x 에 대한 일차함수인지 수학시간에 배운 방법으로 확인해볼까?
나는 표를 그려 확인해볼게. x 와 y 사이의 관계는 x 의 값이 1 씩 증가할 때, y 값의 변화량이 일정하기 때문에 y 는 x 에 대한 일차함수라고 할 수 있어. 그럼 종이컵을 100 개 쌓았을 때의 높이는 a cm 라는 예측도 할 수 있지.

컵의 개수 (x 개)	1	2	3	…	100	…
컵의 높이 (y cm)	7.5	8	8.5	…	a	…

을 : y 를 x 에 대한 식으로 나타내면 $y=bx+c$ 이고, y 가 x 에 대한 일차식으로 나타내어지기 때문에 일차함수가 맞지.

① 65   ② 65.5

③ 66   ④ 66.5

⑤ 67

200. 일차방정식 $ax+y+b=0$ 의 그래프를 그리는데 연준이는 a 를 잘못 보고 그려서 두 점 $(-1,0)$, $(2,-3)$ 을 지나는 직선이 되었고, 민기는 b 를 잘못 보고 그려서 두 점 $(-1,10)$, $(2,-2)$ 를 지나는 직선이 되었다. 바르게 그려진 일차방정식의 그래프가 점 $(-2,k)$ 를 지날 때, k 의 값을 구하면?

① 7   ② 8

③ 9   ④ 10

⑤ 11

201. 정사각형 $ABCD$ 에서 점 C, 점 D 는 각각 일차함수 $y=-2x+5$, $y=x+5$ 의 그래프 위에 있고, 점 A, 점 B 는 x 축 위에 있다. 정사각형 $ABCD$ 의 넓이를 S, 두 일차함수의 그래프와 x 축으로 둘러싸인 삼각형의 넓이를 T 라고 할 때, $S:T$ 는?

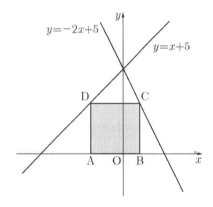

① 4:9   ② 9:19

③ 9:20   ④ 12:23

⑤ 12:25

202. 다음 그림과 같이 일차함수 $y = \frac{2}{3}x + 2$의 그래프가 x축, y축과 만나는 점을 각각 A, B라 하자. 일차함수 $y = ax + 6$의 그래프가 y축과 만나는 점을 C, 일차함수 $y = \frac{2}{3}x + 2$의 그래프와 제 1 사분면에서 만나는 점을 D라 하자. 삼각형 CBD와 삼각형 BAO의 넓이의 비가 $2:3$일 때, 상수 a의 값은? (단, O는 원점)

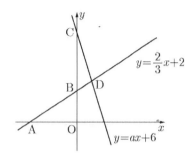

① $-\dfrac{10}{3}$ ② $-\dfrac{19}{6}$

③ $-\dfrac{8}{3}$ ④ $-\dfrac{5}{2}$

⑤ $-\dfrac{5}{3}$

203. 그림과 같이 한 변의 길이가 2인 정사각형 4개를 좌표평면 위에 이어 붙여 도형을 만들었다. $(0, 7)$을 지나는 직선이 이 도형의 넓이를 이등분할 때, 이 직선과 $y = 2$의 그래프가 만나는 점은 (A, B)이다. $6(A + B)$의 값은?

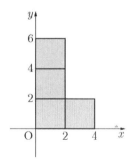

① 17   ② 18

③ 19   ④ 21

⑤ 22

204. 일차함수 $y = ax + b$의 그래프를 그리는데 가은이는 x의 계수를 잘못 보아 두 점 $(-1, 6)$, $(1, 2)$를 지나는 직선을 그렸고, 나희는 상수항을 잘못 보아 두 점 $(2, 3)$, $(6, 11)$을 지나는 직선을 그렸다. 바르게 그려진 일차함수의 그래프의 x절편은? (단, a, b는 상수)

① 4   ② 2

③ 1   ④ -2

⑤ -4

인간의 지식은 모두 직관으로부터 시작하여 개념으로 나아가서 아이디어로 끝난다.
-칸트-

삼각형의 성질

205. 다음 그림에서 $\overline{AB}=\overline{AE}$, $\overline{CB}=\overline{CD}$ 이고, $\angle ABC=150°$ 이다. $\angle ABD+\angle CBE$의 값은?

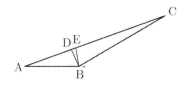

① 127°　　　　② 130°

③ 132°　　　　④ 135°

⑤ 137°

206. 다음 그림과 같이 $\overline{AB}=\overline{AC}$인 이등변삼각형 ABC에서 점 M은 밑변 BC의 중점이고 $\overline{BC}=12\,cm$, $\angle A=40°$일 때, 부채꼴 DME의 넓이는?

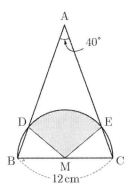

① $4\pi\,cm^2$　　　　② $6\pi\,cm^2$

③ $8\pi\,cm^2$　　　　④ $10\pi\,cm^2$

⑤ $12\pi\,cm^2$

207. 아래 그림과 같이 한 변이 $\dfrac{11}{6}\,cm$인 정사각형 $ABCD$가 있다. $\overline{BD}$ 위에 $\overline{AB}=\overline{BE}$가 되도록 점 E를 잡고, 점 E를 지나면서 $\overline{BD}$에 수직인 직선이 $\overline{CD}$와 만나는 점을 F라 할 때, $2\overline{DF}+\overline{DE}+\overline{EF}$의 값은?

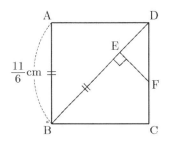

① $\dfrac{11}{3}\,cm$　　　　② $\dfrac{55}{12}\,cm$

③ $\dfrac{22}{9}\,cm$　　　　④ $\dfrac{11}{2}\,cm$

⑤ $\dfrac{11}{4}\,cm$

208. 넓이가 240인 직사각형 모양의 종이를 그림과 같이 접었을 때, □$ABCD$의 넓이는?

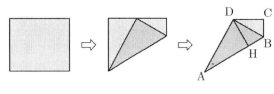

① 40　　　　② 60

③ 80　　　　④ 100

⑤ 120

209. 그림에서 △ABC는 $\overline{AB}=\overline{BC}$인 직각이등변삼각형이고, DEFG는 정사각형이다. $\overline{DB}+\overline{BE}=14$, $\overline{BC}=24$일 때, 삼각형 ADG의 넓이는 삼각형 FEC의 넓이의 몇 배인가?

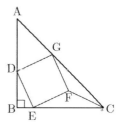

① $\dfrac{4}{7}$ 　　② $\dfrac{4}{5}$

③ $\dfrac{5}{4}$ 　　④ $\dfrac{5}{3}$

⑤ $\dfrac{7}{4}$

210. 그림과 같이 $\overline{BC}=2\overline{AB}$인 직사각형 ABCD에서 $\overline{AD}$위의 한 점 E에 대하여 $\overline{BC}=\overline{BE}$일 때, ∠DCE의 크기는?

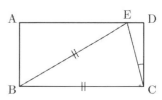

① 15° 　　② 16°

③ 17° 　　④ 18°

⑤ 19°

211. 직사각형 ABCD에서 꼭짓점 A에서 $\overline{CD}$ 위의 한 점 E를 지나는 직선을 그어 $\overline{BC}$의 연장선과의 교점을 F라 하자. $\overline{AC}:\overline{EF}=1:2$, ∠BAC=36°일 때, ∠AFB의 크기를 구하면?

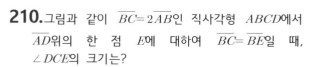

① 18° 　　② 19°

③ 20° 　　④ 21°

⑤ 22°

212. 다음 그림에서 점 I가 △ABC의 내심이고 ∠CDB=95°, ∠AEB=100°일 때, ∠B의 크기를 구하면?

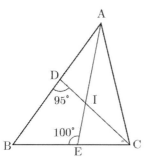

① 40° 　　② 45°

③ 50° 　　④ 55°

⑤ 60°

213. $\overline{AB}=15cm$, $\overline{BC}=25cm$, $\overline{CA}=20cm$이고, $\angle A=90°$인 직각삼각형 ABC에서 두 변에 접하는 합동인 두 원 O,O'의 반지름의 길이는?

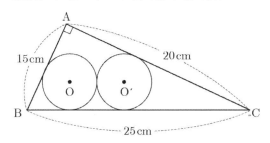

① $3cm$ ② $4cm$

③ $\dfrac{14}{3}cm$ ④ $\dfrac{25}{7}cm$

⑤ $\dfrac{25}{8}cm$

214. 그림에서 두 점 O와 I는 각각 △ABC의 외심과 내심이다. $\angle BAD=25°$, $\angle EAC=10°$일 때, $\angle ADE$의 크기를 구하면? (단, 점 I와 O는 각각 $\overline{AD}$와 $\overline{AE}$ 위의 점이다.)

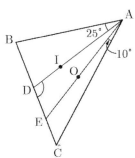

① $105°$ ② $106°$

③ $107°$ ④ $108°$

⑤ $109°$

215. 다음 그림에서 점 I, 점 O가 각각 △ABC의 내심, 외심일 때, 다음 중 옳은 것은?

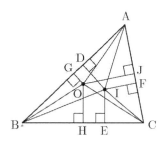

① $\overline{AD}=\overline{BD}$ ② $\overline{IA}=\overline{IC}$

③ $\overline{OH}=\overline{OJ}$ ④ $\angle OBG=\angle OBE$

⑤ △$IAD=$△IFA

216. △ABC에서 $\overline{AD}=\overline{BD}$이고, 점 I는 △ABD의 내심, 점 O는 △ADC의 외심이다. $\overline{BI}$와 $\overline{CO}$의 연장선의 교점이 점 P이고, $\angle DAC=66°$, $\angle ACD=50°$일 때, $\angle IPO$의 크기는?

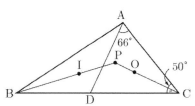

① $90°$ ② $116°$

③ $123°$ ④ $139°$

⑤ $140°$

217. 삼각형 ABC에서 두 변 AB와 BC가 겹치도록 접은 후 펼쳤을 때 생기는 선분 또는 연장선을 m, 두 꼭짓점 B와 C가 겹치도록 접은 후 펼쳤을 때 생기는 선분 또는 연장선을 n이라 하자. m과 n의 교점을 D라고 할 때, <보기> 중 옳은 것을 모두 고른 것은?

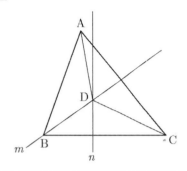

<보기>

ㄱ. $\overline{AD} = \overline{CD}$

ㄴ. $\angle ABD = \angle DCB$

ㄷ. 선분 m 위의 임의의 점에서 두 변 AB와 BC에 내린 수선의 길이는 같다.

ㄹ. $\overline{AB} = \overline{AC}$이면 점 D는 삼각형 ABC의 내심과 일치한다.

ㅁ. 삼각형 ABC의 외심이 점 D와 일치할 때, 삼각형 ABC는 정삼각형이다.

① ㄱ, ㄴ, ㄷ   ② ㄴ, ㄷ, ㄹ

③ ㄴ, ㄹ, ㅁ   ④ ㄱ, ㄴ, ㄹ, ㅁ

⑤ ㄴ, ㄷ, ㄹ, ㅁ

218. 다음은 세 변의 길이가 $6\,cm$, $8\,cm$, $10\,cm$이고 $\angle A = 90°$인 직각삼각형 모양의 색종이 2장을 나타낸 그림이다. 내심 I와 꼭짓점을 연결하는 선분과 내접원의 반지름으로 잘라 12개의 삼각형을 만든 후 모든 조각들을 이어 붙여 한 변의 길이가 내접원의 반지름인 직사각형을 만들려고 한다. 이 때 만들어진 직사각형의 둘레는?

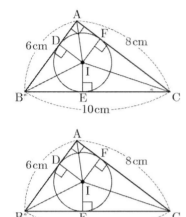

① 62   ② 52

③ 48   ④ 26

⑤ 24

219. $\triangle ABC$는 $\overline{AB} = \overline{AC}$인 이등변삼각형이다. $\angle FEC = 90°$이고 $\overline{BF} = 6\,cm$, $\overline{DC} = 16\,cm$일 때, $\overline{AF}$의 길이는?

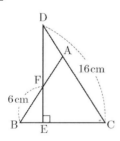

① $3\,cm$ ② $4\,cm$

③ $5\,cm$ ④ $6\,cm$

⑤ $7\,cm$

220. 선분 $\overline{YA}=\overline{AB}=\overline{BC}\cdots\overline{NO}=\cdots$가 되도록 점 A, B, C, $\cdots$, N, O, $\cdots$를 $\overrightarrow{YX}$, $\overrightarrow{YZ}$ 위에 잡는다. 그림과 같이 $\overline{CD}$가 $\overrightarrow{YZ}$에 수직일 때의 $\angle XYZ$의 크기를 a라 한다. 또한, $\overline{NO}$가 $\overrightarrow{YX}$에 수직일 때의 $\angle XYZ$의 크기를 b라 할 때, $a-b$의 값은? (단, $\overline{YA}$를 첫 번째 선분이라고 할 때, $\overline{NO}$는 15번째 선분이다.)

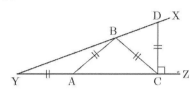

① $15°$　　　　② $15.5°$
③ $16°$　　　　④ $16.5°$
⑤ $17°$

221. 다음 그림은 $\overline{AB}=\overline{AC}$인 이등변삼각형 ABC에서 $\angle B$의 이등분선과 $\overline{AC}$의 교점을 D라고 하자. $\overline{CD}=\overline{CE}$이고, $\overline{DA}=\overline{DE}$일 때, $\angle CDE$의 크기는?

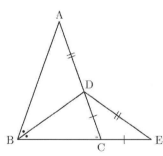

① $30°$　　　　② $32°$
③ $34°$　　　　④ $36°$
⑤ $38°$

222. 다음 그림과 같이 $\overline{AB}=\overline{AC}$인 이등변삼각형 ABC의 $\overline{BC}$와 $\overline{AC}$ 위에 $\overline{AD}=\overline{AE}$가 되도록 점 D와 E를 잡았다. $\angle EDC=8°$일 때, $\angle BAD$의 크기는?

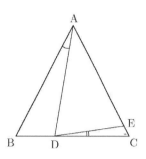

① $9°$　　　　② $10°$
③ $12°$　　　　④ $14°$
⑤ $16°$

223. $\overline{AB}=\overline{AC}$인 이등변삼각형 ABC의 두 변 AC, BC에 $\overline{DA}=\overline{DB}$, $\overline{CD}=\overline{CE}$가 되도록 두 점 D, E를 각각 잡았더니 $\angle DBE=24°$가 되었을 때, $\angle BDE$의 크기를 구하면?

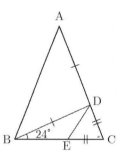

① $24°$　　　　② $28°$
③ $32°$　　　　④ $34°$
⑤ $36°$

224.좌표평면 위에 직각삼각형 ABC와 CDE가 있다. 점 A의 좌표가 $(2,3)$일 때, 두 점 A, E를 지나는 일차함수 식은? (단, $\overline{AC}$, $\overline{CD}$는 x축과 평행하고, $\overline{EC}$, $\overline{CB}$는 y축과 평행하다.)

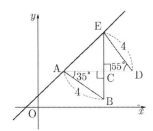

① $y=x+1$ ② $y=2x+1$

③ $y=x-1$ ④ $y=\dfrac{1}{2}x+2$

⑤ $y=-x+5$

225.다음 그림에서 $\triangle ABC$는 $\angle C=90°$이고 $\overline{AC}=\overline{BC}=16\,\mathrm{cm}$인 이등변삼각형이다. 사각형 $DEFG$는 정사각형이고 $\overline{EC}=x\,\mathrm{cm}$, $\overline{FC}=y\,\mathrm{cm}$라 할 때 $x+y=10$이다. 이때 $x-y$의 값은?

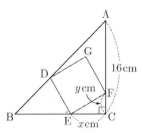

① 1   ② 2

③ 3   ④ 4

⑤ 5

226.다음 그림에서 점 O는 $\triangle ABC$의 외심인 동시에 $\triangle ACD$의 외심이다. $\angle B=75°$일 때, $\angle D$의 크기는?

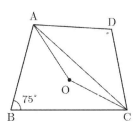

① $105°$ ② $106°$

③ $107°$ ④ $108°$

⑤ $109°$

227.직사각형 $ABCD$의 점 A에서 $\overline{CD}$위의 한 점 E를 지나는 직선을 그어 $\overline{BC}$의 연장선과 만나는 교점을 F라 하자. $\overline{EF}$의 중점 G에 대하여 $\overline{AC}=\overline{GC}$, $\angle ACD=36°$일 때, $\angle CEG$의 크기는?

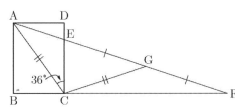

① $68°$ ② $72°$

③ $76°$ ④ $80°$

⑤ $84°$

228. 점 O는 삼각형 ABC의 외심이고 $\angle AOB = 90°$, $\angle ACO = 30°$ 이다. 삼각형 AOB의 넓이가 $32\,\mathrm{cm}^2$ 일때, 부채꼴 BOC의 넓이는?

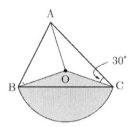

① $\dfrac{32}{3}\pi\,\mathrm{cm}^2$ ② $\dfrac{40}{3}\pi\,\mathrm{cm}^2$

③ $16\pi\,\mathrm{cm}^2$ ④ $\dfrac{64}{3}\pi\,\mathrm{cm}^2$

⑤ $\dfrac{80}{3}\pi\,\mathrm{cm}^2$

229. 그림에서 점 I는 $\triangle ABC$의 내심이고 $\overline{ED}\,//\,\overline{AC}$이다. $\overline{AC}=17\,\mathrm{cm}$, $\overline{AE}=6\,\mathrm{cm}$, $\overline{DC}=4\,\mathrm{cm}$ 이고 내접원 I의 반지름의 길이가 $3\,\mathrm{cm}$일 때, 색칠한 부분의 넓이는?

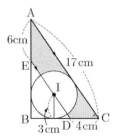

① $(81-9\pi)\,\mathrm{cm}^2$ ② $\left(\dfrac{81}{2}-9\pi\right)\mathrm{cm}^2$

③ $\left(\dfrac{27-9\pi}{2}\right)\mathrm{cm}^2$ ④ $\left(\dfrac{81-9\pi}{2}\right)\mathrm{cm}^2$

⑤ $\left(\dfrac{81}{4}-\dfrac{9}{2}\pi\right)\mathrm{cm}^2$

230. 그림에서 점 I는 $\triangle ABC$의 내심이다. 점 I에서 선분 AC, 선분 BC에 내린 수선의 발을 각각 D, E라고 하자. $\overline{DI}=a$, $\overline{IF}=b$, $\overline{FD}=c$이고 $\overline{IF}\,//\,\overline{BC}$일 때, 사다리꼴 $IECF$의 넓이를 a, b, c로 나타내면?

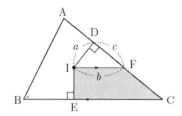

① $\dfrac{1}{2}a(2b+c)$ ② $\dfrac{1}{2}a(b+2c)$

③ $\dfrac{1}{2}a(a+b+c)$ ④ $a(2b+c)$

⑤ $a(b+2c)$

231. 다음 그림에서 점 I는 $\triangle ABC$의 내심이고, I'는 $\triangle DBC$의 내심이다. $\angle A = 56°$ 이고, $\angle ABD = 32°$ 일 때, $\angle II'B$의 크기는?

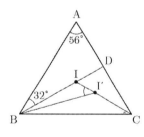

① $46°$ ② $48°$

③ $50°$ ④ $52°$

⑤ $54°$

232. 다음 그림에서 두 점 I, I' 은 각각 $\triangle ABC$와 $\triangle ACD$의 내심이다. $\overline{BI}$와 $\overline{DI'}$의 연장선의 교점이 O이고, $\angle BAC = 72°$, $\angle ABC = 38°$, $\overline{AC} = \overline{AD}$일 때, $\angle IOI'$의 크기를 구하면?

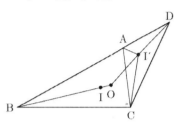

① $142°$ ② $143°$

③ $144°$ ④ $145°$

⑤ $146°$

233. 그림에서 두 점 O, I는 각각 삼각형 ABC의 외심과 내심이고, 두 점 D, E는 각각 $\overline{AO}$, $\overline{AI}$의 연장선과 $\overline{BC}$의 교점이다.
$\angle ABO = 42°$, $\angle BAC = 72°$일 때, $\angle AED$의 크기는?

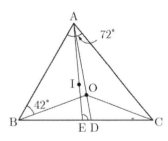

① $92°$ ② $93°$

③ $94°$ ④ $95°$

⑤ $96°$

사각형의 성질

234. 다음 그림과 같은 평행사변형 $ABCD$에서 점 O를 지나는 직선이 $\overline{AD}$, $\overline{BC}$와 만나는 점을 각각 E, F라고 한다. 평행사변형 $ABCD$의 넓이가 $40\,cm^2$일 때, 다음 중 옳지 않은 것은?(단, 점 O는 두 대각선 AC와 BD의 교점이다.)

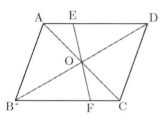

① $\overline{OA} = \overline{OC}$

② $\overline{OE} = \overline{OF}$

③ $\triangle OAE \equiv \triangle OCF$

④ 사각형 $ABFE$의 넓이는 $10\,cm^2$이다.

⑤ $\triangle OAE$와 $\triangle OBF$의 넓이의 합은 $10\,cm^2$이다.

235. 그림과 같이 평행사변형 $ABCD$에서 점 E는 변 AB의 중점이고, 점 D에서 선분 EC에 내린 수선의 발을 F라고 하자. $\angle FDC = 13°$, $\angle B = 81°$일 때, $\angle AFE$의 크기를 구하면?

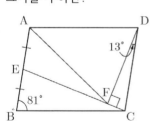

① $13°$ ② $16°$

③ $19°$ ④ $22°$

⑤ $25°$

236. 평행사변형 $ABCD$의 두 대각선의 교점을 O라 하고, $\overline{AB}$의 연장선 위에 $\overline{AB}=\overline{BE}$가 되도록 점 E를 잡았다. $\angle BEO=22°$, $\angle OEC=22°$일 때, $\angle AOD$의 크기는?

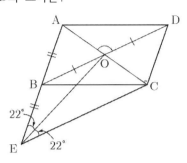

① $112°$

② $116°$

③ $118°$

④ $132°$

⑤ $136°$

237. 그림과 같이 $\overline{AB}=90\,cm$인 평행사변형 $ABCD$에서 점 P는 점 A에서 점 B까지 매초 $6\,cm$의 속력으로, 점 Q는 점 C에서 점 D까지 매초 $9\,cm$의 속력으로 움직인다. 점 P가 점 A를 출발한 지 3초 후에 점 Q가 점 C를 출발한다고 할 때, $\overline{AQ}/\!/\overline{PC}$가 처음 만들어지는 것은 점 P가 출발한 지 몇 초 후인지 구하면?

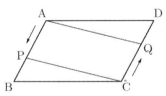

① 5초 후

② 6초 후

③ 7초 후

④ 8초 후

⑤ 9초 후

238. 다음 그림과 같이 평행사변형 $ABCD$에서 $\overline{AD}$의 삼등분점을 P, Q, $\overline{BC}$의 삼등분점을 R, S라고 하자. 색칠한 부분의 넓이가 10일 때, 평행사변형 $ABCD$의 넓이는?

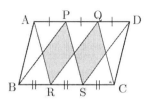

① 20

② 25

③ 30

④ 35

⑤ 40

239. 마름모 $ABCD$의 대각선 $\overline{AC}$, $\overline{BD}$의 교점을 O라고 할 때, $\triangle ABO$, $\triangle BCO$, $\triangle CDO$, $\triangle AOD$의 각각의 외심으로부터 점 O까지 거리의 합과 같은 것은?

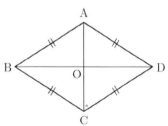

① $\overline{AC}$

② $2\overline{AB}$

③ $2\overline{BD}$

④ $\overline{OB}+\overline{OD}$

⑤ $\overline{OA}+\overline{OC}$

240. 그림과 같이 $\angle B = 60°$인 마름모 $ABCD$의 내부의 임의의 한 점 O에서 마름모 $ABCD$의 각 변에 내린 수선의 발을 각각 P, Q, R, S라 하자. 다음 중 $\overline{OP} + \overline{OQ} + \overline{OR} + \overline{OS}$와 같은 것을 구하면?

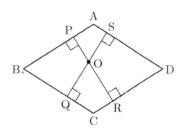

① $\overline{BD}$
② $\overline{AC}$
③ $2\overline{AB}$
④ $\overline{OB} + \overline{OD}$
⑤ $\overline{OA} + \overline{OC}$

241. 그림의 정사각형 $ABCD$에서 $\overline{AP} = \overline{AQ}$가 되도록 $\overline{CB}$의 연장선 위의 점 P와 $\overline{CD}$위의 점 Q를 잡았다. $\angle DAQ = 32°$일 때, $\angle QPC$의 크기는?

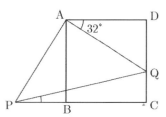

① $13°$
② $14°$
③ $15°$
④ $16°$
⑤ $17°$

242. 다음 그림과 같이 정사각형 $ABCD$에서 점 B를 중심으로 하는 부채꼴 BCA가 있다. 변 BC의 수직이등분선이 호 CA와 만나는 점 P를 점 B, 점 D와 연결한 선분을 각각 $\overline{PB}$와 $\overline{PD}$라 하자. 이때, $\angle PBC + \angle BPD$를 구하면?

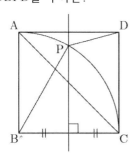

① $180°$
② $185°$
③ $190°$
④ $195°$
⑤ $200°$

243. 다음 그림과 같이 $\overline{AD} // \overline{BC}$인 등변사다리꼴 $ABCD$에서 $\overline{AB} = \overline{AD} = \overline{CD}$, $\overline{BC} = 2\overline{AD}$, $\square BFGC$는 정사각형, $\overrightarrow{BA}$와 $\overrightarrow{CD}$의 교점을 E라 할 때, $\angle BEG$의 크기는?

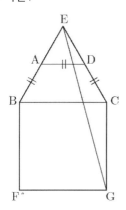

① $40°$
② $45°$
③ $50°$
④ $55°$
⑤ $60°$

244. 그림은 세 변의 길이가 서로 다른 삼각형 ABC 에 대하여 변 AC를 한 변의 길이로 하면서 변 BC 의 연장선 위에 $\overline{AC} = \overline{CD}$가 되도록 점 D를 정하여 마름모 $ACDE$를 그린다. 또, 변 AB를 한 변으로 하면서 $\angle BAF = \angle CAE$가 되도록 마름모 $AFGB$ 를 그린다. 마름모 $ACDE$의 넓이가 $24cm^2$일 때, $\triangle AFC$의 넓이는?

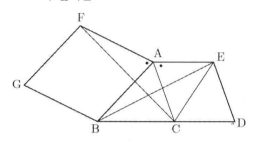

① $8cm^2$
② $10cm^2$
③ $12cm^2$
④ $16cm^2$
⑤ $18cm^2$

245. 그림과 같이 $\overline{AD} /\!/ \overline{BC}$인 사다리꼴 $ABCD$에서 $\angle B = 40°$이고 $\overline{AB} + \overline{AD} = \overline{BC}$일 때, $\angle D$의 크기 는?

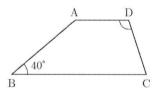

① $110°$
② $115°$
③ $120°$
④ $125°$
⑤ $130°$

246. 평행사변형 $ABCD$에서 $\overline{CD}$의 중점을 E, 꼭짓점 A에서 $\overline{BE}$에 내린 수선의 발을 H라고 한다. $\angle ABE = 47°$, $\angle EBC = 25°$일 때, $\angle ADH$의 크기 는?

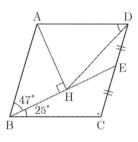

① $50°$
② $49°$
③ $48°$
④ $47°$
⑤ $46°$

247. 다음 그림과 같은 평행사변형 $ABCD$에서 두 대 각선의 교점을 O라 하고, $\angle DBC = 15°$, $\angle ACB = 30°$일 때, $\angle BAC$의 크기는?

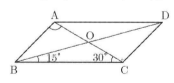

① $100°$
② $105°$
③ $115°$
④ $120°$
⑤ $125°$

248. 그림에서 $\triangle PBA$, $\triangle QBC$, $\triangle RAC$는 $\triangle ABC$의 세 변을 각각 한 변으로 하는 정삼각형이다. $\angle ACB = 60\,^\circ$, $\angle BAC = 85\,^\circ$일 때, $\angle APQ$의 크기는?

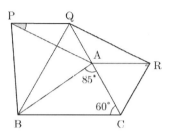

① $35\,^\circ$ ② $30\,^\circ$

③ $25\,^\circ$ ④ $20\,^\circ$

⑤ $15\,^\circ$

249. 그림은 평행사변형 $ABCD$에서 점 E는 $\overline{CD}$의 연장선과 $\overline{AD}$의 중점 M과 점 B를 이은 직선과의 교점이고, 점 F는 $\overline{CD}$의 연장선과 $\overline{BC}$의 중점 N과 점 A를 이은 직선과의 교점이며 점 O는 $\overline{AF}$와 $\overline{BE}$의 교점이다. $\square ABCD$의 넓이가 $24\,\mathrm{cm}^2$일 때, $\triangle EFO$의 넓이는?

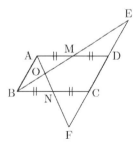

① $26\,\mathrm{cm}^2$ ② $27\,\mathrm{cm}^2$

③ $28\,\mathrm{cm}^2$ ④ $29\,\mathrm{cm}^2$

⑤ $30\,\mathrm{cm}^2$

250. 직사각형 $ABCD$에서 $\overline{DE}$는 $\angle BDC$의 이등분선, 점 P는 $\overline{AC}$와 $\overline{DE}$의 교점이다. $\angle DPC = 96\,^\circ$일 때, $\angle DAO$의 크기를 구하면?

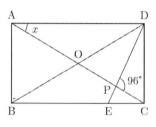

① $24\,^\circ$ ② $28\,^\circ$

③ $30\,^\circ$ ④ $34\,^\circ$

⑤ $36\,^\circ$

251. 그림과 같이 $\square ABCD$는 $2\overline{AB} = \overline{AD}$인 직사각형이다. $\triangle FBC$는 $\angle CBF = 30\,^\circ$, $\angle BFC = 90\,^\circ$이고 $\overline{BC}$를 빗변으로 하는 직각삼각형이다. $\overline{AD}$의 중점을 점 E라 할 때, $\angle EFB$의 크기는?

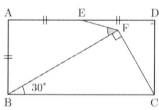

① $35\,^\circ$ ② $36\,^\circ$

③ $40\,^\circ$ ④ $42\,^\circ$

⑤ $45\,^\circ$

252. 다음 그림과 같은 마름모 $ABCD$의 내부의 한 점 P에 대하여 $\triangle ABP$는 정삼각형이고 $\angle PAD = 54°$ 일 때, $\angle BPC$의 크기는?

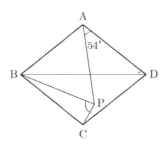

① $39°$ ② $68°$

③ $72°$ ④ $87°$

⑤ $90°$

253. 다음 정사각형 $ABCD$에서 $\overline{BF} = \overline{ED}$이고 두 점 G, H는 각각 대각선 BD와 $\overline{AF}$, $\overline{EC}$의 교점이다. $\angle BAF = 30°$일 때, $\angle DHC$의 크기는?

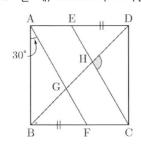

① $90°$ ② $95°$

③ $100°$ ④ $105°$

⑤ $110°$

254. 다음 그림과 같은 정사각형 $ABCD$에서 대각선 BD 위에 $\overline{BE} = \overline{EF} = \overline{FD}$가 되도록 점 E, F를 잡고, $\angle DAF = 28°$ 라 할 때, $\angle AEC$는?

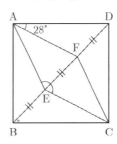

① $130°$ ② $134°$

③ $138°$ ④ $142°$

⑤ $146°$

255. 그림과 같이 정사각형 $ABCD$에서 점 E는 $\angle BAE = 23°$인 변 BC 위의 점이고, 변 CD의 연장선 위에 $\overline{BE} = \overline{DF}$인 점 F가 있다. $\angle EAF$의 이등분선이 변 CD와 만나는 점을 G라고 할 때, $\angle DAG$의 크기는?

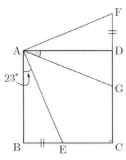

① $22°$ ② $23°$

③ $24°$ ④ $25°$

⑤ $26°$

256. 다음 그림과 같이 한 변의 길이가 $10\,\mathrm{cm}$인 정사각형 $ABCD$에서 $\angle EOF = 90\,^\circ$, $\overline{AE} = 4\,\mathrm{cm}$, $\overline{AF} = 6\,\mathrm{cm}$일 때, $\triangle EOF$의 넓이는?

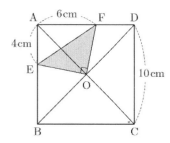

① $12\,\mathrm{cm}^2$ ② $13\,\mathrm{cm}^2$

③ $15\,\mathrm{cm}^2$ ④ $24\,\mathrm{cm}^2$

⑤ $25\,\mathrm{cm}^2$

257. $\overline{AD} /\!/ \overline{BC}$, $\overline{AB} = \overline{DC}$인 사다리꼴의 꼭짓점 A에서 변 BC에 내린 수선의 발을 E라 하자. $\overline{AD} = 8\,\mathrm{cm}$, $\overline{AE} = 10\,\mathrm{cm}$이고, $\overline{AE}$ 위의 한 점 F에 대하여 삼각형 ADF의 넓이가 $8\,\mathrm{cm}^2$, 삼각형 AFC의 넓이가 $14\,\mathrm{cm}^2$일 때, 사다리꼴 $ABCD$의 넓이는?

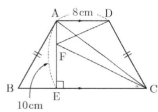

① $125\,\mathrm{cm}^2$ ② $132\,\mathrm{cm}^2$

③ $136\,\mathrm{cm}^2$ ④ $140\,\mathrm{cm}^2$

⑤ $142\,\mathrm{cm}^2$

도형의 닮음과 피타고라스 정리

258. $\square ABCD$는 가로와 세로의 비율이 $3:2$인 직사각형이다. 점 E, F, G가 각각 $\overline{AB}$, $\overline{BC}$, $\overline{AD}$의 중점이고, 점 H는 $\overline{EG}$와 $\overline{AF}$의 교점이라 하자. $\overline{BC} = 3a$, $\square ABCD$의 대각선의 길이를 b라 할 때 $\triangle HEF$의 둘레의 길이는?

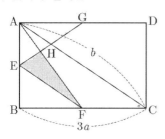

① $a + \dfrac{5}{3}b$ ② $\dfrac{4}{3}a + \dfrac{3}{2}b$

③ $\dfrac{5}{3}a + \dfrac{2}{3}b$ ④ $\dfrac{5}{3}a + \dfrac{5}{6}b$

⑤ $2a + \dfrac{3}{2}b$

259. 그림과 같이 $\angle BAD = \angle BCD$인 $\square ABCD$에서 $\overline{AB}$, $\overline{BC}$ 위의 두 점 E, F에 대하여 $\overline{AF}$와 $\overline{DE}$의 교점을 O라 하자.
$\overline{OA} = \overline{OE} = \overline{OF} = \overline{OD}$,
$\overline{AB} = 13\,\mathrm{cm}$, $\overline{AD} = 12\,\mathrm{cm}$, $\triangle AOD = 24\,\mathrm{cm}^2$일 때, $\overline{BC}$의 길이는?

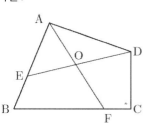

① $13\,\mathrm{cm}$ ② $15\,\mathrm{cm}$

③ $\dfrac{196}{13}\,\mathrm{cm}$ ④ $\dfrac{209}{13}\,\mathrm{cm}$

⑤ $18\,\mathrm{cm}$

260. 삼각형 ABC에서 세 점 D, F, H는 $\overline{AB}$의 사등 분점이고, 세 점 E, G, I는 $\overline{AC}$의 사등분점이다. $\overline{BE}$와 $\overline{FG}$, $\overline{CD}$와 $\overline{FG}$, $\overline{BE}$와 $\overline{HI}$, $\overline{CD}$와 $\overline{HI}$의 교점이 각각 P, Q, R, S일 때, $\overline{PQ}$와 $\overline{RS}$의 길이의 비는?

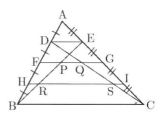

① $1:3$　　② $2:5$
③ $2:7$　　④ $3:8$
⑤ $1:4$

261. 그림과 같이 A지점에서 지팡이의 그림자 끝까지의 거리 $\overline{AB}$와 피라미드의 그림자 끝까지의 거리 $\overline{AD}$를 재면 피라미드의 높이를 구할 수 있다. $\triangle ABG$∽$\triangle ADH$임을 이용하여 피라미드의 높이 $\overline{HF}$를 구하는 식으로 옳은 것은? (단, $\overline{BC}$와 $\overline{DE}$는 각각 지팡이와 피라미드의 그림자이다.)

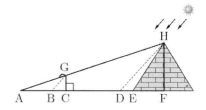

① $\dfrac{\overline{GC} \times \overline{AD}}{\overline{AB}}$　　② $\dfrac{\overline{GC} \times \overline{CD}}{\overline{AB}}$

③ $\dfrac{\overline{AB} \times \overline{BD}}{\overline{AD}}$　　④ $\dfrac{\overline{AB} \times \overline{GC}}{\overline{AD}}$

⑤ $\dfrac{\overline{AB} \times \overline{CD}}{\overline{AD}}$

262. 뜀틀에서 가장 위에 있는 '1번 틀'의 윗변의 길이는 $30cm$이고 가장 아래에 있는 '5번 틀'의 아랫변의 길이는 $70cm$이다. 5개의 틀의 높이는 모두 같을 때, '1번 틀'의 아랫변의 길이를 구하는 과정이다. ㉠+㉡+㉢+㉣의 값은? (단, 손이 닿는 부분의 두께는 생각하지 않는다.)

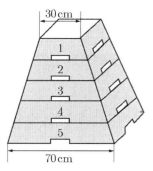

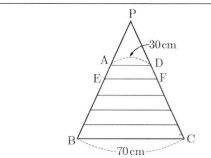

사다리꼴 $ABCD$에서 $\overline{BA}$와 $\overline{CD}$의 연장선의 교점을 P라고 하자.

$\triangle PAD$∽$\triangle PBC$, $\overline{PA}:\overline{PB}=3:($ ㉠ $)$이므로

$\overline{PA}:\overline{AB}=3:($ ㉡ $)$

$\overline{AE}=\dfrac{1}{5}\overline{AB}$, $\triangle PAD$∽$\triangle PEF$이므로

$\overline{PA}:\overline{PE}=\overline{AD}:\overline{EF}$

즉, $15:($ ㉢ $)=30:\overline{EF}$

따라서 $\overline{EF}=($ ㉣ $)cm$

① 68　　② 69
③ 70　　④ 71
⑤ 72

263. 직각삼각형 ABC에서 점 D는 $\overline{AB}$의 중점, 점 E는 $\overline{AC}$의 중점, 점 F는 $\overline{CD}$의 중점이다. $\overline{AC}\perp\overline{DE}$이고, 점 G, H는 각각 $\triangle ABC$, $\triangle CDE$의 무게중심일 때 옳지 <u>않은</u> 것은?

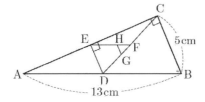

① $\overline{DC}=\dfrac{13}{2}\,cm$

② $\overline{EF}=\overline{DF}$

③ $\overline{EF}$와 $\overline{DB}$는 평행하다.

④ $\overline{HG}=\dfrac{5}{6}\,cm$

⑤ $\overline{DE}$와 $\overline{HG}$는 평행하지 않다.

264. $\overline{AD}/\!/\overline{BC}$인 사다리꼴 $ABCD$에서 $\angle C$의 이등분선과 $\overline{AD}$와의 교점을 점 E라 하자. 점 H는 사다리꼴 외부의 점이고, 점 F는 $\overline{EC}$ 위의 점이다. $\triangle EFI$와 $\triangle IFD$의 무게중심을 각각 G, G'라 할 때, $\overline{GG'}=3\,cm$이다. $\overline{CD}$의 길이를 구하면?

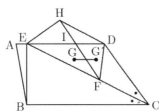

① $5\,cm$ ② $6\,cm$

③ $7\,cm$ ④ $8\,cm$

⑤ $9\,cm$

265. 다음 그림에서 $\triangle ABC$의 $\overline{BC}$ 위에 $\overline{CD}:\overline{BD}=2:1$인 점 D를 잡자. $\triangle ADC$와 $\triangle ABD$의 무게중심을 각각 E, F라 하자. $\triangle AEF$의 무게중심을 G라고 할 때, $\triangle GFE$의 넓이는 $\triangle ABC$의 넓이의 몇 배인가?

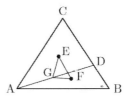

① $\dfrac{1}{27}$ ② $\dfrac{2}{27}$

③ $\dfrac{1}{9}$ ④ $\dfrac{4}{27}$

⑤ $\dfrac{5}{27}$

266. 직사각형 $ABCD$에서 세 점 E, G, F는 각각 $\triangle ABP$, $\triangle DPC$, $\triangle APD$의 무게중심이다. $\square ABCD$의 넓이가 $72\,cm^2$일 때, $\triangle FEG$의 넓이는? (단, P는 $\overline{BC}$위의 점이다.)

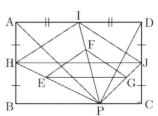

① $4\,cm^2$ ② $5\,cm^2$

③ $6\,cm^2$ ④ $8\,cm^2$

⑤ $9\,cm^2$

267. 다음 그림의 직각삼각형 ABC에서 점 D는 $\overline{BC}$의 중점, 점 E는 $\triangle ACD$의 무게중심이라 하고, $\overline{AE}$의 연장선이 $\overline{CD}$와 만나는 점을 F라 하자. 점 E, F에서 변 AC에 내린 수선의 발을 각각 G, H라 할 때, $\square GEFH$를 선분 AC를 회전축으로 회전시킬 때 만들어지는 입체도형의 부피는?

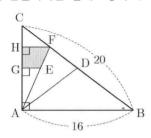

① $\dfrac{101}{3}\pi$　　　　② $\dfrac{304}{9}\pi$

③ $\dfrac{305}{9}\pi$　　　　④ 34π

⑤ $\dfrac{307}{9}\pi$

268. 그림과 같이 한 원 위에 같은 간격으로 놓여진 여섯 개의 점 A, B, C, D, E, F 중에서 세 점을 연결하여 만들 수 있는 직각삼각형은 모두 몇 개인가? (단, 점 O는 원의 중심이다.)

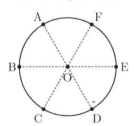

① 10 개　　　　② 11 개

③ 12 개　　　　④ 13 개

⑤ 14 개

269. 그림과 같이 직각삼각형 ABC에서 빗변 $\overline{AC}=b$의 길이를 삼등분한 점을 M, N이라 한다. $\overline{AB}=c$, $\overline{BC}=a$, $\overline{AC}^2=3$일 때, $\overline{MB}^2+\overline{NB}^2$의 값은?

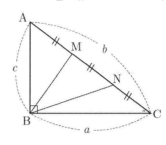

① 5　　　　② 10

③ 18　　　　④ $\dfrac{5}{3}$

⑤ $\dfrac{25}{9}$

270. 그림은 가로, 세로, 높이의 길이가 각각 $10\,\mathrm{cm}$, $4\,\mathrm{cm}$, $8\,\mathrm{cm}$ 인 직육면체이다. 그림과 같이 모서리 AD 위의 한 점 P에서 직육면체의 표면을 따라 모서리 BC와 모서리 FG를 지나서 점 H까지 최단거리로 움직이는 경로가 있다. 이 경로가 모서리 BC와 만나는 점을 Q, 모서리 FG와 만나는 점을 R이라 할 때, 점 P에서 점 H까지 움직이는 경로의 최단거리를 구하면? (단, Q는 모서리 BC의 중점이다.)

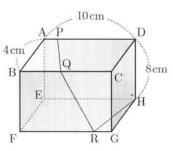

① 13　　　　② 15

③ $\dfrac{52}{3}$　　　　④ 17

⑤ $\dfrac{57}{3}$

확률

271. 그림과 같이 반직선 $\overrightarrow{OX}$, $\overrightarrow{OY}$ 위에 $\overline{OA} = 1$, $\overline{OB} = 2$ 인 점 A, B 가 있다. 점 A, B 가 반직선 $\overrightarrow{OX}$, $\overrightarrow{OY}$ 를 따라 각각 x, y 만큼 이동한 점을 D, E 라 할 때, 점 O, D, E 로 이루어진 삼각형과 점 O, A, B 로 이루어진 삼각형이 닮은 삼각형이라고 한다. 순시쌍 (x, y) 의 개수는? (단, x, y 는 10 보다 작은 자연수)

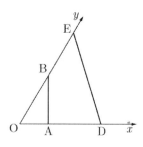

① 6 개   ② 7 개

③ 8 개   ④ 9 개

⑤ 10 개

272. 다음 그림과 같이 수직선 위를 움직이는 점 P 가 원점에 있다. 주사위 한 개를 던져서 짝수의 눈이 나오면 오른쪽으로 그 눈의 수의 $\frac{1}{2}$ 만큼, 홀수의 눈이 나오면 왼쪽으로 그 눈의 수만큼 점 P 를 움직이기로 하였다. 주사위를 2 번 던졌을 때, 점 P 가 원점에 있는 경우의 수는?

① 3   ② 4

③ 5   ④ 6

⑤ 7

273. 통일신라 시대에 사용되었던 주령구는 6개의 사각형과 8개의 육각형으로 이루어진 십사면체 주사위이다. 주령구 모양으로 주사위를 만들어 각 면에 각각 1부터 14까지의 자연수 중 사각형에는 소수를, 육각형에는 나머지 수를 하나씩 적어넣었다. 이 주사위를 두 번 던져 바닥에 닿은 면에 적혀있는 수를 읽을 때, 두 눈의 곱이 소수 또는 60이 되는 경우의 수는?

① 10   ② 16

③ 18   ④ 20

⑤ 24

274. 정삼각형 위에 같은 간격으로 놓인 6개의 점 중에서 3개의 점을 선택하여 만들 수 있는 삼각형의 개수는?

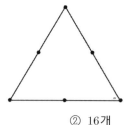

① 14개   ② 16개

③ 17개   ④ 18개

⑤ 20개

275. 아르바이트에 지원한 5명의 지원자 A, B, C, D, E가 있다. 5명의 지원자가 일을 할 수 있는 요일을 각각 ○기호로 표시한 것이다. 지원자 5명 중 4명을 선발하여 서로 다른 요일에 배치한다. 모든 요일에 배치 가능 하도록 지원자를 4명 선발하여 배치하는 경우의 수를 구하면?

	월	화	수	목	금	토	일
A	○	○	○				
B	○	○			○		
C	○	○		○			
D					○	○	
E					○		○

① 8 　　　　　② 12

③ 21 　　　　　④ 24

⑤ 36

276. 각 면에 1부터 6까지 숫자가 하나씩 적힌 정육면체 모양의 주사위 1개를 2번 던져 나오는 눈의 수를 차례로 a, b라 할 때, 두 직선 $x+y+6=0$과 $ax+by-3=0$이 오직 한 점에서 만날 확률은?

① $\dfrac{1}{6}$ 　　　　　② $\dfrac{1}{3}$

③ $\dfrac{1}{2}$ 　　　　　④ $\dfrac{2}{3}$

⑤ $\dfrac{5}{6}$

277. 정육각형 모양의 말판 A의 위치에 말이 멈춰있다. 동전과 주사위를 한 번씩 던져서 동전의 앞면이 나오면 시계 방향으로, 뒷면이 나오면 반시계 방향으로 주사위의 눈의 개수만큼 이동한다고 할 때, 같은 시행을 두 번 했을 때, 말이 A에 다시 돌아올 확률을 구하면?

① $\dfrac{1}{6}$ 　　　　　② $\dfrac{7}{36}$

③ $\dfrac{2}{9}$ 　　　　　④ $\dfrac{1}{4}$

⑤ $\dfrac{5}{18}$

278. 서로 다른 동전 세 개와 주사위 한 개를 동시에 던져서 나온 동전의 앞면의 개수를 a, 주사위의 눈의 수를 b라 할 때, 좌표평면 위의 네 점 $A(-2,0)$, $B(a,0)$, $C(a,b)$, $D(-2,b)$를 꼭짓점으로 하는 사각형 $ABCD$의 넓이가 8 또는 12가 될 확률은?

① $\dfrac{1}{6}$ 　　　　　② $\dfrac{3}{16}$

③ $\dfrac{7}{48}$ 　　　　　④ $\dfrac{11}{48}$

⑤ $\dfrac{1}{4}$

279. 볼링에서 스트라이크는 공을 한 번 던져 모든 핀을 쓰러뜨리는 것을 말한다. 두 사람 A와 B의 스트라이크 성공률이 각각 $\frac{1}{3}$, $\frac{1}{4}$이고 A도 세 번, B도 세 번의 공을 교대로 던져 스트라이크 성공 횟수를 비교하기로 했다. A는 첫 번째 공을 던져 성공했고 B는 첫 번째 공에서 실패한 상황이다. 이후 A, B가 자신의 두 번째, 세 번째 공까지 모두 던질 때, A, B의 스트라이크 성공 횟수가 같을 확률은?

① $\frac{7}{36}$ ② $\frac{11}{36}$

③ $\frac{19}{42}$ ④ $\frac{7}{72}$

⑤ $\frac{13}{72}$

280. 독일, 영국, 벨기에 세 팀이 축구 경기를 하는데 제비뽑기를 하여 세 팀 중 한 팀은 부전승으로 결승에 진출하고, 나머지 두 팀이 경기하여 이긴 팀이 결승에 올라간다. 독일이 영국을 이길 확률은 $\frac{3}{4}$, 영국이 벨기에를 이길 확률은 $\frac{1}{3}$, 벨기에가 독일을 이길 확률은 $\frac{2}{5}$이다. 이 경기에서 독일이 최종 우승할 확률은? (단, 비기는 경우는 없고, 제비뽑기를 하여 부전승으로 올라갈 확률은 모두 $\frac{1}{3}$이다.)

① $\frac{31}{60}$ ② $\frac{37}{60}$

③ $\frac{47}{90}$ ④ $\frac{53}{90}$

⑤ $\frac{67}{120}$

실수와 계산

281. 서로소인 두 자연수 a, b에 대하여 $\sqrt{1.0\dot{2} \times \frac{b}{a}} = 0.\dot{2}$ 일 때, $a-b$의 값을 구하면?

① 167   ② 177

③ 187   ④ 197

⑤ 207

282. 자연수 x에 대하여 $\sqrt{x}$ 보다 작은 자연수의 개수를 $f(x)$라고 할 때, $f(1)+f(2)+f(3)+\cdots+f(n)=42$가 성립하도록 하는 자연수 n의 값은?

① 20   ② 19

③ 18   ④ 17

⑤ 16

283. 다음은 1 에서 100 까지의 자연수의 양의 제곱근이 적힌 카드를 차례로 나열한 것이다. 이 때, 두 자연수 7 과 9 사이에 있는 무리수가 적힌 카드의 개수는?

① 28   ② 30

③ 32   ④ 34

⑤ 36

284. 그림에서 사각형 A, B, C, D는 모두 정사각형이고 각 정사각형의 넓이 사이에 C는 D의 $\sqrt{3}$ 배, B는 C의 $\sqrt{3}$ 배, A는 B의 $\sqrt{3}$ 배인 관계가 있다고 한다. 정사각형 A의 넓이가 $2\sqrt{3}$ 일 때, 정사각형 D의 한 변의 길이는?

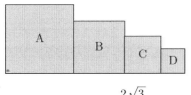

① $\dfrac{\sqrt{6}}{3}$ ② $\dfrac{2\sqrt{3}}{3}$

③ $\sqrt{2}$ ④ $\sqrt{6}$

⑤ $3\sqrt{2}$

285. 밑면은 가로의 길이가 $\sqrt{18}$, 세로의 길이가 $\sqrt{20}$ 인 직사각형이고, 높이가 $\sqrt{45}$ 인 사각뿔이 있다. 주어진 사각뿔 높이의 $\dfrac{1}{3}$ 인 사각뿔을 잘라 내고 남은 입체도형의 부피를 구하면?

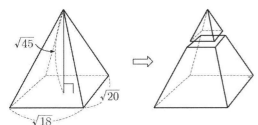

① $\dfrac{29}{3}\sqrt{6}$ ② $\dfrac{31}{3}\sqrt{2}$

③ $\dfrac{249}{9}\sqrt{6}$ ④ $\dfrac{260}{9}\sqrt{2}$

⑤ $\dfrac{283}{9}\sqrt{2}$

286. 다음 그림과 같이 A, B, C의 넓이가 각각 $54\,\mathrm{cm}^2$, $24\,\mathrm{cm}^2$, $6\,\mathrm{cm}^2$ 인 세 정사각형을 이어 붙여서 새로운 도형을 만들었다. 이 도형의 둘레의 길이를 구하면?

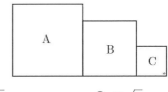

① $15\sqrt{3}$ ② $16\sqrt{3}$

③ $17\sqrt{6}$ ④ $18\sqrt{6}$

⑤ $19\sqrt{6}$

287. 넓이가 각각 2, 5, 8인 정사각형을 한 정사각형의 대각선의 교점에 다른 정사각형의 한 꼭짓점을 맞추고 겹치는 부분이 정사각형이 되도록 차례로 이어 붙인 도형 그림이다. 이 도형의 둘레의 길이는?

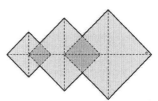

① $10\sqrt{2}+2\sqrt{5}$ ② $9\sqrt{2}+4\sqrt{5}$

③ $11\sqrt{2}+2\sqrt{5}$ ④ $12\sqrt{2}+4\sqrt{5}$

⑤ $14\sqrt{2}+7\sqrt{5}$

288. 다음 직사각형 $ABCD$의 가로의 길이 $\sqrt{7}\,cm$, 세로의 길이는 $3\sqrt{2}\,cm$이다. 정사각형 $IFGD$의 넓이 $2\,cm^2$일 때, 직사각형 $EBHF$의 넓이를 구하면?

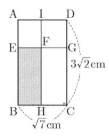

① $2\sqrt{14}\,(cm^2)$ ② $2\sqrt{14}-1\,(cm^2)$

③ $2\sqrt{14}-2\,(cm^2)$ ④ $2\sqrt{14}-3\,(cm^2)$

⑤ $2\sqrt{14}-4\,(cm^2)$

289. 다음 그림은 한 칸의 가로와 세로의 길이가 같은 모눈종이 위에 $\square OABC$, $\square OADE$를 각각 그린 것이다. $\square OADE$의 넓이가 45일 때, $\overline{OA}$의 길이는?

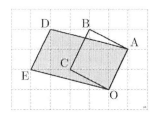

① $\sqrt{5}$ ② 5

③ $\sqrt{35}$ ④ $2\sqrt{5}$

⑤ 25

290. 그림의 과수원과 배추밭은 모두 정사각형 모양이고, n이 자연수일 때, 그 넓이가 각각 $56n$, $78-3n$이다. 과수원과 배추밭의 한 변의 길이는 각각 자연수일 때, 직사각형 모양의 무밭의 긴 변의 길이는?

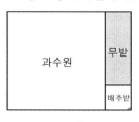

① 6 ② 14

③ 16 ④ 22

⑤ 28

291. 100 이하의 자연수 n에 대하여 $\sqrt{n}$, $\sqrt{2n}$, $\sqrt{3n}$이 모두 무리수일 때, n의 개수는?

① 76개   ② 77개

③ 78개   ④ 79개

⑤ 80개

292. 밑면의 가로의 길이가 $\sqrt{12}$, 세로의 길이가 $\sqrt{8}$ 인 직사각형이고, 높이가 $\sqrt{27}$ 인 사각뿔이 있다. 다음 그림과 같이 높이가 이 사각뿔의 높이의 $\frac{1}{3}$ 인 사각뿔을 잘라내고 남은 입체도형의 부피는?

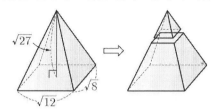

① $\dfrac{4\sqrt{2}}{9}$ ② $4\sqrt{2}$

③ $8\sqrt{2}$ ④ $\dfrac{98\sqrt{2}}{9}$

⑤ $\dfrac{104\sqrt{2}}{9}$

293. 그림은 정사각형 모양의 색종이 A, B, C, D를 이어 붙인 것이다. 이들의 넓이 사이에는 C는 D의 2배, B는 C의 2배, A는 B의 2배인 관계가 있다고 한다. A의 넓이가 10일 때, 이 색종이들로 이루어진 도형의 둘레의 길이를 구하면?

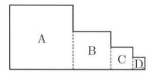

① $\sqrt{10}+2\sqrt{5}$ ② $\dfrac{7}{2}\sqrt{10}+3\sqrt{5}$

③ $5\sqrt{10}+3\sqrt{5}$ ④ $\dfrac{11}{2}\sqrt{10}+3\sqrt{5}$

⑤ $6\sqrt{10}+\dfrac{5\sqrt{5}}{2}$

294. 다음 그림과 같이 밑면의 한 변의 길이가 각각 $10\,\text{cm}$, $20\,\text{cm}$ 인 정사각형이고, 높이는 모두 $5\,\text{cm}$ 인 직육면체 모양의 두 상자가 있다. 작은 상자는 큰 상자의 가운데에 올려놓고 그림처럼 묶어 매듭을 매려고 한다. 매듭을 매는 데 필요한 끈의 길이가 $20\,\text{cm}$ 일 때, 필요한 끈의 전체 길이는?

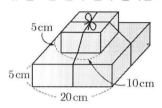

① $(80+20\sqrt{2})\,\text{cm}$ ② $(90+20\sqrt{2})\,\text{cm}$

③ $(90+30\sqrt{2})\,\text{cm}$ ④ $(100+20\sqrt{2})\,\text{cm}$

⑤ $(100+30\sqrt{3})\,\text{cm}$

295. 그림에서 수직선 위의 두 점 A, B에 대응하는 수를 각각 a, b라고 할 때, $a+b$의 값은?

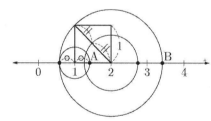

① 2 ② $\sqrt{2}$

③ $2-\sqrt{2}$ ④ $2+\sqrt{2}$

⑤ $2+2\sqrt{2}$

다항식의 곱셈과 인수분해

296. $(2009x-2010)^2$전개식과 $a(x-1)^2+b(x-1)+c$의 전개식이 같을 때, $a+b+c$의 값은?

① 2008

② 2009

③ 2010

④ 2008^2

⑤ 2009^2

297. 다음 그림과 같이 가로의 길이가 $3x$, 세로의 길이가 $2x+5$, 높이가 10인 직육면체 모양의 상자에 폭이 2인 띠를 둘러 포장하였다. 이 때, 띠로 가려지지 않은 부분의 넓이는? (단, 밑면의 띠는 수직으로 교차한다.)

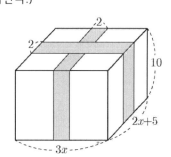

① $12x^2+110x$

② $12x^2+110x+8$

③ $12x^2+110x+16$

④ $6x^2+55x$

⑤ $6x^2+55x+4$

298. 가로의 길이가 $x\,cm$, 세로의 길이가 $y\,cm$인 직사각형 $ABCD$에서 정사각형 $ABEH$와 정사각형 $HGFD$를 잘라내었을 때, 남은 종이 $GECF$의 넓이가 $ax^2+bxy+cy^2$이 될 때, $a+b+c$의 값은?

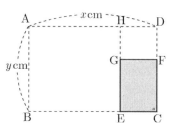

① -2

② -1

③ 0

④ 1

⑤ 2

299. $(9+3)(9^2+3^2)(9^4+3^4)+\dfrac{3^7}{2}=x\times 3^y$일 때, $\dfrac{y}{x}$의 값은? (단, $\dfrac{1}{2}\le x \le 1$, y는 자연수)

① 7.5

② 15

③ 20

④ 25

⑤ 30

300. $\sqrt{7}$의 소수 부분을 x라고 할 때, $(x+1)^2+2x+4$의 값을 구하면?

① 6

② 7

③ 8

④ 9

⑤ 10

301. 자연수 a에 대하여 $f(a) = \sqrt{a+1} + \sqrt{a}$일 때, $\dfrac{1}{f(1)} + \dfrac{1}{f(2)} + \dfrac{1}{f(3)} + \cdots + \dfrac{1}{f(1001)}$의 값을 구하면?

① $-1 + \sqrt{1001}$ ② $1 - \sqrt{1001}$

③ $1 + \sqrt{1001}$ ④ $1 + \sqrt{1002}$

⑤ $-1 + \sqrt{1002}$

302. $x^2 - 2x + 1 = 0$일 때, $x^2 - 2x - \dfrac{2}{x} + \dfrac{1}{x^2}$의 값은?

① -2 ② 0

③ 1 ④ 2

⑤ 4

303. 각 면에 2, 3, 5, 7이 적힌 정사면체 주사위가 있다. 이를 두 번 던져 처음 나온 눈의 수를 a, 두 번째 나온 눈의 수를 b라 할 때 다항식 $ax^2 + kx + b$는 두 일차식의 곱으로 인수분해 된다고 한다. 이때 자연수 k의 최댓값과 최솟값의 차는?

① 31   ② 36

③ 41   ④ 46

⑤ 51

304. 두 다항식 $x^2 - (a+5)x + a + 8$, $x^2 - (a+1)x + a$의 인수 중에서 일차식의 공통인 인수가 있을 때, 상수 a의 값은?

① 2   ② 3

③ 5   ④ 7

⑤ 9

305. $x^2y + xy^2 + xz^2 + x^2z + y^2z + yz^2 + 3xyz$의 인수인 것은?

① $1 + x$ ② $x + y$

③ $1 + x + y$ ④ $x + y + z$

⑤ $3xy + y + z$

306. $\sqrt{258 + \dfrac{1}{256}} = \dfrac{b}{a}$일 때, $b - a$의 값은? (단, a와 b는 서로소)

① 241   ② 242

③ 243   ④ 244

⑤ 245

307. 다음 그림과 같이 거북이 한 마리가 현재 위치에서 출발하여 첫째 날은 동쪽으로 $1\,m$만큼, 둘째 날은 북쪽으로 $4\,m$만큼, 셋째 날은 서쪽으로 $9\,m$만큼, 넷째 날은 남쪽으로 $16\,m$만큼, 다섯째 날은 다시 동쪽으로 $25\,m$만큼 이동한다. 이와 같은 방법으로 n번째 날 $n^2\,m$만큼 이동한다고 할 때, 인수분해 공식을 이용하여 출발한 지 13일 후 거북이의 위치를 좌표로 나타내면? (단, 거북이의 출발 지점은 좌표평면 위의 원점이다.)

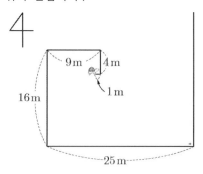

① $(78, 84)$

② $(78, -84)$

③ $(-78, 112)$

④ $(97, 112)$

⑤ $(97, -84)$

308. 두 자연수 x, y가 있다. x를 6으로 나누면 나머지가 2이고, y를 6으로 나누면 나머지가 5이다. 이때 xy를 6으로 나누었을 때의 나머지는?

① 1

② 2

③ 3

④ 4

⑤ 5

309. $A = \left(1+\dfrac{1}{7}\right)\left(1+\dfrac{1}{7^2}\right)\left(1+\dfrac{1}{7^4}\right)\left(1+\dfrac{1}{7^8}\right)\left(1+\dfrac{1}{7^{16}}\right)$일 때, $1-\dfrac{6}{7}A$의 값은?

① $\dfrac{1}{7}$

② $\dfrac{1}{7^2}$

③ $\dfrac{1}{7^8}$

④ $\dfrac{1}{7^{16}}$

⑤ $\dfrac{1}{7^{32}}$

310. 직사각형 $ABCD$를 다음 그림과 같이 네 부분으로 나누었다. 두 사각형 $EFID$, $GBJH$가 모두 정사각형이고, $\overline{ED}=x+2y$, $\overline{GB}=y$, $\overline{BC}=5x-3y$일 때, 색칠한 부분의 넓이를 구하면?

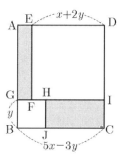

① $4x^2+8xy-6y^2$

② $4x^2+8xy-12y^2$

③ $4x^2+18xy-12y^2$

④ $4x^2+8xy-14y^2$

⑤ $4x^2+18xy-14y^2$

311. 자연수 x에 대하여 $f(x) = \dfrac{1}{\sqrt{x+1} + \sqrt{x}}$ 일 때, $f(1) + f(2) + f(3) + \cdots + f(49)$의 값에 가장 가까운 정수는? (단, $\sqrt{2} = 1.414$, $\sqrt{5} = 2.236$으로 계산한다.)

① 3   ② 4

③ 5   ④ 6

⑤ 7

312.

$\dfrac{x+y}{(x+1)(y+1)} + \dfrac{y+z}{(y+1)(z+1)} + \dfrac{z+x}{(z+1)(x+1)} + 5$

의 값은? (단, $xyz = -1$)

① -2 ② 0

③ 2   ④ 5

⑤ 7

313. $x = 1 + \sqrt{5} + \sqrt{7}$일 때, $2x^2 - 4x - 3$의 값을 구하면?

① $19 + 4\sqrt{35}$ ② $-15 + 2\sqrt{35}$

③ $-7 + 5\sqrt{7}$ ④ $22 + 3\sqrt{5} - 4\sqrt{7}$

⑤ $-3 + 3\sqrt{35}$

314. 그림과 같이 두 개의 주머니 A, B 속에 모양과 크기가 같은 구슬이 6개씩 들어 있다. 각 주머니에서 구슬을 한 개씩 꺼낼 때, A 주머니에서 꺼낸 공에 적힌 수를 a, B 주머니에서 꺼낸 공에 적힌 수를 b라 할 때, 다항식 $x^2 - ax + 4b$가 완전제곱식이 되는 경우의 수는?

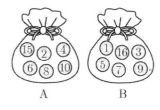

① 0   ② 1

③ 2   ④ 3

⑤ 4

315. 그림과 같이 윗변의 길이가 $x+3$, 아랫변의 길이가 $3x+1$, 높이가 $2x-1$인 사다리꼴 모양의 색종이에서 직각삼각형 모양의 A부분을 잘라냈다.

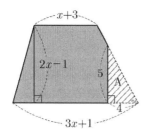

A부분을 잘라내고 난 후 남은 부분을 가지고 여러 조각으로 나누어 겹치지 않게 빈틈없이 붙여서 그림과 같이 가로의 길이가 $4x-6$인 직사각형 모양을 만들었을 때, 이 직사각형의 세로의 길이는? (단, $x > \dfrac{3}{2}$)

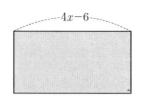

① $x+2$

② $x+3$

③ $2x+1$

④ $2x+2$

⑤ $2x+3$

316. 인수분해 공식을 이용하여 다음 식의 값을 구하면?

$$\left(1-\frac{1}{2^2}\right)\left(\frac{1}{3^2}-1\right)\left(1-\frac{1}{4^2}\right)\left(\frac{1}{5^2}-1\right)\cdots\left(\frac{1}{19^2}-1\right)\left(1-\frac{1}{20^2}\right)$$

① $-\dfrac{21}{40}$

② $-\dfrac{7}{20}$

③ $\dfrac{21}{40}$

④ $\dfrac{25}{36}$

⑤ $\dfrac{367}{400}$

317. $f(x) = \sqrt{\dfrac{x^3+x^2-x-1}{x^3+x^2}}$ 일 때, $f(2) \times f(3) \times f(4) \times \cdots \times f(8)$의 값은?

① $\dfrac{3}{4}$

② $\dfrac{1}{3}$

③ $\dfrac{\sqrt{6}}{2}$

④ $\dfrac{\sqrt{10}}{2}$

⑤ $\dfrac{\sqrt{10}}{3}$

318. $\sqrt{x} + \sqrt{x+55}$ 이 자연수가 되도록 하는 자연수 x의 값을 모두 더하면?

① 724

② 726

③ 738

④ 750

⑤ 762

이차방정식

319. 이차방정식 $x^2-7x+1=0$의 한 근을 a라 할 때, $\left(a-\dfrac{1}{a}\right)^2$의 값은?

① 27   ② 35

③ 40   ④ 45

⑤ 53

320. 두 이차방정식 $x^2+ax+b=0$과 $x^2+bx+a=0$의 공통인 해가 이차방정식 $x^2+(k+1)x+3=0$의 한 해일 때, 상수 k의 값은? (단, $a\neq b$이다.)

① -5 ② -3

③ -1 ④ 2

⑤ 4

321. 한 개의 주사위를 두 번 던져서 처음 나온 눈의 수를 a, 두 번째 나온 눈의 수를 b라고 할 때, 이차방정식 $x^2-ax+b=0$의 한 근이 $\dfrac{a}{2}-\sqrt{b}$를 만족할 확률은?

① $\dfrac{1}{18}$ ② $\dfrac{3}{4}$

③ $\dfrac{1}{36}$ ④ $\dfrac{1}{12}$

⑤ $\dfrac{5}{36}$

322. 이차식 $f(x)=x^2-4x+4$일 때, 방정식 $\{f(x)\}^2-4f(x)+4=x^2-4x+4$의 모든 근의 합은?

① 6   ② 7

③ 8   ④ 9

⑤ 10

323. 이차방정식 $2x^2-4x+m=0$이 중근을 가질 때, m, $m+2$이 두 해이고 x^2의 계수가 -2인 이차방정식의 상수항은? (단, m은 상수이다.)

① -19 ② -18

③ -17 ④ -16

⑤ -15

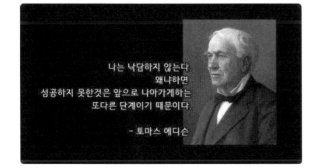

나는 낙담하지 않는다. 왜냐하면 성공하지 못한것은 앞으로 나아가게하는 또다른 단계이기 때문이다.

- 토마스 에디슨

324. 그림과 같이 $\overline{AB}=\overline{AC}$, $\angle A=36°$인 삼각형 ABC에서 $\angle B$의 이등분선과 선분 AC의 교점을 D 라고 하자. 선분 CD의 길이를 x라 할 때, x의 길이를 구하면?

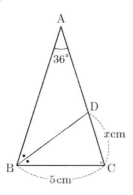

① $\dfrac{-5-5\sqrt{5}}{2}$ ② $\dfrac{-5+5\sqrt{5}}{2}$

③ $\dfrac{5-5\sqrt{5}}{2}$ ④ $\dfrac{5+5\sqrt{5}}{2}$

⑤ $\dfrac{5-\sqrt{5}}{2}$

325. 그림과 같이 $\overline{AB}=\overline{AC}=7\,cm$인 직각이등변삼각형 ABC에서 평행사변형 $FBDE$의 넓이가 $6\,cm^2$일 때 $\overline{BF}$의 길이는? (단, $\overline{AF}>\overline{BF}$)

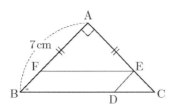

① $1\,cm$ ② $2\,cm$

③ $3\,cm$ ④ $4\,cm$

⑤ $6\,cm$

326. 그림과 같이 모양과 크기가 같은 직사각형 모양의 타일 6개를 넓이가 $176\,cm^2$인 직사각형 모양의 공간에 빈틈없이 붙였더니 가로의 길이가 $2\,cm$인 직사각형 모양의 공간이 남았다. 이때 타일 1개의 넓이를 구하면?

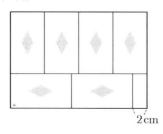

① 15   ② 21

③ 28   ④ 40

⑤ 45

327. 그림은 세 개의 반원으로 둘러싸인 도형이다. $\overline{AB}=14\,cm$이고 색칠한 부분의 넓이가 $10\pi\,cm^2$일 때, $\overline{BC}$의 길이는? (단, $\overline{AC}>\overline{BC}$이다.)

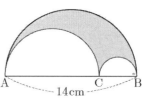

① $2\,cm$ ② $3\,cm$

③ $4\,cm$ ④ $5\,cm$

⑤ $6\,cm$

328. 그림과 같이 가로와 세로의 길이가 각각 16, 12 인 직사각형 $ABCD$가 있다. 가로의 길이는 매초 1 씩 줄어들고 세로의 길이는 매초 2씩 늘어날 때, 처음 직사각형의 넓이와 같아지는 시간은?

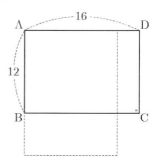

① 10초 후

② 12초 후

③ 16초 후

④ 18초 후

⑤ 20초 후

329. 길이가 $12\,cm$인 끈을 잘라서 크기가 다른 두 개의 정삼각형을 만들려고 한다. 두 정삼각형의 넓이의 비가 $3:5$가 되도록 할 때, 작은 정삼각형의 한 변의 길이는?

① $(6-\sqrt{15})\,cm$

② $(18-6\sqrt{6})\,cm$

③ $(10-2\sqrt{15})\,cm$

④ $(-6+2\sqrt{15})\,cm$

⑤ $(-10+2\sqrt{15})\,cm$

330. 영화세트장에 정사각형 모양의 성벽으로 둘러싸인 동네가 있다. 각 성벽의 중앙에는 성문이 하나씩 있는데, 북문을 나와 10보가 되는 지점에 큰 나무가 한 그루 서있다. 한편 남문을 나와 5보가 되는 지점에서 다시 식각으로 꺾어져 서쪽으로 135보를 가면 비로소 이 나무가 보인다. 이 성벽의 한 변의 길이는 몇 보나 되는가? (단, 보폭의 크기는 일정하다.)

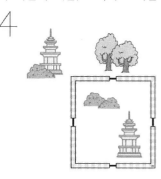

① 25보

② 36보

③ 45보

④ 60보

⑤ 75보

331. 이차방정식 $(a-1)x^2-(a^2+1)x+2(a+1)=0$의 한 근이 $x=2$일 때, 다른 한 근을 A라고 한다. 이때, A^{101}의 일의 자리 숫자는? (단, a는 상수)

① 1

② 3

③ 5

④ 7

⑤ 9

332. A주사위의 각 면에는 -2, -1, 1, 2, 3, 4가 표시되어 있고, B주사위의 각 면에는 1, 2, 3, 4, 5, 6이 표시되어 있다. 이 때, A, B 주사위를 동시에 던져 나온 A의 수를 m, B의 수를 n이라 하면 이차방정식 $x^2 + mx + n = 0$이 중근을 가질 확률은?

① $\dfrac{1}{36}$　　　　② $\dfrac{1}{24}$

③ $\dfrac{1}{12}$　　　　④ $\dfrac{1}{6}$

⑤ $\dfrac{1}{3}$

333. 일차함수 $y = ax + b$의 그래프이다. 이차방정식 $ax^2 + 2ax - b = 0$의 두 근을 m, n이라 할 때, $m - n$의 값은? (단, $m > n$이다.)

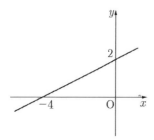

① 1　　　　② 2

③ $2\sqrt{3}$　　　　④ 4

⑤ $2\sqrt{5}$

334. 이차방정식 $3x^2 - 7x + a - 1 = 0$의 두 근이 모두 유리수가 되도록 하는 자연수 a의 값을 모두 더하면?

① 4　　　　② 6

③ 8　　　　④ 9

⑤ 10

335. x에 대한 이차방정식 $mx^2 + 7x + n = 0$의 두 근이 유리수가 되는 자연수의 순서쌍 (m, n)의 개수는?

① 6　　　　② 8

③ 10　　　　④ 12

⑤ 14

336. 1인 입장료가 1000원인 수목원에 하루 평균 700명이 입장한다고 한다. 1인 입장료를 x원 인상하면 하루 평균 입장객이 $\dfrac{1}{4}x$명 줄지만 총수입은 변함이 없다고 할 때, x원 인상한 후 1인 입장료는?

① 1800원　　　　② 2000원

③ 2200원　　　　④ 2400원

⑤ 2800원

337. 그림과 같이 가로의 길이가 세로의 길이보다 4 cm 더 긴 직사각형 모양의 종이가 있다. 이 종이의 네 모퉁이에서 한 변의 길이가 2 cm인 정사각형을 잘라내고 나머지로 뚜껑 없는 직육면체 모양의 상자를 만들었더니 그 부피가 330 cm³이었다. 처음 잘라내지 않은 직사각형의 세로의 길이는?

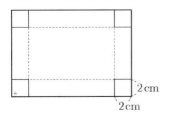

① 11

② 13

③ 15

④ 17

⑤ 19

338. 다음 직사각형 $ABCD$에서 점 P는 점 A를 출발하여 변 AB를 따라 점 B까지 매초 4 cm의 속력으로 이동하고, 점 Q는 점 B를 출발하여 변 BC를 따라 점 C까지 매초 3 cm의 속력으로 이동한다. 두 점 P, Q가 동시에 출발할 때, t초 후 $\triangle PBQ$의 넓이가 54 cm²가 된다. t의 값은?

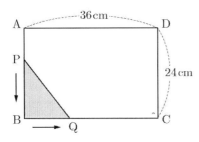

① 1

② 2

③ 3

④ 4

⑤ 5

이차함수

339. 두 이차함수 $y=x^2$, $y=-\dfrac{1}{3}x^2$ 그래프 위의 네 점 A, B, C, D에 대하여 정사각형 $ABCD$의 넓이는? (단, $\square ABCD$의 각 변은 x축 또는 y축에 평행하다.)

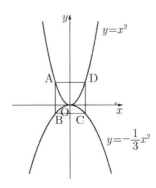

① $\dfrac{9}{4}$

② $\dfrac{25}{4}$

③ 9

④ 25

⑤ 36

340. 두 이차함수 $y=3x^2$, $y=\dfrac{1}{3}x^2$의 그래프가 직선 $y=k(k>0)$와 제 1사분면에서 만나는 두 점을 각각 A, B라고 하면 $\overline{AB}=2$이다. 이때 상수 k의 값을 구하면?

① $\dfrac{16}{27}$

② $\dfrac{4}{3}$

③ 3

④ 4

⑤ 9

341. 그림과 같이 이차함수 $y = ax^2$의 그래프 위에 네 점 A, B, C, D가 있다. 각 점의 x좌표는 -2, 2, 8, -8이고, 사다리꼴 ABCD의 넓이가 100일 때 이차함수 $y = ax^2$의 식을 구하면?

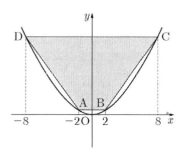

① $y = \dfrac{5}{32}x^2$ ② $y = \dfrac{1}{6}x^2$

③ $y = \dfrac{1}{4}x^2$ ④ $y = \dfrac{1}{3}x^2$

⑤ $y = \dfrac{1}{2}x^2$

342. 다음 그림과 같이 이차함수 $y = ax^2$의 그래프와 직사각형 $ABCD$가 있다. 이 그래프가 직사각형 $ABCD$의 둘레 위의 단 한 점을 지날 때, 상수 a의 값을 <u>모두</u> 구하면? (정답 2개)

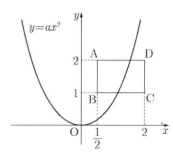

① $\dfrac{1}{8}$ ② $\dfrac{1}{4}$

③ $\dfrac{1}{2}$ ④ 4

⑤ 8

343. 30보다 작은 자연수 k에 대하여 이차함수 $y = \dfrac{1}{3}x^2 - k$의 그래프가 x축과 두 점 A, B에서 만날 때, $\overline{AB}$의 길이가 정수가 되도록 하는 모든 k의 값의 합은?

① 15 ② 30

③ 39 ④ 42

⑤ 88

344. 포물선 모양인 놀이기구의 일부분이다. 놀이기구의 높이가 가장 낮은 지점은 P지점이다. O지점에서 P지점까지의 높이가 $3m$이고 O지점에서 $4m$ 떨어진 Q지점에서 R까지의 높이가 $5m$일 때, S지점에서 T지점까지의 높이는?

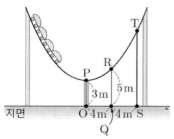

① $9m$ ② $9.5m$

③ $10m$ ④ $10.5m$

⑤ $11m$

345. 다음 그림은 두 이차함수 $y=x^2$, $y=x^2-8x$의 그래프이다. 직선 l이 이차함수 $y=x^2-8x$의 그래프의 축일 때, 색칠한 부분의 넓이를 구하면?

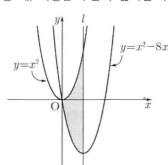

① 12
② 27
③ 32
④ 54
⑤ 64

346. 두 이차함수 $f(x)=x^2+2x+3$, $g(x)=x^2-2x+3$의 그래프는 평행이동에 의하여 겹쳐질 수 있음을 이용하여 $\dfrac{f(1)f(3)f(5)\cdots f(49)}{g(1)g(3)g(5)\cdots g(49)}$의 값을 구한 것은?

① 1250
② 1251
③ 1252
④ 1253
⑤ 1254

347. 이차함수 $y=-\dfrac{1}{4}x^2+ax+4$의 그래프에서 꼭짓점을 A, y축과의 교점을 B, 원점을 O라고 하자. $\triangle ABO=8$일 때, 양수 a의 값은?

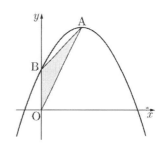

① $\dfrac{1}{2}$
② 1
③ 2
④ $\dfrac{5}{2}$
⑤ 4

348. 그림과 같이 이차함수 $y=-x^2+2x+k$의 그래프의 꼭짓점을 A, x축과의 교점을 각각 B, C라 하고, 선분 AB가 y축과 만나는 점을 D라고 하자. $\overline{AD}:\overline{DB}=1:2$일 때, $\triangle ABC$의 넓이를 구하면?

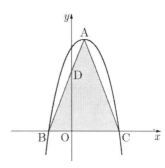

① 27
② 26
③ 25
④ 24
⑤ 23

349. 이차함수 $y = ax^2 + bx + c$의 그래프가 그림과 같을 때, 이차함수 $y = cx^2 - bx - a$의 그래프가 지나지 않는 사분면을 구하면? (단, $b^2 + 4ac > 0$)

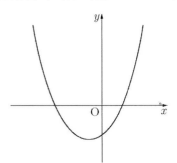

① 제1사분면　　　　② 제2사분면

③ 제3사분면　　　　④ 제4사분면

⑤ 모두 지남

350. 좌표평면 위의 두 점 $A(2, 2)$, $B(8, 2)$에 대하여 이차함수 $y = ax^2 + bx + c(a < 0)$의 그래프의 꼭짓점의 y좌표는 4이고 $\overline{AP} = \overline{PQ} = \overline{QB} = 2$일 때, $a + b + c$의 값은? (단, a, b, c는 상수이다.)

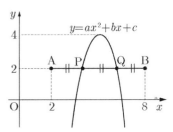

① -22　　　　　　② -24

③ -26　　　　　　④ -28

⑤ -30

351. 다음 그림과 같이 제1사분면 위에 각 변이 각각 x축 또는 y축에 평행한 정사각형 $ABCD$가 있다. 점 B, D는 이차함수 $y = \frac{1}{2}x^2$의 그래프 위의 점이고, 점 D의 x좌표는 점 B의 x좌표의 2배일 때, $\square ABCD$의 넓이는?

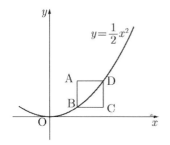

① $\dfrac{4}{9}$　　　　　　② $\dfrac{2}{3}$

③ $\dfrac{3}{2}$　　　　　　④ $\dfrac{9}{4}$

⑤ $\dfrac{8}{3}$

352. 이차함수 $y = -3x^2$의 그래프 위에 두 점 A, B를 선분 AB가 x축과 평행하도록 잡고, $\square ABCD$가 사다리꼴이 되도록 두 점 C, D를 이차함수 $y = ax^2$의 그래프 위에 잡았다. $\overline{CD} = 2\overline{AB}$이고, $\square ABCD$의 넓이가 21일 때, 상수 a의 값은?

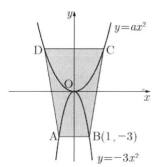

① $\dfrac{3}{4}$　　　　　　② 1

③ $\dfrac{4}{3}$　　　　　　④ $\dfrac{3}{2}$

⑤ 2

353. 그림과 같이 두 이차함수 $y=2x^2$, $y=ax^2$의 그래프와 직선 $x=4$의 교점을 각각 A, B라 하고 x축과 직선 $x=4$의 교점을 C라고 하자. $\overline{AB}=3\overline{BC}$가 성립할 때, 상수 a의 값은?

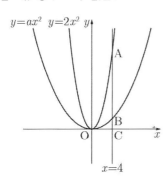

① $\dfrac{1}{4}$ 　　　② $\dfrac{1}{3}$

③ $\dfrac{1}{2}$ 　　　④ $\dfrac{2}{3}$

⑤ 1

354. 다음과 같이 이차함수 $y=ax^2$와 $y=bx^2$의 그래프가 있다. x축과 평행한 직선을 그어 두 그래프와 만나는 점을 P, Q, R, S라 하고, $\overline{PS}:\overline{QR}=2:1$일 때, $\dfrac{b}{a}$의 값은? (단, $a>0$, $b>0$)

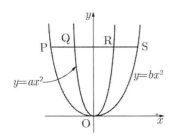

① $\dfrac{1}{4}$ 　　　② $\dfrac{1}{3}$

③ $\dfrac{1}{2}$ 　　　④ 2

⑤ 4

355. 그림과 같이 두 이차함수 $y=3(x+1)^2$, $y=a(x-p)^2+q$의 그래프가 서로의 꼭짓점을 지난다. $y=a(x-p)^2+q$의 그래프의 꼭짓점을 A, 점 A에서 x축과 평행한 직선을 그어 $y=3(x+1)^2$의 그래프와 만나는 점을 B라고 할 때, $\overline{AB}=4$이다. 상수 a, p, q에 대하여 apq의 값은? (단, $p<-1$)

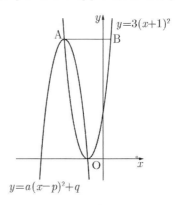

① 48 　　　② 56

③ 72 　　　④ 108

⑤ 144

356. 두 이차함수 $y=ax^2-b$, $y=-ax^2+b$의 그래프가 좌표축과 만나는 점을 A, B, C, D라 하자. 사각형 $ABCD$가 정사각형일 때, 항상 옳은 것은? (단, a, b는 양수이다.)

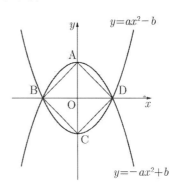

① $ab=1$ 　　　② $a-b=0$

③ $a+b=1$ 　　　④ $a+b=2$

⑤ $a^2+b^2=2$

357. 이차함수 $y = a(x-p)^2 + q$의 그래프가 그림과 같을 때, $y = q(x-a)^2 + p$의 그래프가 지나는 사분면을 모두 구한 것은?

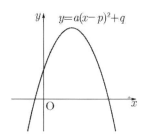

① 제 1 사분면, 제 2 사분면

② 제 3 사분면, 제 4 사분면

③ 제 1 사분면, 제 2 사분면, 제 3 사분면

④ 제 2 사분면, 제 3 사분면, 제 4 사분면

⑤ 제 1 사분면, 제 2 사분면, 제 3 사분면, 제 4 사분면

358. 이차함수 $y = a(x+3)^2 - 4$의 그래프가 제 4 사분면을 지나지 않도록 하는 상수 a의 값의 범위를 구하면?

① $a \geq \dfrac{4}{9}$　　　② $a \leq \dfrac{4}{9}$

③ $a \geq -\dfrac{4}{9}$　　　④ $a \leq -\dfrac{4}{9}$

⑤ $0 < a < \dfrac{4}{9}$

359. 이차함수 $y = \dfrac{1}{2}x^2 + 4ax + 7$, $y = 2x^2 + 8x + b$의 그래프의 꼭짓점이 같을 때, 수 a, b에 대하여 $b - 2a$의 값을 구하면?

① 11　　　② 12

③ 13　　　④ 14

⑤ 15

360. 직사각형 $ABCD$의 두 꼭짓점 A, D가 이차함수 $y = -x^2 - 10x$의 그래프 위에 있고, 두 꼭짓점 B, C가 x축 위에 있다. 직사각형 $ABCD$의 둘레의 길이가 50이 되는 점 $A(a, b)$에 대하여 $a + b$의 값은?

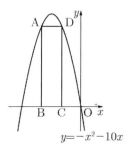

① 8　　　② 10

③ 12　　　④ 14

⑤ 20

361. 이차함수 $y=-x^2+6x+k$의 그래프와 x축의 구 교점을 각각 A, B라 하고, 꼭짓점을 C, y축과의 교점을 D라 하자. $\triangle ABC$와 $\triangle ABD$의 넓이의 차가 36일 때, 수 k의 값은?

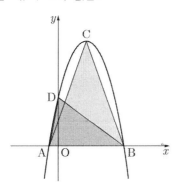

① 7   ② 8
③ 9   ④ 10
⑤ 11

362. 그림은 이차함수 $y=ax^2+bx+c$의 그래프이다. 이 그래프의 꼭짓점을 A라 하고, 포물선이 x축과 만나는 두 점을 B, O라고 하자. $\triangle ABO$의 넓이가 32일 때, $ab-c$의 값은?

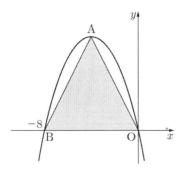

① −14   ② −12
③ −6   ④ 2
⑤ 4

삼각비

363. 세로의 길이가 $2\,\text{cm}$인 직사각형 모양의 종이가 있다. 이 종이를 $\overline{EF}$를 접는 선으로 하여 점 D가 $\overline{BC}$ 위의 점 G에 오도록 접었더니 $\overline{ED}=3\,\text{cm}$가 되었다. $\angle FEG=x°$라고 할 때, $\tan x°$의 값은?

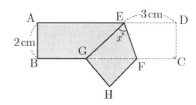

① $\dfrac{3-\sqrt{5}}{2}$ ② $\dfrac{3+\sqrt{5}}{2}$

③ $\dfrac{3-\sqrt{5}}{5}$ ④ $\dfrac{1+\sqrt{5}}{5}$

⑤ $\dfrac{3+\sqrt{5}}{5}$

364. 다음 그림에서 $\angle B = \angle E = 90°$, $\overline{BD}=\overline{DC}=12$, $\sin x = \dfrac{2}{3}$일 때, $\tan y$의 값은?

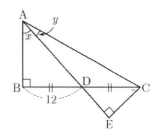

① $\dfrac{\sqrt{5}}{13}$ ② $\dfrac{2\sqrt{5}}{13}$

③ $\dfrac{3\sqrt{5}}{13}$ ④ $\dfrac{4\sqrt{5}}{13}$

⑤ $\dfrac{5\sqrt{5}}{13}$

365. 다음 그림과 같이 한 모서리의 길이가 10인 정육면체의 점 D에서 $\overline{BH}$에 내린 수선의 발을 N, $\angle NDH = x$라 할 때, $\sin x \times \cos x \times \tan x$의 값은?

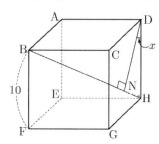

① $\dfrac{\sqrt{6}}{3}$ ② $\dfrac{\sqrt{2}}{2}$

③ $\dfrac{\sqrt{3}}{3}$ ④ $\dfrac{1}{2}$

⑤ $\dfrac{1}{3}$

366. 그림과 같이 한 모서리의 길이가 6인 정사면체 $O-ABC$에서 점 D는 $\overline{AB}$의 중점이고, $\angle ODC = x$일 때, $\tan x$의 값을 구하면?

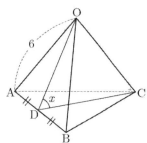

① $\dfrac{1}{3}$ ② $\dfrac{\sqrt{2}}{3}$

③ $\dfrac{2\sqrt{2}}{3}$ ④ $\sqrt{2}$

⑤ $2\sqrt{2}$

367. 한 변의 길이가 6인 정사각형 $ABCD$에서 $\overline{CD}$ 위에 한 점 E에 대하여 $\overline{BE}$를 한 변으로 하는 정사각형 $BEFG$를 그렸더니 $\angle EBC = 30°$가 되었다. 이때 두 정사각형의 겹쳐진 부분의 넓이를 구하면?

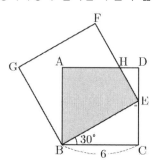

① $48 - 14\sqrt{3}$ ② $42 - 14\sqrt{3}$

③ $48 - 12\sqrt{3}$ ④ $42 - 12\sqrt{3}$

⑤ $48 - 14\sqrt{2}$

368. 다음 그림에서 $\square CDEF$는 직사각형이고, $\angle BAE = 30°$, $\angle AEB = 90°$, $\overline{BE} = 4$이다. $\overline{AD} = \overline{DE}$일 때, $\sin 15°$의 값은?

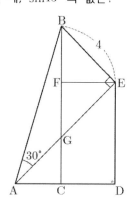

① $\dfrac{3 + \sqrt{3}}{3}$ ② $\dfrac{3 - \sqrt{3}}{3}$

③ $-2 + \sqrt{3}$ ④ $\dfrac{\sqrt{6} + \sqrt{2}}{4}$

⑤ $\dfrac{\sqrt{6} - \sqrt{2}}{4}$

369. 다음 그림과 같이 좌표평면 위의 원점 O를 중심으로 하고 반지름의 길이가 10인 사분원에서 $\sin a = \dfrac{4}{5}$일 때, $\triangle ABE$의 넓이는?

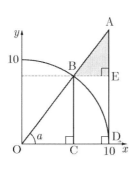

① 6

② 8

③ 10

④ $\dfrac{21}{2}$

⑤ $\dfrac{32}{3}$

370. 다음 그림은 $\overline{AB}=1$, $\angle AOB=30°$인 직각삼각형 OAB의 빗변을 한 변으로 하고 $\angle BOC=30°$인 직각삼각형 OBC를 그린 것이다. 또 직각삼각형 OBC의 빗변을 한 변으로 하고, $\angle COD=30°$인 직각삼각형 OCD를 그린 것이다. 이와 같은 방법으로 직각삼각형 ODE, OEF, OFG, OGH를 차례로 연속하여 그렸을 때, $\overline{OH} \div \overline{DE}$의 값을 구하면?

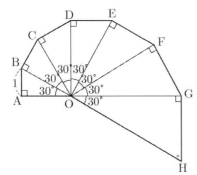

① $\dfrac{16\sqrt{3}}{27}$

② $\dfrac{16\sqrt{3}}{9}$

③ $\dfrac{8\sqrt{3}}{9}$

④ $\dfrac{8}{27}$

⑤ $\dfrac{16}{9}$

371. 다음 그림과 같이 직육면체에서 $\angle DGB = x$라고 할 때, $\cos x$의 값을 구하면?

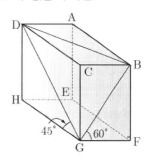

① $\dfrac{2}{3}$

② $\dfrac{3}{8}$

③ $\dfrac{\sqrt{6}}{4}$

④ $4\sqrt{6}$

⑤ 15

372. 헬기는 시속 $150\,\mathrm{km}$ 의 속도로 지면과 평행하게 날고 있다. 헬기가 지면 위의 P 지점을 처음 내려다 본 각의 크기는 $30°$였다. 이 후 일정한 높이와 속도를 유지하면서 1분 후에 P 지점을 내려다 본 각의 크기는 $60°$이다. 헬리콥터가 P 지점 바로 위 상공에 도착하기 위해서는 두 번째로 내려다 본 지점으로부터 몇 분 더 이동해야 하는가?

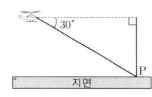

① 0.2 분

② 0.5 분

③ 1 분

④ 1.2 분

⑤ 1.5 분

373. 그림과 같이 A지점에서 두 척의 배가 동시에 출발하여 두 지점 B, C에 각각 이르렀다. A지점에서 B지점까지의 거리는 $8\,\mathrm{km}$, A지점에서 C지점까지의 거리는 $6\sqrt{2}\,\mathrm{km}$, $\angle BAC = 45\,°$일 때, 두 지점 B, C 사이의 거리는?

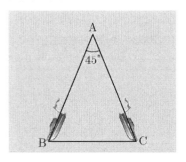

① $2\sqrt{10}$ ② $2\sqrt{11}$

③ $4\sqrt{3}$ ④ $2\sqrt{13}$

⑤ $2\sqrt{14}$

374. 다음 그림과 같은 $\triangle ABC$를 직선 l을 축으로 하여 1회전시킬 때 생기는 입체도형의 부피를 구하면?

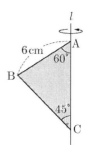

① $36\pi\,cm^3$ ② $27(1+\sqrt{3})\pi\,cm^3$

③ $9(1+\sqrt{3})\pi\,cm^3$ ④ $54\pi\,cm^3$

⑤ $(18+5\sqrt{2})\pi\,cm^3$

375. 그림과 같이 $\triangle ABC$에서 $\overline{AB}=3\,\mathrm{cm}$, $\overline{AC}=2\,\mathrm{cm}$, $\angle BAD = \angle CAD = 30\,°$일 때, $\overline{AD}$의 길이는?

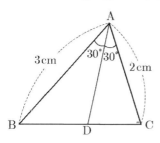

① $\dfrac{4\sqrt{3}}{5}\,cm$ ② $\dfrac{5\sqrt{2}}{6}\,cm$

③ $\dfrac{5\sqrt{3}}{6}\,cm$ ④ $\dfrac{6\sqrt{2}}{5}\,cm$

⑤ $\dfrac{6\sqrt{3}}{5}\,cm$

376. $\square ABCD$는 한 변의 길이가 $3\,\mathrm{cm}$인 정사각형이다. $\overline{BP}:\overline{PC}=2:1$, $\overline{CQ}:\overline{QD}=1:2$, $\angle PAQ = \angle x$라 할 때, $\sin x$의 값은?

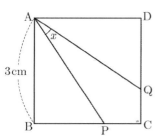

① $\dfrac{3}{13}$ ② $\dfrac{4}{13}$

③ $\dfrac{5}{13}$ ④ $\dfrac{7}{13}$

⑤ $\dfrac{8}{13}$

377. 그림과 같이 반지름의 길이가 $5\,\text{cm}$인 반원 O에서 $\angle ABC = 30°$일 때, 색칠한 부분의 넓이는?

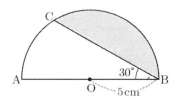

① $\left(\dfrac{25}{3}\pi - \dfrac{25\sqrt{3}}{4}\right)\text{cm}^2$ ② $\left(\dfrac{25}{4}\pi - \dfrac{25\sqrt{3}}{3}\right)\text{cm}^2$

③ $\left(\dfrac{25}{3}\pi - \dfrac{25\sqrt{2}}{4}\right)\text{cm}^2$ ④ $\left(\dfrac{25}{4}\pi - \dfrac{25\sqrt{2}}{4}\right)\text{cm}^2$

⑤ $\left(\dfrac{25}{3}\pi - \dfrac{25}{4}\pi\right)\text{cm}^2$

378. 그림과 같이 포물선 $y = -x^2 + 6x$의 꼭짓점을 C, 포물선과 직선 $y = 5$의 교점을 각각 A, B이라 하자. $\angle CAB = a°$일 때, $\tan a°$의 값은? (단, 두 점 A, B의 y좌표는 5이다.)

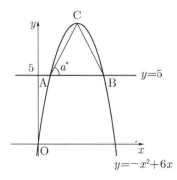

① $\sqrt{3}$ ② 2

③ $\sqrt{5}$ ④ $2\sqrt{2}$

⑤ 4

379. 직각삼각형 ABC의 넓이가 두 직선 DE, FG에 의해 삼등분 된다. $\sin C = \dfrac{3}{5}$, $\overline{AB} = 9$일 때, $\overline{EG}$의 길이는?

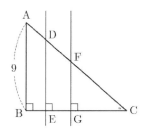

① $\sqrt{3}$ ② $4\sqrt{3}$

③ $\sqrt{6} - \sqrt{3}$ ④ $2\sqrt{6} - 2\sqrt{3}$

⑤ $4\sqrt{6} - 4\sqrt{3}$

380. 다음 직각삼각형 ABC에서 $\overline{AD} = \overline{DC} = \overline{BC} = 2\,\text{cm}$이고 $\angle ABD = x°$라고 할 때, $\cos x°$의 값은?

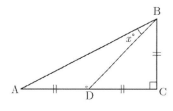

① $\dfrac{\sqrt{10}}{10}$ ② $\dfrac{\sqrt{5}}{3}$

③ $\dfrac{3\sqrt{5}}{5}$ ④ $\dfrac{6\sqrt{5}}{5}$

⑤ $\dfrac{3\sqrt{10}}{10}$

381. 다음 그림과 같이 직선 $y=ax+b$와 x축, y축의 교점이 각각 A, B이고, $\overline{AB}\perp\overline{OH}$, $\overline{OH}=4$이다. 직각삼각형 AOB에서 $\tan A = \dfrac{4}{3}$일 때, 점 H의 좌표를 구하면? (단, O는 원점이다.)

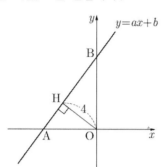

① $\left(-\dfrac{16}{5},\dfrac{12}{5}\right)$ ② $\left(-\dfrac{12}{5},\dfrac{16}{5}\right)$

③ $(-3,4)$ ④ $\left(\dfrac{16}{5},\dfrac{12}{5}\right)$

⑤ $\left(\dfrac{12}{5},\dfrac{16}{5}\right)$

382. 그림과 같이 좌표평면 위에 반지름의 길이가 1인 사분원과 삼각형 OAB, 삼각형 OCD를 그릴 때, 색칠된 사각형 $ACDB$의 넓이는?

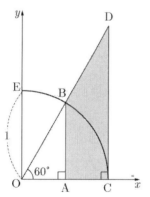

① $\dfrac{\sqrt{3}}{8}$ ② $\dfrac{\sqrt{3}}{4}$

③ $\dfrac{3\sqrt{3}}{8}$ ④ $\dfrac{\sqrt{3}}{2}$

⑤ $\dfrac{5\sqrt{3}}{8}$

383. 그림과 같이 반지름의 길이가 1인 사분원에서 $\dfrac{\cos y}{\sin x} + \dfrac{2\sin z}{\cos x} \times \dfrac{\tan z}{\tan y}$의 값은?

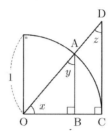

① $\dfrac{3}{2}$ ② 2

③ $\dfrac{5}{2}$ ④ 3

⑤ 4

384. $45° < \angle x < 90°$ 이고

$\sqrt{(\sin x + \cos x)^2} + \sqrt{(\cos x - \sin x)^2} = \dfrac{5}{3}$일 때,

$\cos x \times \tan x$의 값은?

① 1 ② $\dfrac{5}{6}$

③ $\dfrac{2}{3}$ ④ $\dfrac{1}{2}$

⑤ $\dfrac{1}{3}$

385. 그림과 같이 한 변의 길이가 6 cm인 정사각형 $ABCD$에서 $\overline{CD}$ 위의 한 점 E에 대하여 $\overline{BE}$를 한 변으로 하는 정사각형 $BEFG$를 그렸더니 $\angle ABE = 60°$가 되었다. 이때 색칠한 부분의 넓이를 구하면?

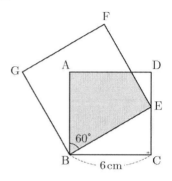

① $(48 - 16\sqrt{3})\,\text{cm}^2$　　② $(48 - 14\sqrt{3})\,\text{cm}^2$

③ $(48 - 12\sqrt{3})\,\text{cm}^2$　　④ $(50 - 16\sqrt{3})\,\text{cm}^2$

⑤ $(50 - 14\sqrt{3})\,\text{cm}^2$

386. 한밤중에 파도에 휩쓸려 좌초된 배를 구조하기 위하여 헬리콥터가 출동하였다. 헬리콥터가 좌초된 배에서 나오는 불빛을 처음 관측하였을 때, 배를 내려다본 각의 크기는 30°이었다. 불빛을 처음 관측한 후 수면으로부터 일정한 높이와 시속 60 km를 유지하면서 불빛을 관측한 쪽으로 직선 경로를 따라가 3분 후 다시 불빛을 관측하였고, 이때 배를 내려본 각의 크기가 60°이었다. 헬리콥터가 좌초된 지점의 상공에 도착하기 위해서는 두 번째로 불빛을 관측한 지점으로부터 x초 더 이동해야 한다고 한다. x의 값은? (단, 배는 좌초된 지점에서 이동하지 않는다.)

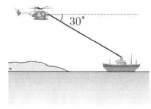

① 30초　　　　② 60초

③ 90초　　　　④ 120초

⑤ 150초

387. $\angle B = 45°$, $\angle C = 15°$인 △ABC의 넓이가 $6 - 2\sqrt{3}$일 때, $\overline{BC}$의 길이는?

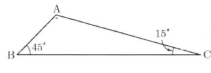

① $2\sqrt{3}$　　　　② $2\sqrt{6}$

③ $4\sqrt{3}$　　　　④ 8

⑤ $4\sqrt{6}$

388. 그림과 같이 직각삼각형 ABC와 DBC에서 $\angle ACB = 45°$, $\angle BDC = 60°$, $\overline{CD} = 8$일 때, △EBC의 넓이는?

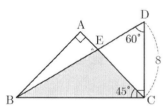

① $16\sqrt{3}$　　　　② $48(\sqrt{3} - 1)$

③ $48(\sqrt{3} + 1)$　　④ $75(\sqrt{3} - 1)$

⑤ $75(\sqrt{3} + 1)$

원의 성질

389. 반지름의 길이가 $12\,m$인 원 모양의 연못이 있다. 연못의 중심 O와 $6\,m$ 떨어진 지점 P에서 연못의 중심 O를 지나도록 그림과 같이 T자 모양의 다리를 놓으려고 한다. 이 때, 다리의 길이의 합은? (단, 다리의 폭은 무시하고, 다리의 길이는 $\overline{AB}+\overline{PC}$와 같다.)

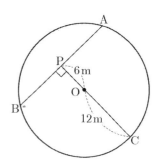

① $(18+6\sqrt{3})\,m$ ② $(18+12\sqrt{3})\,m$

③ $(18+13\sqrt{2})\,m$ ④ $(18+13\sqrt{3})\,m$

⑤ $(18+14\sqrt{3})\,m$

390. 반지름이 20인 원의 내부에 중심으로부터 12만큼 떨어져 있는 점 P가 있다. 점 P를 지나고 길이가 정수인 현은 모두 몇 개인가?

① 1 개   ② 8 개

③ 10 개   ④ 16 개

⑤ 18 개

391. 원 O에서 두 현 AB와 CD는 점 H에서 수직으로 만나고 $\overline{AH}=3$, $\overline{BH}=15$, $\overline{CH}=5$, $\overline{DH}=9$일 때, 원 O의 넓이는?

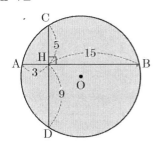

① $\dfrac{65}{4}\pi$ ② 65π

③ $\dfrac{75}{4}\pi$ ④ 85π

⑤ $\dfrac{85}{4}\pi$

392. 원 O가 정사각형 $ABCD$의 두 변 AB, AD에 접하고 나머지 두 변 BC, CD와 만나고 있다. $\overline{BP}=1$, $\overline{AB}=8$일 때, 원 O의 반지름의 길이는?

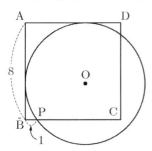

① 5 ② $\dfrac{11}{2}$

③ 6 ④ $\dfrac{13}{2}$

⑤ 7

393. 그림은 반지름의 길이가 $3\,\mathrm{cm}$ 인 원 O 밖의 한 점 P 에서 그은 두 접선이 $\overrightarrow{PA}$, $\overrightarrow{PB}$ 이고, 그 접선의 길이가 $3\,\mathrm{cm}$ 이다. $\overrightarrow{PA}$ 를 고정하여 반지름의 길이를 조금씩 늘려 $3\sqrt{3}\,\mathrm{cm}$ 만큼 늘이면 접선 $\overrightarrow{PB}$ 는 시계반대방향으로 회전하여 원 O' 의 접선 $\overrightarrow{PB'}$ 가 된다. 이 때, 접점 B 는 접점 B' 까지 이동할 때, 부채꼴 BPB' 의 넓이를 구하면?

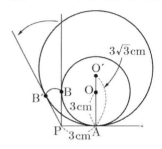

① $\dfrac{\pi}{3}\,\mathrm{cm}^2$ ② $\dfrac{\pi}{2}\,\mathrm{cm}^2$

③ $\dfrac{2\pi}{3}\,\mathrm{cm}^2$ ④ $\dfrac{3\pi}{4}\,\mathrm{cm}^2$

⑤ $\pi\,\mathrm{cm}^2$

394. 구 모양의 열기구의 단면을 그림과 같이 원 모양으로 나타내었다. 원의 반지름의 길이가 $6\,\mathrm{m}$ 이고 줄이 이루는 각의 크기가 $60°$ 일 때, 원을 두르고 있는 전체 줄의 총 길이를 구하면?

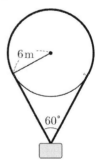

① $(3\pi+6)\,\mathrm{m}$ ② $(3\pi+6\sqrt{3})\,\mathrm{m}$

③ $(8\pi+6\sqrt{3})\,\mathrm{m}$ ④ $(8\pi+12\sqrt{3})\,\mathrm{m}$

⑤ $(8\pi+15\sqrt{3})\,\mathrm{m}$

395. 그림과 같이 가로, 세로의 길이가 각각 $15\,\mathrm{cm}$, $12\,\mathrm{cm}$ 인 직사각형 $ABCD$ 의 내부에 $\overline{EC}$ 를 그어 원 O 가 $\square ABCE$ 에 내접하도록 할 때, 색칠한 부분의 넓이는?

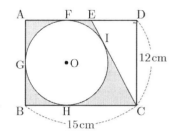

① $(120-36\pi)\,\mathrm{cm}^2$ ② $(150-36\pi)\,\mathrm{cm}^2$

③ $(120-12\pi)\,\mathrm{cm}^2$ ④ $(150-12\pi)\,\mathrm{cm}^2$

⑤ $(90-36\pi)\,\mathrm{cm}^2$

396. $\square ABCD$ 는 직사각형, 원 O 는 $\square ABFD$ 의 내접원, 원 O' 은 $\triangle DFC$ 의 내접원이다. $\overline{AB}=6$, $\overline{AD}=12$ 일 때, 원 O' 의 반지름의 길이는?

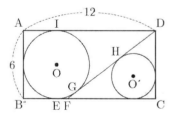

① $\sqrt{2}$ ② $\dfrac{3}{2}$

③ 2 ④ $\dfrac{5}{2}$

⑤ $\sqrt{5}$

397. 원 O에 내접하는 $\triangle ABC$에서 $\angle BAC$의 이등분선과 $\overline{BC}$의 교점을 D라고 하자. $\overline{AB}=3$, $\overline{AC}=2$, $\angle BOC=120°$일 때, $\overline{AD}$의 길이는?

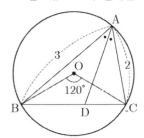

① $\sqrt{3}$

② $\dfrac{11\sqrt{3}}{10}$

③ $\dfrac{6\sqrt{3}}{5}$

④ $\dfrac{13\sqrt{3}}{10}$

⑤ $\dfrac{7\sqrt{3}}{5}$

398. 다음 그림과 같이 원 O와 O'이 점 A에서 내접한다. 원 O 위의 점 C에 대하여 원 O'이 선분 AC와 만나는 점을 D라고 하자. $\overline{AD}=2\overline{CD}$이고, 원 O'의 지름의 길이가 $8\,\text{cm}$일 때, 원 O의 넓이는?

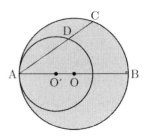

① $\dfrac{81}{4}\pi\,\text{cm}^2$

② $25\pi\,\text{cm}^2$

③ $\dfrac{121}{4}\pi\,\text{cm}^2$

④ $36\pi\,\text{cm}^2$

⑤ $49\pi\,\text{cm}^2$

399. 반지름의 길이가 $12\,\text{cm}$인 원 O의 두 현 AB, CD가 점 P에서 만난다. $\angle DPB=60°$일 때, $\overset{\frown}{AC}+\overset{\frown}{DB}$의 값은?

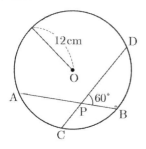

① 4π

② 6π

③ 8π

④ 10π

⑤ 12π

400. 그림과 같이 $\overline{AE}$, $\overline{BF}$, $\overline{CD}$는 삼각형 ABC의 세 꼭짓점에서 내린 수선이다. $\angle BAC=40°$, $\angle DFB=16°$일 때, $\angle ACB$의 크기는? (단, H는 $\overline{AE}$, $\overline{BF}$, $\overline{CD}$의 교점이다.)

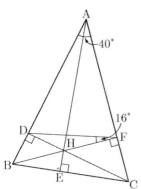

① $66°$

② $68°$

③ $70°$

④ $72°$

⑤ $74°$

정답 및 풀이

1) [정답] ②
[해설] ㄱ. 소수 2는 짝수다.
ㄴ. 두 홀수 1, 3의 곱 $1 \times 3 = 3$은 소수다.
ㄷ. 서로 다른 두 홀수 15, 25은 서로소가 아니다.
ㄹ. 2, 3, 5, 7로 4개다.
ㅁ. 두 수 8, 9는 서로소이지만 두 수는 합성수이나.

2) [정답] ⑤
[해설] $A \times 140 = A \times 2^2 \times 5 \times 7 = 2^a \times b \times 7$이므로 $b = 5$이고 A는 소인수로 2만 가지고 있음을 알 수 있다.
또한 $A \times 72 = A \times 2^3 \times 3^2 = 2^5 \times 3^c$이고 A의 소인수는 2만 있으므로 $A = 2^2 = 4$, $c = 2$
그러므로 $A \times 140 = 2^2 \times (2^2 \times 5 \times 7) = 2^4 \times 5 \times 7$에서 $a = 4$
$\therefore a + b + c = 4 + 5 + 2 = 11$

3) [정답] ⑤
[해설] 소인수 2를 갖는 수는 2의 배수이다.
2의 배수는 총 $40 \div 2 = 20$개
$2^2 = 4$의 배수는 $40 \div 4 = 10$개
$2^3 = 8$의 배수는 $40 \div 8 = 5$개
$2^4 = 16$의 배수는 $40 \div 16 = 2 \cdots 8$에서 2개
$2^5 = 32$의 배수는 $40 \div 32 = 1 \cdots 8$에서 1개
따라서 2의 배수들을 곱했을 때, 소인수 2의 지수는 $20 + 10 + 5 + 2 + 1 = 38$이다.

4) [정답] ③
[해설] $54 = 2 \times 3^3$에 a를 곱하여 어떤 자연수의 제곱인 수가 되려면 모든 소인수의 지수가 짝수가 되게 해야 한다. 이때 부족한 소인수가 2, 3이므로 $a = 2 \times 3 \times (\text{자연수})^2$의 꼴이 되어야 한다.
따라서 세 번째로 작은 자연수
$a = 2 \times 3 \times 3^2 = 54$
$54 \times a = 54 \times 54 = 54^2 = b^2$에서 $b = 54$
$\therefore b - a = 0$

5) [정답] ②
[해설] ㄱ. 최대공약수가 2이므로 서로소가 아니다.
ㄴ. 최대공약수가 1이므로 서로소다.
ㄷ. 최대공약수가 2이므로 서로소가 아니다.
ㄹ. 최대공약수가 1이므로 서로소다.
ㅁ. 최대공약수가 7이므로 서로소가 아니다.
ㅂ. 최대공약수가 27이므로 서로소가 아니다.

6) [정답] ③
[해설] A가 45의 배수이므로 $A = 45 \times n(n$은 자연수)라 하자. 이때 $A = 3^2 \times 5 \times n(n$은 자연수)와 $72 = 2^3 \times 3^2$의 최대공약수가 $18 = 2 \times 3^2$이므로 n는 소인수 2를 하나만 가져야 한다.
이러한 700이상 900 이하의 정수 A는
$\therefore 45 \times (2 \times 9) = 810$

7) [정답] ③
[해설] 나무 사이 간격은 48, 54, 60의 공약수이면서 가장 큰 수가 되어야 하므로 세 수의 최대공약수 $6m$이다.
이때 필요한 나무는
(삼각형의 둘레의 길이)÷(나무 사이 간격)
$= (48 + 60 + 54) \div 6 = 27$그루
그런데 세 귀퉁이 A, B, C에는 나무를 심지 않으므로 필요한 나무는 $27 - 3 = 24$그루이다.

8) [정답] ③
[해설] 두 자연수를 $14 \times a$, $14 \times b$ (a, b는 서로소, $a < b$)라고 하면
두 수의 곱은 $14 \times 14 \times a \times b = 2352$, $a \times b = 12$
이때 두 자연수는 모두 두 자리 자연수이므로
$a = 3$, $b = 4$일 때
두 자연수의 합은 $14 \times 3 + 14 \times 4 = 98$

9) [정답] ②
[해설]
두 사람이 함께 출발하는 것은 $12 = 2^2 \times 3$, $16 = 2^4$의 최소공배수인 $2^4 \times 3 = 48$분 후이다.
따라서 오전 8시 이후 함께 출발하는 시각은 48분 후인 오전 8시 48분이다.

10) [정답] ④

[해설] 6, 8, 10으로 나누면 2가 남아야 하므로
학생수는 (6, 8, 10의 공배수)+2이다.
이때 6, 8, 10의 최소공배수가 120이므로
학생 수는 (120의 배수)+2이다.
이때 학생 수가 200보다 크고 300보다 작으므로
$120 \times 2 + 2 = 242$명이다.
242명을 7명씩 조를 짜면 $242 \div 7 = 34 \cdots 4$에서
4명이 남는다.

11) [정답] ②

[해설] a와 $15 = 3 \times 5$이 최대공약수가 5이므로 a는
5의 배수이지만 3을 소인수로 갖지 않는다.
b는 4, 5, 6으로 나누어 떨어지기에 1이 부족한
가장 작은 수이므로
$b = $(4, 5, 6의 최소공배수)$- 1 = 60 - 1 = 59$
이제 a는 $b = 59$보다 큰 두 자리 자연수이면서
3을 소인수로 갖지 않는 5의 배수이므로
이러한 가장 작은 수는 $5 \times 13 = 65$
가장 큰 수는 $5 \times 19 = 95$
$\therefore 95 - 65 = 30$

12) [정답] 64

[해설] 2와 3의 배수인 수는 6의 배수이다.
$n(100, x) = n(1, x) - n(1, 99)$이고
이때 1이상 99인 자연수 중에서 6의 배수는
$99 \div 6 = 16 \cdots 3$에서 16개인데
이중에서 6×7, 6×14는 7의 배수이므로 이것을
제외하면 $n(1, 99) = 16 - 2 = 14$
따라서 $50 = n(1, x) - 14$이므로 $n(1, x) = 64$

13) [정답] ④

[해설] 소인수 3을 갖는 수는 3, 6, 9, …, 30이다.
이때 3의 배수는 10개, 3^2의 배수는 3개, 3^3의
배수는 1개이므로 소인수분해 하였을 때 3의 지
수는 $10 + 3 + 1 = 14$이다.

14) [정답] ①

[해설] 학생 수는 (8, 12, 16의 공배수)+5명인데
이때 $8 = 2^3$, $12 = 2^2 \times 3$, $16 = 2^4$의 최소공배수가
$2^4 \times 3 = 48$이므로 학생 수는 (48의 배수)+5명이
다.
또한 학생 수가 300명보다 많고 350명보다 적으
므로 학생 수는 $48 \times 7 + 5 = 341$(명)이다.
이제 13명씩 조를 짜면 $341 \div 13 = 26 \cdots 3$이므로
3명이 남게 된다.

15) [정답] ④

[해설] $72 \times a \times b = 2^3 \times 3^2 \times a \times b$가 어떤 자연수의 제
곱이 되려면 모든 소인수의 지수가 짝수가 되어
야 한다.
소인수 2의 지수가 홀수이므로
$a \times b = 2 \times ($자연수$)^2$의 꼴이 되어야 한다.
(i) $a \times b = 2 \times 1^2 = 2$일 때
$(a, b) = (1, 2), (2, 1)$
(ii) $a \times b = 2 \times 2^2 = 8$일 때
$(a, b) = (2, 4), (4, 2)$
(iii) $a \times b = 2 \times 3^2 = 18$일 때
$(a, b) = (3, 6), (6, 3)$

16) [정답] 54, 108, 270, 540

[해설] A, $36 = 2^2 \times 3^2$, $90 = 2 \times 3^2 \times 5$의
최대공약수 $18 = 2 \times 3^2$
최소공배수가 $540 = 2^2 \times 3^3 \times 5$이므로
A는 2×3^3의 배수이면서 최소공배수 540의 약수
이어야 한다.
따라서 A는 $2 \times 3^3 = 54$, $2^2 \times 3^3 = 108$,
$2 \times 3^3 \times 5 = 270$, $2^2 \times 3^3 \times 5 = 540$

17) [정답] ④

[해설] 일요일이면서 게임하는 날은 5와 7의 최소공
배수인 35일 후이다.
따라서 6월 9일 이후 일요일인 장날은 35일 후
인 7월 14일이다.

18) [정답] ③

[해설] 약수가 1개인 수는 1층, 약수가 3개인 수는
(소수)^{2}인 $2^2 = 4$층, $3^2 = 9$층, $5^2 = 25$층이다.
따라서 엘리베이터가 서는 층은 4개다.

19) [정답] 오후 5시 34분

[해설] 빨간색 전구는 $14 + 2 = 16$초 마다 다시 켜지고
노란색 전구는 $20 + 4 = 24$초 마다 다시 켜지고
파란색 전구는 $32 + 8 = 40$초 마다 다시 켜지므로
세 전구가 동시에 다시 켜지는 것은
$16 = 2^4$, $24 = 2^3 \times 3$, $40 = 2^3 \times 5$의 최소공배수인
$2^4 \times 3 \times 5 = 240$(초) 후이다.
따라서 오후 5시 30분에서 240초 즉 4분 후인
오후 5시 34분에 동시에 켜진다.

20) [정답] ③

[해설] 어떤 자연수는 $34+2=36$, $93-3=90$, 108의 공약수이므로 $36=2^2\times3^2$, $90=2\times3^2\times5$, $108=2^2\times3^3$의 최대공약수 $2\times3^2=18$의 약수이다.

이때 나머지 3보다 커야 하므로 어떤 수가 될 수 있는 수는 6, 9, 18로 3개다.

21) [정답] 420cm

[해설] 정사각형의 한 변의 길이는 직사각형의 가로, 세로 길이의 공배수이다.

$21=3\times7$과 $12=2^2\times3$의 최소공배수 $2^2\times3\times7=84$이고,

한 변의 길이가 $84\,\mathrm{cm}$인 정사각형에는 타일이 28개 사용된다.

전체 타일의 개수가 700개이므로 $700\div28=25$에서 만들 수 있는 가장 큰 정사각형의 한 변의 길이는 가로의 직사각형 타일이 20개, 세로로 35개로 만든 $420\,\mathrm{cm}$이다.

22) [정답] ④

[해설] 5일마다 운동을 다시 시작하고, 10일마다 운동을 다시 시작하므로

두 사람이 함께 운동을 다시 시작하는 것은 5, 10의 최소공배수인 10일후이다.

	1일	2일	3일	4일	5일	5일	7일	8일	9일	10일
A	○	○	○	○	×	○	○	○	○	×
B	○	○	○	○	○	○	○	×	×	×

이때 10일 동안 두 사람이 함께 운동한 날은 6일이다.

이제 5월 1일에서 8월 31일까지는

총 $31+30+31+31=123$(일)인데 120일 동안 함께 운동한 날은 $12\times6=72$(일)이고 남은 3일 동안도 함께 운동하게 되므로 123일 동안 같이 운동을 하게 되는 날은 $72+3=75$(일)이다.

23) [정답] ④

[해설] 초등학교는 $40+10=50$분마다 수업을 다시 시작하고 고등학교는 $50+10=60$분마다 수업을 다시 시작한다. 이때 초등학교, 고등학교 수업이 동시에 시작하는 것은 $50=2\times5^2$, $60=2^2\times3\times5$의 최소공배수인 $2^2\times3\times5^2=300$분 후이므로

$300\div60=5$시간 후에 수업이 동시에 시작한다.

따라서 그보다 10분 전인 4시간 50분 후에 수업이 동시에 끝난다.

24) [정답] ⑤

[해설] 사탕의 개수는 5와 6으로 나누어 떨어지기에 3이 부족한 수이므로, (5, 6의 공배수)-3이다.

즉 사탕의 개수는 (30의 배수)-3이다.

200을 넘지 않는 이러한 수는

27, 57, 87, 117, 147, 177이고 이 수 중에서 7로 나누어 떨어지는 수는 147이다.

25) [정답] ④

[해설] n번 병사는 자기 번호의 배수에 해당하는 스위치를 누른다. 따라서 스위치 번호의 약수가 되는 번호의 병사가 스위치를 누르게 된다.

파티가 끝날 때 전구가 켜져 있으려면 스위치를 누른 병사가 홀수 명이어야 하므로, 약수가 홀수 개인 번호를 가진 스위치는 전구가 켜져 있게 된다.

이때 약수가 홀수 개인 수는 제곱수이므로

1, 4, 9, 16, 25, 36, 49로 모두 7개다.

26) [정답] ①

[해설] $<N>=4$이라면 N은 $2^4=16$의 배수인 수이다.

하지만 더 이상 2를 인수로 가져서는 안 되므로 N이 될 수 있는 두 자리 자연수는

$2^4=16$, $2^4\times3=48$, $2^4\times5=80$으로 3개다.

27) [정답] ③

[해설] (i) 소인수가 한 개이면서 약수가 4개인 수는 p^3 (단, p는 소수)꼴이므로 $2^3=8$, $3^3=27$

(ii) 소인수가 두 개이면서 약수가 2개인 수는 $p\times q$ (단, p, q는 서로 다른 소수)의 꼴이므로

$2\times3=6$, $2\times5=10$, $2\times7=14$, $2\times11=22$, $2\times13=26$, $2\times17=34$, $2\times19=38$, $2\times23=46$, $3\times5=15$, $3\times7=21$, $3\times11=33$, $3\times13=39$, $5\times7=35$

(i),(ii)에서 a가 될 수 있는 수는 $2+13=15$(개)

28) [정답] ③

[해설] 50이하의 서로 다른 두 자연수의 최대공약수가 7이므로 두 자연수는 모두 7의 배수이다.
또한 이 두 자연수에 각각 7을 더하여 최대공약수가 21이 되었다면 7을 더하여 만들어진 두 수는 21의 배수이다.
그럼 50이하의 자연수 중에서 7의 배수인 수는 7, 14, 21, 28, 35, 42, 49이고, 이들 수에 7을 더했을 때, 21의 배수가 되는 수는
$14+7=21$, $35+7=42$이다.
확인해보면 $14=2\times7$, $35=5\times7$의 최대공약수는 7, 최소공배수는 $2\times5\times7=70$이고
두 수에 각각 7를 더한
$21=3\times7$, $42=2\times3\times7$의 최대공약수는 $3\times7=21$, 최소공배수는 $2\times3\times7=42$으로 $42=70-28$이 성립한다.
따라서 조건을 만족하는 두 자연수의 합은 $14+35=49$이다.

29) [정답] (1) 6m (2) 34개

[해설] (1) 나무 사이의 간격은 $66=2\times3\times11$, $78=2\times3\times13$의 공약수이면서 가장 큰 수가 되어야 하므로 두 수의 최대공약수인 $2\times3=6\,(\mathrm{m})$이다.
(2) 담장쪽에는 나무를 심지 않고, $66\div6=11$, $78\div6=13$이므로
가로줄에 필요한 나무의 수 $2\times11=22$(개)
오른쪽 세로줄에 필요한 나무의 수 $13-1=12$(개)
따라서 전체 필요한 나무는 $22+12=34$(개)이다.

30) [정답] ③

[해설] 두 톱니는 $15=3\times5$, $25=5^2$의 최소공배수인 $3\times5^2=75$개의 바퀴가 맞물릴 때마다 처음 맞물린 자리에서 1번에서 다시 만나게 된다.
이때 6분 20초는 380초이고, $75\times5=375$(초)이므로 375초까지 같은 번호가 맞물리는 것은 $15\times5=75$(번)이고, 376초부터 1번끼리 맞물리므로 380초까지 같은 번호가 5번 더 맞물린다.
따라서 두 톱니바퀴의 같은 번호가 서로 맞물리는 것은 모두 $75+5=80$(번)이다.

31) [정답] (1) 95개 (2) 5개

[해설] (1) 블록 하나의 부피는 $5\times6\times10=300\,(\mathrm{cm}^3)$이므로 부피가 $28500\,\mathrm{cm}^3$를 만들 때 들어간 블록의 개수는 $28500\div300=95$(개)이다.
(2) 다시 만든 정육면체 모양의 블록의 한 모서리의 길이는 5, $6=2\times3$, $10=2\times5$의 공배수이면서 가장 작은 수가 되어야 하므로 최소공배수인 $2\times3\times5=30\,(\mathrm{cm})$이다.
이때, $30\div5=6$, $30\div6=5$, $30\div10=3$이므로 정육면체를 만드는 블록의 개수는 $6\times5\times3=90$(개)이다.
따라서 남은 블록의 개수는 $95-90=5$(개)이다.

32) [정답] ③

[해설] ③ 양의 정수는 $\dfrac{9}{3}=3$이고, 0은 양의 정수가 아니다.

33) [정답] ①

[해설] ① $(-4)+\dfrac{1}{4}=(-4)+0.25=-3.75$
② 점 A에 대응하는 수는 점 B에 대응하는 수보다 작다.
③ $0+\dfrac{1}{3}=\dfrac{1}{3}$
④ $2\times(4+\dfrac{1}{2})=2\times\dfrac{9}{2}=9$
⑤ 절댓값이 가장 작은 수에 대응하는 점은 C이다.

34) [정답] ②

[해설] ② $a>0$, $b>0$이거나 $a<0$, $b>0$이면 $|a|<|b|$일 때 $a<b$이지만
$a>0$, $b<0$이거나 $a<0$, $b<0$일 때에는 $|a|<|b|$일 때 $a>b$이다.
④ -2, -1, 0, 1, 2

35) [정답] ②

[해설] $56160=2^5\times3^3\times5\times13$일 때,
$56160=12\times13\times18\times20=13\times15\times16\times18$과 같이 10 이상 20 이하인 수들의 곱으로 나타낼 수 있다.
이때 네 수의 합이 -4이려면
네 수는 -18, -15, 16, 13이고
이 정수 중 가장 작은 수는 -18이다.

36) [정답] ⑤

[해설] $+\dfrac{1}{3}$의 오른쪽의 수를 a라 하면

$$a = \dfrac{1}{3} - (-3) = \dfrac{10}{3}$$

$\dfrac{10}{3}$의 오른쪽의 수를 b라 하면 $b = \dfrac{10}{3} - \dfrac{1}{3} = 3$

3의 오른쪽의 수를 c라 하면 $3 - \dfrac{10}{3} = -\dfrac{1}{3}$

$-\dfrac{1}{3}$의 오른쪽의 수를 d라 하면

$$d = -\dfrac{1}{3} - 3 = -\dfrac{10}{3}$$

따라서 주어진 수는

$-\dfrac{1}{3}$, $-\dfrac{10}{3}$, -3, $+\dfrac{1}{3}$, $\dfrac{10}{3}$, 3의 6개의 수가 계속해서 반복된다.

따라서 29번째 나오는 수는 $29 \div 6 = 4 \cdots 5$일 때

$-\dfrac{1}{3}$, $-\dfrac{10}{3}$, -3, $+\dfrac{1}{3}$, $\dfrac{10}{3}$, 3에서

5번째 수인 $\therefore \dfrac{10}{3}$

37) [정답] ①

[해설] (ⅰ) $\dfrac{1}{2}$을 선택하는 경우

$\dfrac{1}{2}$는 음의 정수가 아니므로 $\dfrac{1}{2} + (-1) = -\dfrac{1}{2}$

$-\dfrac{1}{2}$의 절댓값이 1보다 크지 않으므로

$$-\dfrac{1}{2} - 1 = -\dfrac{3}{2}$$

따라서 ⓒ $= -\dfrac{3}{2}$

(ⅱ) -1을 선택하는 경우

-1은 음의 정수이므로

$$(-1) - \left(-\dfrac{3}{2}\right) = (-1) + \dfrac{3}{2} = \dfrac{1}{2}$$

$\dfrac{1}{2}$의 절댓값이 2보다 크지 않으므로 $\dfrac{1}{2} + \dfrac{1}{2} = 1$

따라서 ⓛ $= 1$

(ⅲ) -6을 선택하는 경우

-6은 음의 정수이므로

$$(-6) - \left(-\dfrac{3}{2}\right) = (-6) + \dfrac{3}{2} = -\dfrac{9}{2}$$

$-\dfrac{9}{2}$의 절댓값이 2보다 크므로 $\left(-\dfrac{9}{2}\right) + 2 = -\dfrac{5}{2}$

따라서 ㉠ $= -\dfrac{5}{2}$

$$\therefore \text{㉠}+\text{ⓛ}+\text{ⓒ} = \left(-\dfrac{5}{2}\right) + 1 + \left(-\dfrac{3}{2}\right) = -3$$

38) [정답] ⑤

[해설] ㄷ에 의해 a, b, c중 적어도 하나는 음수이다.

이때 ㄴ에 의해 음수는 두 개다.

따라서 조건에 맞는 수 $a=1$, $b=-2$, $c=-4$이므로

$$\therefore a - b - c = 1 - (-2) - (-4) = 7$$

39) [정답] ①

[해설] $0 < a+5$에서 $a > -5$, $a+3 < 0$에서 $a < -3$

따라서 $-5 < a < -3$인 정수 $a = -4$

$b = (-4) - (-9) = 5$

$$c = \left(-\dfrac{1}{2}\right) \times \left(-\dfrac{2}{3}\right) \times \left(-\dfrac{3}{4}\right) \times \left(-\dfrac{4}{5}\right) = \dfrac{1}{5}$$

$$\therefore a - b \times c = -4 - 5 \times \dfrac{1}{5} = (-4) - 1 = -5$$

40) [정답] ③

[해설] 4번을 이기고 2번을 졌으므로

위치는

$$(+3) \times 4 + (-2) \times 2 = (+12) + (-4) = 8$$

지수는 2번을 이기고 4번을 졌으므로

지수의 위치는

$$(+3) \times 2 + (-2) \times 4 = (+6) + (-8) = -2$$

따라서 두 사람의 위치의 차이는 $8 - (-2) = 10$칸 이다.

41) [정답] ⑤

[해설] 나눗셈을 역수의 곱셈으로 모두 고치면

$$\left(-\dfrac{1}{2}\right) \times \left(+\dfrac{3}{2}\right) \times \left(-\dfrac{4}{3}\right) \times \cdots \times \left(+\dfrac{49}{48}\right) \times \left(-\dfrac{50}{49}\right)$$

이때 음의 유리수는 총 25개가 곱해졌으므로 전체 값은 음수이다.

$$-\left(\dfrac{1}{2} \times \dfrac{3}{2} \times \dfrac{4}{3} \times \dfrac{5}{4} \times \cdots \times \dfrac{49}{48} \times \dfrac{50}{49}\right)$$

$$= -\dfrac{25}{2}$$

42) [정답] ⑤

[해설] 주어진 식은

$$\dfrac{1}{1} + \left(\dfrac{1}{2} - \dfrac{2}{2}\right) + \left(\dfrac{1}{3} - \dfrac{2}{3} + \dfrac{3}{3}\right) + \left(\dfrac{1}{4} - \dfrac{2}{4} + \dfrac{3}{4} - \dfrac{4}{4}\right)$$

$$+ \left(\dfrac{1}{5} - \dfrac{2}{5} + \dfrac{3}{5} - \dfrac{4}{5} + \dfrac{5}{5}\right)$$

$$= \dfrac{1}{1} + \left(-\dfrac{1}{2}\right) + \left(+\dfrac{2}{3}\right) + \left(-\dfrac{2}{4}\right) + \left(+\dfrac{3}{5}\right)$$

$$= \dfrac{60 - 30 + 40 - 30 + 36}{60} = \dfrac{76}{60} = \dfrac{19}{15}$$

43) [정답] ②

[해설] $a \times b < 0$, $a+b<0$이므로 음수의 절댓값이 양수의 절댓값 보다 더 크다.

그런데 $|a|<|b|$이므로 $a>0$, $b<0$이다.

음수 b, $-a$, $b-2a$에서 절댓값이 큰 수가 작으므로 $b-2a<b<-a$

양수 a, $-b$, $a-b$에서 절댓값이 큰 수가 크므로 $a<-b<a-b$

그러므로 $b-2a<b<-a<a<-b<a-b$에서 가장 큰 수는 $a-b$, 가장 작은 수는 $b-2a$

$\therefore (a-b)+(b-2a)=-a$

44) [정답] ③

[해설] $\dfrac{3}{4} \bigcirc \dfrac{9}{4} = \dfrac{3}{4} \div \dfrac{9}{4} - 1 = \dfrac{3}{4} \times \dfrac{4}{9} - 1 = \dfrac{1}{3} - 1 = -\dfrac{2}{3}$

$\dfrac{5}{4} \bigcirc \dfrac{5}{2} = \dfrac{5}{4} \div \dfrac{5}{2} - 1 = \dfrac{5}{4} \times \dfrac{2}{5} - 1 = \dfrac{1}{2} - 1 = -\dfrac{1}{2}$

따라서 주어진 식은

$\left(-\dfrac{2}{3}\right) \bigstar \left(-\dfrac{1}{2}\right) = \left(-\dfrac{2}{3}\right) \times \left(-\dfrac{1}{2}\right) + 1 = \dfrac{1}{3} + 1 = \dfrac{4}{3}$

45) [정답] ①

[해설] A건물의 높이를 기준으로 하면

㉠ B건물의 높이는 A건물보다 $\dfrac{47}{5}$ m 낮다.

㉡ C건물의 높이는 $-\dfrac{47}{5}+\dfrac{23}{2}=\dfrac{21}{10}$에서 A건물보다 $\dfrac{21}{10}$ m 높다.

㉢ D건물의 높이는 $\dfrac{21}{10}+6=\dfrac{81}{10}$에서 A건물보다 $\dfrac{81}{10}$ m 높다.

따라서 가장 높은 건물은 D, 가장 낮은 건물은 B이므로 두 건물의 높이의 차는

$\dfrac{81}{10}-\left(-\dfrac{47}{5}\right)=\dfrac{81}{10}+\dfrac{94}{10}=\dfrac{175}{10}=\dfrac{35}{2}$ (m)

46) [정답] ①

[해설] b의 역수가 c이므로 b와 c의 부호는 같다.

따라서 $b \times c > 0$일 때 $a \times b \times c > 0$이므로 $a>0$

이때 a, b, c중 적어도 하나는 음수이므로 $b<0$, $c<0$

$|b|>1$이면 $|c|<1$이므로 $|b|>|c|$

음수는 절댓값 큰 수가 작으므로 $\therefore b<c<a$

47) [정답] (1) 1개

(2)

a	b	c
-3	1	2
-2	1	3
-1	2	3
-1	1	6
1	-2	3
1	2	-3

(3) $a=-1$, $b=1$, $c=6$

[해설] (1) $a \times b \times c < 0$이므로 a, b, c중 하나만 음수이거나, 모두 음수이어야 한다.

그런데 $a+b+c>0$이므로 a, b, c 중 어떤 수는 양수이다.

따라서 음수는 1개이다.

(2) $a<|b|<|c|$이고 $a \times b \times c = -6$이면

$|b|=1$, $|c|=2$일 때 $a=-3$, $b=1$, $c=2$

$|b|=1$, $|c|=3$일 때 $a=-2$, $b=1$, $c=3$

$|b|=2$, $|c|=3$일 때, $a=-1$, $b=2$, $c=3$,

$a=1$, $b=-2$, $c=3$, $a=1$, $b=2$, $c=-3$

$|b|=1$, $|c|=6$일 때, $a=-1$, $b=1$, $c=6$

(3)

a	b	c	$a+b+c$
-3	1	2	0
-2	1	3	2
-1	2	3	4
-1	1	6	6
1	-2	3	2
1	2	-3	0

따라서 $a+b+c=6$을 만족하는 정수 a, b, c의 값은 $a=-1$, $b=1$, $c=6$이다.

48) [정답] ④

[해설] 네 개의 서로 다른 정수의 곱이 4가 되는 경우는 $(-2) \times (-1) \times 1 \times 2 = 4$이므로

$a>b>c>d$ 라고 할 때

$10-a=-2$, $10-b=-1$, $10-c=1$, $10-d=2$에서 $a=12$, $b=11$, $c=9$, $d=8$

$\therefore a+b+c+d=40$

49) [정답] (1) -4 (2) $\{(-4)-8\} \times \left(-\dfrac{2}{3}\right)$ (3) 5

[해설] (1) $\{(-5)+(-3)\} \div 2 = (-8) \div 2 = -4$

(2) $\{(-4)-8\} \times \left(-\dfrac{2}{3}\right)$

$= (-12) \times \left(-\dfrac{2}{3}\right)$

$= 8$

(3) $8 \div (-4) + 7 = (-2) + 7 = 5$

50) [정답] ④

[해설] $a = \dfrac{7}{6}$ 이면 $|b| = \dfrac{7}{6} + 2 = \dfrac{19}{6}$ 이고, a와 b는 부

호가 다르므로 $b = -\dfrac{19}{6}$

$\therefore\ a - b = \dfrac{7}{6} - \left(-\dfrac{19}{6}\right) = \dfrac{13}{3}$

$a = -\dfrac{7}{6}$ 이면 $|b| = \dfrac{7}{6} + 2 = \dfrac{19}{6}$ 이고, a와 b는 부

호가 다르므로 $b = \dfrac{19}{6}$

$\therefore\ a - b = \left(-\dfrac{7}{6}\right) - \dfrac{19}{6} = -\dfrac{13}{3}$

그러므로 $M = \dfrac{13}{3}$, $m = -\dfrac{13}{3}$ 일 때

$\therefore\ M - m = \dfrac{13}{3} - \left(-\dfrac{13}{3}\right) = \dfrac{26}{3}$

51) [정답] ③

[해설] $A = 1 + 2 + 3 + \cdots + 100$
$= (1 + 100) + (2 + 99) + \cdots + (50 + 51)$
$= 50 \times 101 = 5050$

이때, $5050 = 2 \times 5^2 \times 101$ 이므로

A의 소인수는 2, 5, 101으로 3개다.

52) [정답] ⑤

[해설] $\dfrac{3}{11} = \dfrac{12}{44}$, $\dfrac{4}{7} = \dfrac{12}{21}$ 이므로 사이에 있는 분수를

$\dfrac{12}{n}$ 이라 하면 $\dfrac{12}{44} < \dfrac{12}{n} < \dfrac{12}{21}$ 이다.

따라서 만족하는 n의 범위는 $21 < n < 44$ 이다.

이때 $\dfrac{12}{n}$ 은 기약분수이므로 n은 12와 서로소인

수가 되어야 한다.

따라서 n이 될 수 있는 수는 23, 25, 29, 31, 35,

37, 41, 43이므로 기약분수의 개수는 8개이다.

53) [정답] ②

[해설] 주어진 식은

$\left(\dfrac{1}{2} - 1\right) \times \left(\dfrac{1}{3} - 1\right) \times \left(\dfrac{1}{4} - 1\right) \times \cdots \times \left(\dfrac{1}{99} - 1\right)$

$= \left(-\dfrac{1}{2}\right) \times \left(-\dfrac{2}{3}\right) \times \left(-\dfrac{3}{4}\right) \times \cdots \times \left(-\dfrac{98}{99}\right)$

이때 음수가 98번 곱해졌으므로 결과는 양수이고

분자, 분모를 약분하여 계산하면 $\dfrac{1}{99}$

54) [정답] ⑤

[해설] 위에 놓인 주사위에서 -5와 마주보는 면은
11, -3과 마주보는 면은 9, 7과 마주보는 면은
-1이므로 3개의 면에 적힌 수의 합은
$11 + 9 + (-1) = 19$
아래 놓인 주사위에서 -2와 마주보는 면은 8,
5와 마주보는 면은 1이고, 윗면과 아랫면에 서로
마주보는 면의 두 수의 합은 6이므로 4개의 면에
적힌 수의 합은 $8 + 1 + 6 = 15$
$\therefore\ 19 + 15 = 34$

55) [정답] (1) ㉠ -3 ㉡ $\dfrac{7}{2}$ ㉢ $\dfrac{3}{4}$

(2) $(-3) - \dfrac{7}{2} \div \dfrac{3}{4} = (-3) - \dfrac{7}{2} \times \dfrac{4}{3}$

$= (-3) - \dfrac{14}{3} = -\dfrac{23}{3}$

[해설] (1) ㉠은 작은 수가 되어야 하고 ㉡÷㉢의 값
은 절댓값이 큰 양수가 되어야 한다.
㉡÷㉢값이 절댓값이 큰 양수가 되려면
㉡은 크고 ㉢은 작아야 하므로
㉠은 -3, ㉡은 $\dfrac{7}{2}$, ㉢은 $\dfrac{3}{4}$가 되어야 한다.

56) [정답] 2017

[해설] 분배법칙을 이용하면
$2017^2 + 2017 = 2017 \times 2017 + 2017 \times 1$
$= 2017 \times (2017 + 1) = 2017 \times 2018$
$\therefore\ \dfrac{2017^2 + 2017}{2018} = \dfrac{2017 \times 2018}{2018} = 2017$

57) [정답] ③

[해설] $a = 2$, $b = -2$ 이므로

$\dfrac{a^2 + 2b^2}{3a^3 - b^3 + 4} = \dfrac{2^2 + 2 \times (-2)^2}{3 \times 2^3 - (-2)^3 + 4}$

$= \dfrac{4 + 8}{24 + 8 + 4} = \dfrac{12}{36} = \dfrac{1}{3}$

58) [정답] ③

[해설] A마트에서는 1개의 가격이 a원인 음료수 2개를 사면 1개를 더 주므로 $2a$원에 3개를 구입하는 것과 같고,

B마트에서는 1개의 가격이 a원인 음료수 2개를 사면 30%를 할인해주므로 $2a \times 0.7 = 1.4a$(원)에 음료수 2개를 구입하는 것과 같다.

① $3a$원을 내면 $3+1=4$(개)를 가져갈 수 있다.

② B마트에서 1개에 1200원인 음료수 한 묶음을 구입할 때, 1개당 가격은 $1.4 \times 1200 \times \frac{1}{2} = 840$(원)이다.

③ A마트의 1개당 가격은 $\frac{2a}{3}$(원), B마트의 1개당 가격은 $\frac{1.4a}{2} = 0.7a$(원)이므로 A마트가 B마트보다 1개당 가격이 더 저렴하다.

④ 음료수 1개의 가격이 1000원일 때, A마트에서는 음료수 3개를 2000원에 살 수 있다.

⑤ B마트에서 음료수 6개를 구입하려면 3묶음을 사면 된다. 세 묶음의 가격은 $1.4a \times 3 = 4.2a$(원)이므로 음료수 1개당 가격은 $\frac{4.2a}{6} = 0.7a$(원)이다.

따라서 옳은 것은 ③이다.

59) [정답] ①

[해설] 색칠한 부분의 넓이는

$(2x+12) \times 13$

$- \left\{ \frac{1}{2} \times 2x \times 13 + \frac{1}{2} \times 12 \times 3 + \frac{1}{2} \times (2x+12) \times 10 \right\}$

$= 26x + 156 - \{13x + 18 + 5(2x+12)\}$

$= 26x + 156 - (13x + 18 + 10x + 60)$

$= 26x + 156 - (23x + 78) = 26x + 156 - 23x - 78$

$= 3x + 78$

60) [정답] ④

[해설] 첫째 날 모내기하고 남은 논의 넓이는

$\frac{5}{7}(14x + 21) = 10x + 15 \,(\text{m}^2)$,

둘째 날 모내기하고 남은 논의 넓이는

$(10x + 15) - 10 = 10x + 5 \,(\text{m}^2)$,

셋째 날 모내기하고 남은 논의 넓이는

$\frac{4}{5}(10x + 5) = 8x + 4 \,(\text{m}^2)$이므로

$a = 8$이고, $b = 4$이다.

$\therefore \frac{b}{a} = \frac{4}{8} = \frac{1}{2}$

61) [정답] ④

[해설] $\frac{1}{3} - \frac{3x-5}{6} = -\frac{2x}{3}$의 양변에 6을 곱하면

$2 - (3x - 5) = -4x$이다.

$2 - 3x + 5 = -4x$ $\therefore x = -7$

따라서 $0.2(x + a) - 0.3 = 0.1x$에 $x = -7$을 대입하면 $0.2(-7 + a) - 0.3 = 0.1 \times (-7)$이다.

$2(-7 + a) - 3 = -7$, $-14 + 2a - 3 = -7$

$2a = 10$ $\therefore a = 5$

62) [정답] ④

[해설] $\frac{x+1-2a}{2} = \frac{a+1}{4}$의 양변에 4를 곱하면

$2(x + 1 - 2a) = a + 1$이므로 $2x + 2 - 4a = a + 1$이다.

$2x = 5a - 1$ $\therefore x = \frac{5a-1}{2}$

$\frac{x-1}{5} - \frac{2a-3}{3} = 1$의 양변에 15를 곱하면

$3(x-1) - 5(2a-3) = 15$이므로

$3x - 3 - 10a + 15 = 15$이다.

$3x = 10a + 3$ $\therefore x = \frac{10a+3}{3}$

두 방정식의 해의 비가 2:3이므로

$\frac{5a-1}{2} : \frac{10a+3}{3} = 2 : 3$, $\frac{3(5a-1)}{2} = \frac{2(10a+3)}{3}$

$45a - 9 = 40a + 12$, $5a = 21$ $\therefore a = \frac{21}{5}$

63) [정답] ⑤

[해설] 구하는 시각을 6시 x분이라 하자.

시침은 1분에 $0.5°$씩, 분침은 1분에 $6°$씩 회전하고, 6시 x분에 시침과 분침이 일치함을 이용하여 식을 세우면 $0.5x + 180 = 6x$이다.

$-5.5x = -180$ $\therefore x = \frac{360}{11} = 32\frac{8}{11}$

따라서 구하는 시각은 6시 $32\frac{8}{11}$분이다.

64) [정답] ④

[해설] A모둠의 남학생과 여학생의 수를 각각 $2a$, $5a$,

B모둠의 남학생과 여학생의 수를 각각 $6b$, b라 하자.

이때 전체 학생 수가 98명이므로

$7a + 7b = 98$, $a + b = 14$ ······ ㉠

전체 여학생 수는 $98 \times \frac{3}{4+3} = 42$명이므로

$5a + b = 42$ ······ ㉡

㉡을 만족시키는 자연수 a, b의 순서쌍은 $(8, 2)$, $(7, 7)$, $(6, 12)$, $(5, 17)$, $\cdots$이고, 이 중에서 ㉠을 만족시키는 것은 $(7, 7)$이므로 $a = 7$, $b = 7$이다.

따라서 A모둠의 학생 수는 $7a = 7 \times 7 = 49$(명)

65) [정답] ③

[해설] 옷 1벌의 원가를 x원이라 하면 정가는 $1.2x$원이고, 할인가는 $1.2x \times 0.9 = 1.08x$(원)이다.

100벌 판매했을 때의 총 이익이

$4992 \times 100 = 499200$(원)이므로

$1.2x \times 20 + 1.08x \times 80 - 100x = 499200$이다.

$24x + 86.4x - 100x = 499200$

$10.4x = 499200$ ∴ $x = 48000$

따라서 옷의 원가는 48000원이다.

66) [정답] ②

[해설] $A \times B$는 백의 자리의 숫자가 1인 세 자리 자연수이므로

$A \times B$의 십의 자리의 숫자를 x라 하면

일의 자리의 숫자는 $11 - (1 + x) = 10 - x$이다.

십의 자리의 숫자와 일의 자리의 숫자를 바꾸면 처음 수보다 54만큼 작으므로

$100 + 10(10 - x) + x = \{100 + 10x + (10 - x)\} - 54$

이다.

$100 - 10x + x = 10x + 10 - x - 54$

$-18x = -144$ ∴ $x = 8$

즉 $A \times B = 182 = 2 \times 7 \times 13$이고,

A와 B는 $A < B$인 두 자리 자연수이므로

$A = 13$, $B = 14$이다.

따라서 비밀번호는 1314이다.

67) [정답] ①

[해설] 처음 딴 귤의 수를 x라 하면

첫 번째 문에서 문지기에게 준 귤의 수는

$\frac{1}{2}x + 1$이므로 남은 귤의 수는 $\frac{1}{2}x - 1$이다.

두 번째 문에서 문지기에게 준 귤의 수는

$\frac{1}{2}\left(\frac{1}{2}x - 1\right) + 2 = \frac{1}{4}x + \frac{3}{2}$이므로

남은 귤의 수는 $\frac{1}{2}x - 1 - \left(\frac{1}{4}x + \frac{3}{2}\right) = \frac{1}{4}x - \frac{5}{2}$이다.

세 번째 문에서 문지기에게 준 귤의 수는

$\frac{1}{2}\left(\frac{1}{4}x - \frac{5}{2}\right) + 3 = \frac{1}{8}x + \frac{7}{4}$이므로

남은 귤의 수는 $\frac{1}{4}x - \frac{5}{2} - \left(\frac{1}{8}x + \frac{7}{4}\right) = \frac{1}{8}x - \frac{17}{4}$이다.

즉 마지막에 남은 귤의 수는 $\frac{1}{8}x - \frac{17}{4} = 1$이므로

$x - 34 = 8$ ∴ $x = 42$

따라서 처음 딴 귤의 수는 42개다.

68) [정답] ①

[해설] ⓐ 소금1＝염소2＋닭5

ⓑ 닭1＝옥수수2

ⓒ 염소1＝콩5

ⓓ 콩2＝바나나4

ⓔ 옥수수3＝파인애플5＝생선4

ⓕ 소금1＝염소3＋닭2 이므로 바나나를 x라 하고 각 품목을 x로 나타내보자.

ⓓ에서 $2 \times$콩$= 4x$이므로 콩$= 2x$

ⓒ에서 염소$= 5 \times (2x) = 10x$

ⓐ와 ⓕ에서 염소1＝닭3이므로

$10x = 3 \times$닭 이고, 닭$= \frac{10}{3}x$

ⓑ에서 $\frac{10}{3}x = 2 \times$옥수수 이므로 옥수수$= \frac{5}{3}x$

ⓔ에서 $3 \times \frac{5}{3}x = 5 \times$파인애플$= 4 \times$생선 이므로

파인애플$= x$, 생선$= \frac{5}{4}x$이다.

따라서

① 파인애플 10개는 $10 \times x = 10x$

② 닭 2마리는 $2 \times \frac{10}{3}x = \frac{20}{3}x$

③ 바나나 8송이는 $8 \times x = 8x$

④ 옥수수 5자루는 $5 \times \frac{5}{3}x = \frac{25}{3}x$

⑤ 생선 4마리는 $4 \times \frac{5}{4}x = 5x$ 이므로 염소 한 마리($10x$)와 교환할 수 있는 것은 파인애플 10개다.

69) [정답] ①

[해설] 대각선의 합은

$(3x + 5) + (2x + 4) + (x + 3) = 6x + 12$

첫 번째 가로줄에서

$(-x + 1) + A + (3x + 5) = 6x + 12$이므로

$A = (6x + 12) - (-x + 1) - (3x + 5) = 4x + 6$

세 번째 세로줄에서

$(3x + 5) + (-2x) + B = 6x + 12$

$B = (6x + 12) - (3x + 5) - (-2x) = 5x + 7$

70) [정답] ②

[해설] 겹쳐진 부분은 한 변의 길이가 2인 정각형이므로 종이 n장을 겹쳐 놓았을 때 보이는 부분의 넓이는

(한 변의 길이가 4인 정사각형 n개의 넓이)-(한 변의 길이가 2인 정사각형 $(n-1)$개의 넓이)

$= 4^2 \times n - 2^2 \times (n - 1) = 12n + 4$

이때 $n = 11$이면 $12 \times 11 + 4 = 132 + 4 = 136$

71) [정답] ③

[해설] $2(x-a)=4bx+1$

$2x-2a=4bx+1$ 이 x 에 대한 항등식이므로

x 의 계수에서 $2=4b \rightarrow b=\dfrac{1}{2}$

상수항에서 $-2a=1 \rightarrow a=-\dfrac{1}{2}$

주어진 식은

$\dfrac{1}{a}+\dfrac{1}{a}\left(\dfrac{b}{a}\right)+\dfrac{1}{a}\left(\dfrac{b}{a}\right)^2+\cdots+\dfrac{1}{a}\left(\dfrac{b}{a}\right)^9$ 인데

$\dfrac{b}{a}=b\div a=\dfrac{1}{2}\div\left(-\dfrac{1}{2}\right)=-1,\quad \dfrac{1}{a}=1\div\left(-\dfrac{1}{2}\right)=-2$

이므로 주어진 식은

$-2-2(-1)-2(-1)^2+\cdots-2(-1)^9$

$=-2-2(-1)-2(+1)+\cdots-2(-1)$

$=-2+2-2+\cdots+2$

$=0$

72) [정답] ⑤

[해설] 정사각형 H 의 한 변의 길이를 $H=x$ 라고 하자.

$C=H+I=x+1$

$D=C+I=x+2$

$E=D+I=x+3$

$G=(E+I)-H=(x+4)-x=4$

$F=E+G=x+7$

$A=F+G=x+11$

$B=(A+G)-H=(x+11)+4-x=15$

전체 사각형이 정사각형이므로

(i) $A+F=A+B$, $F=B$

$x+7=15 \quad \therefore x=8$

(ii) $A+F=D+E+F$, $A=D+E$

$x+11=(x+2)+(x+3)=2x+5 \quad \therefore x=6$

이 때, (i) $\neq$ (ii)이므로 문제를 만족하는 해 x 가 존재하지 않는다. 따라서 문제에 오류가 있다.

73) [정답] ①

[해설] $\dfrac{x+2}{3}-\dfrac{3(5-x)}{2}=x+\dfrac{3}{2}$ 의 양변에 6을 곱하면 $2(x+2)-9(5-x)=6x+9$

$2x+4-45+9x=6x+9$

$5x=50$

$x=10$

$5x-10=2(x-a)$ 의 해를 구하면 $3x=10-2a$

$x=\dfrac{10-2a}{3}$

두 방정식의 해의 비가 $5:2$ 이므로

$10:\dfrac{10-2a}{3}=5:2$

$\dfrac{10-2a}{3}=4$

$10-2a=12$

$\therefore a=-1$

74) [정답] ③

[해설] A 는 $100m$ 를 이동하는데 12초가 걸리므로 호수 한 바퀴를 도는데 걸리는 시간은 $12\times 3=36$ 초, B 는 $100m$ 를 이동하는데 $12\times\dfrac{4}{3}=16$ 초가 걸리므로 호수 한 바퀴를 도는데 걸리는 시간은 $16\times 3=48$ 초이다.

이때 두 사람이 처음의 출발점에서 동시에 만나는데 걸리는 시간은 36과 48의 최소공배수인 144초이고 A 가 90바퀴 도는데 걸리는 총 시간이 $36\times 90=3240$ 초이므로 두 사람이 3240초 동안 처음의 출발점에서 만나는 횟수는 $3240\div 144=22.5$ 에서 22번이다.

75) [정답] ①

[해설] 두 상자에 들어있는 공의 개수의 비가 $7:8$ 이므로 A 상자와 B 상자에 들어있는 공의 개수를 각각 $7x$ 개, $8x$ 개라고 하자.

A 상자 속의 흰 공과 검은 공의 개수의 비가 $3:4$ 이므로 A 상자 속의 흰 공과 검은 공의 개수는 각각 $7x\times\dfrac{3}{7}=3x$ 개, $7x\times\dfrac{4}{7}=4x$ 개다.

B 상자 속의 흰 공과 검은 공의 개수의 비가 $7:9$ 이므로 B 상자 속의 흰 공과 검은 공의 개수는 각각 $8x\times\dfrac{7}{16}=\dfrac{7}{2}x$ 개, $8x\times\dfrac{9}{16}=\dfrac{9}{2}x$ 개다.

이제 두 상자에 들어있는 공을 섞으면 흰 공의 개수는 $3x+\dfrac{7}{2}x$ 개, 검은 공의 개수는 $4x+\dfrac{9}{2}x$ 개인데 흰 공보다 검은 공의 개수가 16개 더 많으므로 $\left(3x+\dfrac{7}{2}x\right)+16=4x+\dfrac{9}{2}x$

$6x+7x+32=8x+9x$

$32=4x$

$x=8$

따라서 A 상자의 공의 개수는 $7x=7\times 8=56$ 개다.

76) [정답] ①

[해설] 시침은 1분에 $\dfrac{30^\circ}{60}=\dfrac{1}{2}^\circ$ 를 회전하고 분침은 1분에 $\dfrac{360^\circ}{60}=6^\circ$ 를 회전한다.

따라서 7시 x 분에 시침과 분침이 이루는 각이 180° 이라면 $(30\times 7+0.5x)^\circ-6x^\circ=180^\circ$

$210-5.5x=180$

$30=5.5x$

$x=\dfrac{60}{11}=5\dfrac{5}{11}$

그러므로 시침과 분침이 이루는 각의 크기가 180° 인 것은 7시 $5\dfrac{5}{11}$ 분이다.

77) [정답] 혜신이가 처음 버스를 만난 뒤 다음 버스를 만날 때까지 걸리는 시간을 x라 하자.

이때 혜신이와 처음 버스가 만나는 시점에 그 다음 시내버스와의 거리는 $\dfrac{50}{60} \times 60 = 50km$

만나는 시점부터 다음 시내버스를 만날 때까지 거리는 $20x$

다음 시내버스가 혜신이를 만날 때까지의 거리는 $60x$이므로

$\dfrac{50}{60} \times 60 + 20x = 60x$, $x = \dfrac{5}{4}$

따라서 1시간 15분 뒤에 만난다.

78) [정답] 70만원

[해설] 전체 일의 양을 1이라고 하면

A가 하루 동안 하는 일의 양은 $\dfrac{1}{20}$

B가 하루 동안 하는 일의 양은 $\dfrac{1}{10}$

두 사람이 함께 일 한 날을 x일 이라고 하면

$\dfrac{1}{10} \times 5 + \dfrac{1}{20} \times 4 + \left(\dfrac{1}{20} + \dfrac{1}{10}\right) \times x = 1$

$\dfrac{1}{2} + \dfrac{1}{5} + \dfrac{3}{20}x = 1$

$\dfrac{3}{20}x = \dfrac{3}{10}$

$\therefore x = 2$

이때 A는 총 $4 + 2 = 6$일을 일 하였으므로

A가 한 일의 양은 $\dfrac{1}{20} \times 6 = \dfrac{3}{10}$

B는 총 $5 + 2 = 7$일을 일 하였으므로

B가 한 일의 양은 $\dfrac{1}{10} \times 7 = \dfrac{7}{10}$

두 사람이 한 일의 양의 비가 $3 : 7$이므로

B의 몫은 $100만 \times \dfrac{7}{10} = 70만원$이다.

79) [정답] (1) 4 (2) $-10x + 2$

[해설] (1) 두 번째 세로줄에서

$(-6x + 2) + x + (-3x - 1) + (6x + 5) = -2x + 6$

그러므로 $(-2) + 6 = 4$

(2) A아래의 일차식을 C라고 하면 B아래의 식을 D라고 하면 가로, 세로, 대각선에 놓인 네 식의 합은 $-2x + 6$이므로

	$-6x+2$	A	$4x+9$
	x	C	$-x-5$
	$-3x-1$	$-2x+3$	B
$-5x-6$	$6x+5$	$5x+1$	D

대각선에서

$(4x + 9) + C + (-3x - 1) + (-5x - 6) = -2x + 6$

$\therefore C = 2x + 4$

세 번째 세로줄에서

$A + (2x + 4) + (-2x + 3) + (5x + 1) = -2x + 6$

$\therefore A = -7x - 2$

네 번째 가로줄에서

$(-5x - 6) + (6x + 5) + (5x + 1) + D = -2x + 6$

$\therefore D = -8x + 6$

네 번째 세로줄에서

$(4x + 9) + (-x - 5) + B + (-8x + 6) = -2x + 6$

$\therefore B = 3x - 4$

이제 $\dfrac{1}{2}(4B - 2A) - (-2A + 3B)$

$= 2B - A + 2A - 3B = A - B$

$= (-7x - 2) - (3x - 4)$

$= -7x - 2 - 3x + 4$

$= -10x + 2$

80) [정답] ⑤

[해설] A주머니에 처음 들어있던 구슬이 x개라면 $\dfrac{1}{5}$를 꺼내고 남은 구슬은

$\dfrac{4}{5}x = 60$ $\therefore x = 60 \times \dfrac{5}{4} = 75(개)$

B주머니에 처음 들어있던 구슬이 y개라면 A주머니에서 $75 \times \dfrac{1}{5} = 15(개)$의 구슬을 받고 난 후의 구슬은 $y + 15(개)$이고, C주머니에 구슬을 주고 남은 구슬은

$\dfrac{3}{5}(y + 15) = 60$, $y + 15 = 100$ $\therefore y = 85$

C주머니에 처음 들어있던 구슬이 z개라면 B주머니에서 구슬을 $100 \times \dfrac{2}{5} = 40(개)$를 받고 난 후

$z + 40 = 60$ $\therefore z = 20$

① 처음 A주머니에 들어 있던 구슬은 75개
② 처음 B주머니에 들어 있던 구슬은 85개
③ 처음 C주머니에 들어 있던 구슬은 20개
④ A주머니에서 B 주머니에 넣은 구슬은 15개
⑤ B주머니에서 C 주머니에 넣은 구슬은 40개

81) [정답] ④

[해설] x g씩 설탕물을 바꾸어 넣게 되면

A컵에는 설탕물 300g에

설탕의 양은 $\dfrac{14}{100}(300-x)+\dfrac{10}{100}x$ (g)

B컵에는 설탕물 200g에

설탕의 양은 $\dfrac{10}{100}(200-x)+\dfrac{14}{100}x$ (g)

이제 두 설탕물의 농도가 같으므로

$$\dfrac{\dfrac{14}{100}(300-x)+\dfrac{10}{100}x}{300}=\dfrac{\dfrac{10}{100}(200-x)+\dfrac{14}{100}x}{200}$$

$2\times\left\{\dfrac{14}{100}(300-x)+\dfrac{10}{100}x\right\}$

$=3\times\left\{\dfrac{10}{100}(200-x)+\dfrac{14}{100}x\right\}$

$28(300-x)+20x=30(200-x)+42x$

$8400-8x=6000+12x$

$20x=2400$

$\therefore\ x=120$

82) [정답] ④

[해설] ① 만약 두 사람이 동시에 출발하고 출발한지 x분 후에 만난다면 $100+40x=60x$에서 $x=5$

그러므로 두 사람은 출발한지 5분 후에 만난다.

②, ③ 만약 은서가 먼저 출발하고 1분 후에 민우가 출발한다고 하자. 은서가 출발한지 x분 후에 두 사람이 만난다면

$100+40x=60(x-1)$에서 $x=8$

그러므로 은서가 출발한지 8분 후에 만난다.

또는 민우가 출발한지 7분 후에 만난다.

④, ⑤ 만약 민우가 먼저 출발하고 1분 후에 은서가 출발한다고 하자. 은서가 출발한지 x분 후에 두 사람이 만난다면

$100+40x=60(x+1)$에서 $x=2$

그러므로 은서가 출발한지 2분 후에 만난다.

또는 민우가 출발한지 3분 후에 만난다.

83) [정답] (1) $135x$ (2) $135x=225(2-x)$

(3) (2)의 방정식의 해가 $x=\dfrac{5}{4}$이므로 헬기는 함대를 떠난 시각으로부터 1시간 15분 후에 방향을 돌려 되돌아와야 한다.

[해설] (1) 방향을 돌릴때의 거리의 차는 헬기가 간 거리에서 함대가 간 거리를 뺀 것과 같으므로

$180x-45x=135x$(km)이다.

(2) 2시간 후에 $135x$만큼의 거리를 되돌아 와야 하고, 그 거리를 서로 마주보고 오게되므로

$135x=225(2-x)$

(3) $135x=450-225x$

$360x=450$

$\therefore\ x=\dfrac{5}{4}$

84) [정답] ③

[해설] 두 사람의 속력의 비가 $400:500=4:5$이므로 두 사람의 속력을 각각 분속 $4x$ m, $5x$ m라 하자. 호수의 같은 지점에서 서로 반대 방향으로 출발하여 20분 후에 만났으므로 두 사람이 20분 동안 이동한 거리의 합이 호수의 둘레 10km $=10000$m와 같을 때

$4x\times20+5x\times20=10000$

$80x+100x=10000$

$180x=10000$

$\therefore\ x=\dfrac{500}{9}$

따라서 캡틴아메리카의 속력은 분속

$4x=4\times\dfrac{500}{9}=\dfrac{2000}{9}=222.22..$이므로

소수 첫째자리에서 반올림하면 222(m/분)이다.

85) [정답] ②

[해설] 기차의 길이를 xm라고 하면

길이가 2400m인 터널을 완전히 빠져나가는데 이동한 거리가 $(x+2400)$m이고 시간이 100초 걸렸으므로 속력은 $\dfrac{x+2400}{100}$이다.

길이 900m인 터널을 완전히 빠져나가는데 이동한 거리가 $(x+900)$m이고 시간이 80초 걸렸으므로 속력은 $\dfrac{x+900}{80}$이다.

다리를 지날 때의 속력이 터널을 지날 때 속력의 절반이므로

$\dfrac{1}{2}\times\dfrac{x+2400}{100}=\dfrac{x+900}{80}$

$2(x+2400)=5(x+900)$

$2x+4800=5x+4500$

$3x=300$

$\therefore\ x=100$

따라서 이 기차의 길이는 100m이다.

86) [정답] ①

[해설] $-a+b$의 값이 크려면 a의 값은 가장 작아야 하고, b의 값은 가장 커야 하므로

점 $P(a,\ b)$가 점 A, 즉 $(-1,\ 3)$을 지날 때, $-a+b$의 값이 가장 크다.

따라서 $a=-1$, $b=3$이므로

$3a+b=3\times(-1)+3=0$이다.

87) [정답] ②, ④

[해설] $6\left(\dfrac{2}{3}x-\dfrac{1}{2}\right)-4\left(\dfrac{5}{4}x-\dfrac{3}{2}\right)=0$에서

$4x-3-5x+6=0$이다. $\therefore -x=-3$ 또는 $x=3$

따라서 $b=3a$이다.

즉 주어진 좌표평면에서 $(a,\ b)$가 될 수 있는 점은 B$(1,\ 3)$, D$(-1,\ -3)$이다.

88) [정답] ①

[해설] 회전목마의 위치를 기준으로 x축의 방향으로 4만큼, y축의 방향으로 3만큼 이동한 곳에 롤러코스터가 있으므로 서영이의 위치는 롤러코스터이다.

입구의 위치를 기준으로 x축으로 4만큼, y축으로 2만큼 이동한 곳에 열기구가 있으므로 유진이의 위치는 열기구이다.

서영이의 위치(롤러코스터)를 기준으로 유진이의 위치(열기구)는 x축으로 4만큼, y축으로 -3만큼 이동하면 되므로 $(4,\ -3)$으로 나타낼 수 있다.

89) [정답] ②

[해설] 두 점 $A(-2a+4,\ 1+b)$, $B\left(-b+4,\ -\dfrac{b}{a}+1\right)$

이 모두 y축 위의 점이므로

$-2a+4=0$에서 $-2a=-4$, $a=2$이고,

$-b+4=0$에서 $b=4$이다.

즉, 세 점 A, B, C의 좌표는

$A(0,\ 5)$, $B(0,\ -1)$, $C(5,\ -1)$이므로

세 점을 좌표평면 위에 나타내면 다음 그림과 같다.

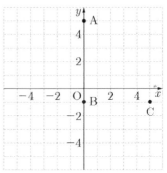

따라서 삼각형 ABC의 넓이는

$\dfrac{1}{2}\times\{5-(-1)\}\times 5=15$이다.

90) [정답] ④

[해설] ④ y의 값이 -2인 것은 $(15,\ -2)$의 한 점뿐이므로 5분 동안 지속된다는 말은 옳지 않다.

91) [정답] ⑤

[해설] ⑤ 물이 모두 빠지는 데 걸린 시간은

$30-22=8$(분)이다.

92) [정답] ②

[해설] 점 P의 좌표를 $(p,\ ap)$라 하면

삼각형 PAB의 넓이는 $\dfrac{1}{2}\times(7-4)\times p=\dfrac{3}{2}p$이고,

삼각형 POC의 넓이는 $\dfrac{1}{2}\times 5\times ap=\dfrac{5}{2}ap$이므로

$\dfrac{3}{2}p=\dfrac{5}{2}ap$이다. $\quad\therefore a=\dfrac{3}{5}$

93) [정답] ①

[해설] ① 병의 폭이 일정하면서 좁으면 물의 높이는 빠르면서 일정한 속도로 오르므로 그래프의 모양은 가파르게 오르다가

병의 폭이 일정하면서 넓으면 물의 높이는 느리면서 일정한 속도로 오르므로 그래프의 모양은 덜 가파르게 오른다.

따라서 ①의 그래프의 모양은 다음 그림과 같다.

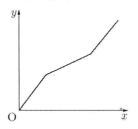

94) [정답] ③

[해설] 꼭짓점 A의 좌표가 (a,b)이므로 $y=-\dfrac{1}{2}x$에

$x=a$, $y=b$를 대입하면 $b=-\dfrac{1}{2}a$이다.

$\therefore A\left(a,\ -\dfrac{1}{2}a\right)$

A의 y좌표와 D의 y좌표는 같으므로

$y=x$에 $y=-\dfrac{1}{2}a$를 대입하면 $x=-\dfrac{1}{2}a$이다.

$\therefore D\left(-\dfrac{1}{2}a,\ -\dfrac{1}{2}a\right)$

이때 $\overline{AD}=8$이므로 $-\dfrac{1}{2}a-a=8$, $-\dfrac{3}{2}a=8$이다.

$\therefore a=-\dfrac{16}{3}$

따라서 $b=-\dfrac{1}{2}\times\left(-\dfrac{16}{3}\right)=\dfrac{8}{3}$이므로

$a+b=-\dfrac{16}{3}+\dfrac{8}{3}=-\dfrac{8}{3}$이다.

95) [정답] ④

[해설] $y=-\dfrac{12}{x}$에 $x=-4a$를 대입하면

$y=-\dfrac{12}{-4a}=\dfrac{3}{a}$이므로 $A\left(-4a,\ \dfrac{3}{a}\right)$이다.

$y=-\dfrac{12}{x}$에 $x=4a$를 대입하면

$y=-\dfrac{12}{4a}=-\dfrac{3}{a}$이므로 $C\left(4a,\ -\dfrac{3}{a}\right)$이다.

따라서 사각형 ABCD는 밑변이 $\overline{AB}$이고,

높이가 $\overline{BD}$인 평행사변형이므로

넓이는 $\dfrac{3}{a}\times 8a=24$이다.

96) [정답] ②

[해설] 점 P의 x좌표를 p라 하자.

$y=\frac{16k}{x}$에 $x=p$를 대입하면 $y=\frac{16k}{p}$이므로

$P\left(p,\ \frac{16k}{p}\right)$

직각삼각형 AOP의 넓이가 56이므로

$\frac{1}{2}\times p\times\frac{16k}{p}=56$이다.

$8k=56 \quad \therefore k=7$

97) [정답] ②, ④

[해설] ① 두 그래프가 처음으로 만나는 것은 $x=20$일 때이고 이것은 토끼가 출발한지 10분 후이다.

② 토끼를 나타내는 그래프는 두 점 (10, 0), (40, 2)를 지나는데 이것은 토끼가 30분 동안 2km를 이동했음을 나타내므로 토끼의 속력은 시속 $2\text{km}\div0.5=4\text{km}$이다.

거북이를 나타내는 그래프는 두 점 (0, 0), (30, 1)을 지나는데 이것은 거북이가 30분 동안 1km를 이동했음으로 나타내므로 거북이의 속력은 시속 $1\text{km}\div0.5=2\text{km}$이다.

따라서 토끼의 속력은 거북이의 속력의 2배다.

③ 거북이의 속력이 시속 2km이므로 출발한 지 40분 후 거북이가 이동한 거리는

$2\text{km}\times\frac{40}{60}=\frac{4}{3}\text{km}$

$x=40$일 때 토끼의 이동거리는 2km이므로 둘 사이의 거리는 $2\text{km}-\frac{4}{3}\text{km}=\frac{2}{3}\text{km}$이다.

④ 거북이의 속력이 시속 2km이므로 출발한지 20분 후 거북이가 이동한 거리는

$2\text{km}\times\frac{20}{60}=\frac{2}{3}\text{km}$이고 이 지점에서 토끼와 만났다.

따라서 토끼가 잠을 잔 듯 멈춘 지점까지 이동한 거리는 $2\text{km}-\frac{2}{3}\text{km}=\frac{4}{3}\text{km}$이다.

⑤ 거북이와 토끼가 두 번째로 만나는 것은 $x=60$일 때 이므로 거북이는 출발한 지 60분이 지나서야 토끼를 추월했음을 알 수 있다.

98) [정답] ②

[해설] 준서가 3번 이겼으므로,

점 $A(2,\ 0)$에서 x좌표는 $2+1\times3=5$,

y좌표는 $0+2\times3=6$이므로 점 $A(5,\ 6)$이 된다.

여기서 성근이가 2번을 이기면

$A(5,\ 6)$에서 x좌표는 $5+(-2)\times2=1$

y좌표는 $6+(-1)\times2=4$가 되어

이동된 점 A의 좌표는 $A(1,\ 4)$이다.

99) [정답] ②

[해설] 점 D의 y좌표가 3이고, $y=\frac{3}{2}x$위의 점이므로 $3=\frac{3}{2}x \rightarrow x=2$에서 $D(2,\ 3)$

이때 $\overline{AD}:\overline{DC}=4:5$이므로 $2:\overline{DC}=4:5 \rightarrow \overline{DC}=\frac{5}{2}$

따라서 점 B, C의 x좌표는 $2+\frac{5}{2}=\frac{9}{2}$

이제 점 $C(\frac{9}{2},\ 3)$이 $y=ax$위의 점이므로

$3=\frac{9}{2}a \rightarrow a=\frac{2}{3}$

이제 점 F의 x좌표가 2이고 이 점이 $y=\frac{2}{3}x$위의 점이므로 $y=\frac{2}{3}\times2=\frac{4}{3}$에서 $\therefore F(2,\ \frac{4}{3})$

100) [정답] (1) $m=2$, $n=3$ (2) $\frac{3}{2}$

[해설] (1) 점 A가 y축 위의 점이므로 x좌표는 0이다. 따라서 $m-2=0 \rightarrow m=2$

점 B가 x축 위의 점이므로 y좌표는 0이다.

따라서 $n-3=0 \rightarrow n=3$

(2) $A(0,\ 6)$, $B(4,\ 0)$이므로

$\triangle ABO=\frac{1}{2}\times4\times6=12$

점 P가 $y=ax$위의 점이므로 $P(p,\ ap)$라 할 때

$\triangle APO=\frac{1}{2}\times6\times p=6 \rightarrow p=2$

$\triangle POB=\frac{1}{2}\times4\times ap=6$

이때 $p=2$이므로 $4a=6$

$\therefore a=\frac{3}{2}$

101) [정답] ③

[해설] 점 C가 $y=ax$ 위의 점이므로 $C(2,\ 2a)$, $B(-2,\ 2a)$

또한 사각형 $ABCD$의 가로의 길이가 $2-(-2)=4$이므로 세로의 길이는 1

그러므로 점 A의 y좌표는 점 B의 y좌표보다 1이 크므로 $2a+1$에서 $A(-2,\ 2a+1)$

이때 점 $A(-2,\ 2a+1)$가 $y=\frac{-7a}{x}$ 위의 점이므로 $x=-2$, $y=2a+1$을 대입하면 등식이 성립한다. $2a+1=\frac{-7a}{-2}$ 양변에 2을 곱하면

$4a+2=7a$, $3a=2$

$\therefore a=\frac{2}{3}$

102) [정답] ④

[해설] 반비례 관계 $y = \dfrac{20}{x}$의 그래프 위의 점 중에서 x, y의 좌표인 a, b가 모두 자연수인 점을 순서쌍으로 나타내면

$(1, 20)$, $(2, 10)$, $(4, 5)$, $(5, 4)$, $(10, 2)$, $(20, 1)$

직사각형의 둘레의 최솟값 $n = 2 \times (4+5) = 18$

최댓값 $m = 2 \times (1+20) = 42$

$\therefore\ m+n = 42+18 = 60$

103) [정답] ④

[해설] 다섯 개의 점은 왼쪽에서부터 C, E, B, D, A 이고 점 사이 간격은 모두 $\dfrac{1}{2}\overline{AB}$이다.

104) [정답] ④

[해설] $\angle x + \angle y + \angle z = 180°$이므로

$\angle y = \dfrac{5}{3+5+7} \times 180° = 60°$

$\angle z = \dfrac{7}{3+5+7} \times 180° = 84°$

$\angle EDB = \angle FDC = (180° - \angle y) \div 2 = 60°$

$\angle DFC = \angle EFA = (180° - \angle z) \div 2 = 48°$

$\triangle CDF$에서 $\angle C = 180° - (60° + 48°) = 72°$

105) [정답] ④

[해설] 시침과 분침이 1분 동안 회전하는 각의 크기는 각각 $0.5°$, $6°$

12시를 기준으로 3시 35분에 시침이 회전한 각의 크기는

$(30° \times 3) + (0.5° \times 35) = 107.5°$

분침이 회전한 각의 크기는 $6° \times 35 = 210°$

따라서 두 바늘이 이루는 각의 크기는

$210° - 107.5° = 102.5°$

106) [정답] ②

[해설] 면 EBF와 수직인 면은 면 AED, 면 CFD로 2개 $\overline{DF}$와 꼬인 위치에 있는 모서리는 $\overline{BE}$로 1개

따라서 $a = 2$, $b = 1$이므로 $a - b = 2-1 = 1$

107) [정답] ①

[해설] $\angle PBQ = a$, $\angle PDQ = b$ 라고 하면

$\angle ABP = 3a$, $\angle CDP = 3b$

이때 $\angle BPD = \angle ABQ + \angle CDQ$이므로

$\angle y = 4a + 4b$

$\angle BPD = \angle ABP + \angle CDP$이므로 $\angle x = 3a + 3b$

따라서 $4a + 4b = \dfrac{4}{3}(3a + 3b)$ 이므로 $\angle y = \dfrac{4}{3}\angle x$이다.

따라서 $h = \dfrac{4}{3}$일 때, $9h = 9 \times \dfrac{4}{3} = 12$이다.

108) [정답] ②

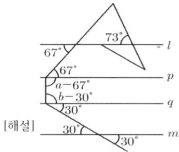

[해설] 그림과 같이 직선 l에 평행한 두 직선 p, q를 그으면 엇각의 크기가 같아서

$(\angle a - 67°) + (\angle b - 30°) = 180°$

$\angle a + \angle b = 277°$

109) [정답] ③

[해설] $50°$만큼 회전하였으므로 $\angle BAB' = 50°$

또한 $\overline{AB} = \overline{AB'}$이므로 $\triangle ABB'$는 꼭지각이 $50°$인 이등변 삼각형이다.

따라서 $\angle ABB' = \dfrac{1}{2} \times (180° - 50°) = 65°$이다.

또한 $\angle BCA = \angle BC'A = 40°$이므로 $\triangle ABC'$에서 $\angle BC'A + \angle BAC' = \angle ABB'$

$40° + \angle BAC' = 65°$ $\therefore \angle BAC' = 25°$

110) [정답] ④

[해설] $\triangle ADC$, $\triangle ABH$에서 $\overline{AD} = \overline{AB}$, $\overline{AC} = \overline{AH}$, $\angle DAC = \angle BAH = 60° + \angle BAC$ 이므로

$\triangle ADC \equiv \triangle ABH$(SAS 합동)

이제 $\angle BAC = c$라 하고

$\angle ADC = \angle ABH = a$, $\angle ACD = \angle AHB = b$라 하면 $\triangle ADC$에서

$a + b + c + 60° = 180°$ $\rightarrow$ $a + b + c = 120°$

이제 사각형 ADFH에서

$\angle DAH + \angle ADF + \angle AHF + \angle DFH = 360°$ 이므로

$(120° + c) + a + b + \angle DFH = 360°$

이때 $a + b + c = 120°$이므로

$240° + \angle DFH = 360°$

$\therefore \angle DFH = 120°$

111) [정답] (1) $\triangle BCE$ (2) SAS (3) $60°$

[해설] (1), (2) $\triangle ACD$, $\triangle BCE$ 에서

$\overline{AC} = \overline{BC}$, $\overline{CD} = \overline{CE}$, $\angle ACD = \angle BCE = 60°$

따라서 $\triangle ACD \equiv \triangle BCE$ (SAS)

(3) $\triangle EAF$, $\triangle EBC$ 에서

$\angle EBC = \angle EAD$ ($\because \triangle ACD \equiv \triangle BCE$)

$\angle BEC = \angle AEF$ (맞꼭지각)

그러므로 $\angle AFE = \angle BCE = 60°$

112) [정답] (1) △GCB ≡ △ECD (SAS)

(2) △GCB, △ECD 에서

$\overline{CG} = \overline{CE}$, $\overline{CB} = \overline{CD}$, ∠GCB = ∠ECD = 90° 이

므로 두 변의 길이가 같고 끼인각의 크기가 같아서

△GCB ≡ △ECD (SAS)

(3) 13cm

[해설] (1),(2) 정답참조

(3) 합동인 삼각형의 대응변의 길이가 같으므로

$\overline{BG} = \overline{DE} = 13$cm

113) [정답] ②

[해설] ∠ABD=a, ∠ACD=b 라 하자.

∠$x = 2a + (180° - 3b)$이고

△BCD 에서 $28° + 2a = 2b$ 이므로

$a - b = -14°$

∠$y = 180° - \{a + (180° - 2b)\} = 2b - a$

이제 ∠x + ∠y

$= 2a + (180° - 3b) + 2b - a = 180° + (a - b)$

이때 $a - b = -14°$ 이므로

$= 180° + (-14°) = 166°$

114) [정답] ③

[해설] □AONE 에서

∠O + ∠N + ∠OAE + ∠NEA = 360°

그러므로 ∠OAE + ∠NEA = 360° - (∠O + ∠N)

이때

∠BAE + ∠DEA = (180° - ∠OAE) + (180° - ∠NEA)

$\quad = 360° - (∠OAE + ∠NEA)$

$\quad = 360° - \{360° - (∠O + ∠N)\}$

$\quad = ∠O + ∠N$

같은 식으로 ∠G + ∠F = ∠CBA + ∠EAB

이런 식으로

∠F + ∠G + ∠H + ⋯ + ∠N + ∠O 는

정오각형 ABCDE의 내각의 합의 2배이므로

∠F + ∠G + ∠H + ⋯ + ∠N + ∠O = 2 × 540° = 1080°

115) [정답] ③

[해설] (정오각형의 한 내각의 크기)

$= \dfrac{180° × (5-2)}{5} = 108°$

$\overline{AP}$, $\overline{BQ}$의 교점을 S라 하면

∠SBA = ∠SAB = 108° - 60° = 48°

∠BSA = ∠PSQ = 180° - 2 × 48° = 84°

∠SPR = ∠SQR = 60°

따라서 사각형 PSRQ 에서

∠PRQ = 360° - (60° + 60° + 84°) = 156°

116) [정답] ②

[해설] (정오각형의 한 내각의 크기)

$= \dfrac{180° × (5-2)}{5} = 108°$

△CDE에서 $\overline{DC} = \overline{DE}$이므로

∠DCE = ∠DEC = $\dfrac{1}{2}$ × (180° - 108°) = 36° 에

서

∠y = 36°

● = $\dfrac{1}{2}$ × (180° - 108°) = 36°

○ = $\dfrac{1}{3}$ × (180° - 108°) = 24°

다각형 CDEF에서 36° + 24° + ∠x = ∠CDE 이

므로 60° + ∠x = 108° → ∠x = 48°

∴ ∠x - ∠y = 48° - 36° = 12°

117) [정답] ①

[해설] 다음 그림에서 중심각이 90°이고 반지름이 14

인

부채꼴 하나의 넓이를 t라고 하자.

이때 $a + c = □ABCD - 2t + b$이므로 b를 이항하면

∴ $a - b + c = □ABCD - 2t$

$\qquad = 17 × 17 - 2 × \left(\dfrac{1}{4}π × 14^2\right)$

$\qquad = 289 - 98π \, (\text{cm}^2)$

118) [정답] (1) 20π (2) $\dfrac{9}{2}π - 9$

[해설] (1) ㉠+㉡=반원AED+부채꼴ABD−반원ACB

$= 부채꼴 ABD = \dfrac{50}{360} × 12 × 12 × π = 20π$

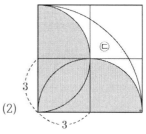

(2)

위의 그림에서 반지름이 6인 부채꼴에서 어두운

부분의 넓이를 빼면 ㉡의 넓이가 나온다.

$\dfrac{1}{4} × 6^2 × π - (3 × 3 + 2 × \dfrac{1}{4} × 3^2 × π)$

$= \dfrac{9}{2}π - 9$

119) [정답] ①

[해설] 부채꼴 하나의 각은 $60°$이고, 반지름의 길이가 $1\,cm$씩 늘어나므로 조건을 따라 나선 모양을 그려 나타내보면 다음 그림과 같이 그려진다.

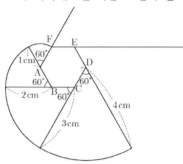

(나선의 길이)

$$= \frac{60}{360} \times 2\pi \times (1+2+3+\cdots+11)$$

$$= \frac{1}{6} \times 2\pi \times 66 = 22\pi$$

120) [정답] ②

[해설] 원의 반지름의 길이가 $1\,cm$이므로 원의 중심이 지나간 부분을 그림으로 나타내면 다음 그림과 같다.

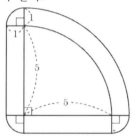

(원의 중심이 지나간 자리의 길이)

$$= \frac{1}{4} \times 2\pi \times 6 + 3 \times \left(\frac{1}{4} \times 2\pi \times 1 \right) + (5+5)$$

$$= 3\pi + \frac{3}{2}\pi + 10 = \frac{9}{2}\pi + 10\,(cm)$$

121) [정답] ④

[해설] $a=12$, $b=14$, $c=22$ 이므로

$$a+b+c=48$$

122) [정답] ⑤

[해설] (입체도형의 겉넓이)

$$= 2 \times \left(\frac{60}{360} \times \pi \times 3^2 \right) + \left(\frac{60}{360} \times 2\pi \times 3 + 3 + 3 \right) \times 10$$

$$= 3\pi + (\pi+6) \times 10 = 13\pi + 60\,(cm^2)$$

123) [정답] ②

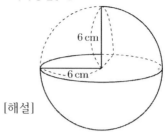

[해설]

공이 움직이는 공간의 최대 부피는 반지름이 $6\,cm$인 구의 $\frac{1}{8}$를 제외한 부분의 부피와 같다.

(공이 움직일 수 있는 공간의 부피)

$$= \frac{7}{8} \times \left(\frac{4}{3}\pi \times 6^3 \right) = 252\pi\,(cm^3)$$

124) [정답] (1) 26점 이상 34점 미만

(2) 42점 이상 50점 미만

(3) 4명

[해설] (1),(2) A, B를 제외하고 10점 이상 18점 미만인 학생의 점수는 10, 10, 14로 학생 수는 3명이고, 18점 이상 26점 미만인 학생의 점수는 18, 22, 22로 3명으로 도수분포표의 학생 수와 같다.

26점 이상 34점인 학생은 26, 26, 30으로 3명이고, A−B=20이므로 B가 속하는 계급은 26점 이상 34점 미만이고, A가 속하는 계급은 42점 이상 50점 미만이다.

(3) 도수분포표를 완성하면 다음과 같다.

성적(점)	학생 수 (명)
$10^{이상} \sim 18^{미만}$	3
18 ~ 26	3
26 ~ 34	4
34 ~ 42	4
42 ~ 50	6
합계	20

따라서 성적이 8번째로 좋은 학생은 34점 이상 42점 미만인 계급에 속하므로 이 계급의 도수는 4이다.

125) [정답] 40%

[해설] $x+y = 1 - (0.04+0.15+0.18+0.03) = 0.6$

$10x+10y=6$이고, $10x$, $10y$가 모두 2의 배수이고, $x>y$이므로 만족하는 $10x=4$, $10y=2$이다.

따라서 $x=0.4$, $y=0.2$이므로 줄넘기 횟수가 100회 이상 120회 미만인 학생은 전체의 40%이다.

126) [정답] ⑤

[해설] ① A반 학생 수는 $1+3+7+10+4+2=27$(명)
B반 학생 수는 $1+2+5+9+7+3=27$(명)이므로
각각 27명으로 같다.

② 매달리기 기록은 B반의 도수분포다각형이 더
오른쪽으로 치우쳐 있으므로 B반에 더 많다.

③ A반의 도수분포다각형과 B반의 도수분포다각
형과 가로축과 둘러싸인 부분의 넓이는 같고, 공통
부분이 빠지므로 $S_1=S_2$이다.

④ 매달리기 기록이 20초 미만인 학생은 A반은
$1+3+7=11$(명), B반은 $1+2=3$(명)이므로 전체
54명에서 $\frac{14}{54}\times100=25.9\cdots$ (%)이다.

⑤ 두 반에서 매달리기 기록이 가장 높은 학생은
35초 이상 40초 미만인 계급에 속하는 학생이고,
이 계급은 B반 학생들만 있으므로 기록이 가장 좋
은 학생은 B반에 있다.

127) [정답] ④

[해설] 2차 지필평가의 상대도수를 이용하여 도수를
나타내면 다음 표와 같다.

수학 점수(점)	1차 지필평가 도수(명)	2차 지필평가 도수(명)
$40^{이상} \sim 50^{미만}$	4	2
50 ~ 60	6	7
60 ~ 70	4	$20a$
70 ~ 80	1	0
80 ~ 90	3	$20b$
90 ~ 100	2	2
합계	20	20

따라서 40점 이상 50점 미만인 계급에서 한 계급
이 올라간 학생 수는 2명이고, 50점 이상 60점 미
만에서 한 계급이 올라간 학생 수는 1명이고, 70
점 이상 80점 미만인 계급의 1명도 성적향상이 되
었다.

한 계급이 올라간 학생 수가 4명뿐이므로
$20a=4+1=5$ 에서 $a=0.25$
$20b=3+1=4$ 에서 $b=0.2$
$\therefore\ 2a-b=0.5-0.2=0.3$

128) [정답] A중학교: 180명, B중학교: 150명

[해설] A중학교의 학생 수를 x명, B중학교의 학생 수
를 y명이라 하면 8시간 이상 10시간 미만인 학생
수는 A중학교는 $0.2x$(명), B중학교는 $0.12y$(명)이
고 $0.2x=0.24y$이므로 $5x=6y$이다.

이때 $x=6k$, $y=5k$라 하면 두 학교의 전체 학생
수의 최소공배수가 900이므로
$30k=900$ $\therefore\ k=30$
따라서 A중학교의 전체 학생 수는
$6k=6\times30=180$(명)
B중학교의 전체 학생 수는 $5k=5\times30=150$(명)

129) [정답] ②

[해설] 주어진 도수분포다각형을 도수분포표로 나타내
면

최고기온($^\circ$C)		2010년 날 수(일)	2011년 날 수(일)
$22^{이상}$ ~ $24^{미만}$		1	
24 ~ 26		1	1
26 ~ 28		6	7
28 ~ 30		6	10
30 ~ 32		9	7
32 ~ 34		8	5
34 ~ 36			1
합계		31	31

① 2010년 최고기온이 30℃ 이상인 날은
$9+8=17$(일)이므로 전체의
$\frac{17}{31}\times100=54.8\cdots$ (%)이다.

③ 최고기온이 22℃ 이상 26℃ 미만인 날 수는
2010년은 2일, 2011년은 1일이다.

④ 2011년의 최고기온이 7번째로 높은 날이 속하
는 계급은 30℃ 이상 32℃ 미만이므로 도수는 7일
이다.

⑤ 2010년의 도수분포다각형에서 도수가 가장 큰
계급은 30℃ 이상 32℃ 미만이다.

130) [정답] ①

[해설] B동아리 회원 수를 x명이라고 하면 A동아리
회원 수는 $x+100$명이다. 이때, 4시간 이상 5시
간 미만인 계급에 속하는 학생 수가 142명이므로
$0.3\times(x+100)+0.26x=142$
$0.56x=112$ $\therefore\ x=200$
따라서 A동아리 회원 수는 300명, B동아리 회원
수는 200명이므로 5시간 이상 6시간 미만인 계
급에 속하는 전체 학생 수는
$0.2\times300+0.28\times200=60+56=116$(명)이다.

물갈퀴의 상류수학 (2024개정판)

131) [정답] (1) $26-3x$

(2) $(8, 14, 4)$, $(10, 11, 5)$, $(12, 8, 6)$, $(14, 5, 7)$

(3)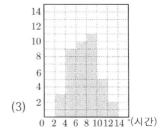

[해설] (1) 10시간 이상 12시간 미만인 계급의 도수를 x라 할 때, 6시간 이상 8시간 미만인 계급의 도수는 $2x$이므로 8시간 이상 10시간 미만인 계급의 도수는 $40-(3+9+2x+x+2)=26-3x$이다.

(2) 도수가 주어지지 않은 세 계급의 도수는 차례대로 $2x$, $26-3x$, x이고, 모든 계급의 도수가 15를 넘지 못하므로 $26-3x \le 15$ 이므로 $11 \le 3x$에서 $\frac{11}{3} \le x$이고, $2x \le 15$이므로 $x \le \frac{15}{2}$이다.

따라서 $\frac{11}{3} \le x \le \frac{15}{2}$인 자연수 x는 4, 5, 6, 7이므로

$x=4$이면 도수는 차례대로 8, 14, 4

$x=5$이면 도수는 차례대로 10, 11, 5

$x=6$이면 도수는 차례대로 12, 8, 6

$x=7$이면 도수는 차례대로 14, 5, 7

(3) 4시간 이상 6시간 미만인 계급의 도수가 세 번째로 크려면 9보다 큰 도수를 가진 계급이 두 개가 되어야 하므로 도수가 주어지지 않은 세 계급의 도수는 차례대로 10, 11, 5가 되어야 한다.

132) [정답] ③

[해설] 각 계급의 도수가 자연수가 되어야 하므로 전체 도수는 각 계급의 상대도수의 분모 4, 5, 8, 10의 공배수가 되어야 한다. 이때 최소공배수가 40이므로 전체 도수는 40의 배수이다.
따라서 전체 도수를 $40n$ 이라 하였을 때

$a=\frac{1}{4}\times 40n=10n$, $b=\frac{1}{5}\times 40n=8n$

이때 a, b의 최대공약수가 6이므로

$2n=6$ $\quad \therefore n=3$

전체 도수는 $40n=40\times 3=120$(명)이다.

133) [정답] ①

[해설] 이번 학기의 상대도수를 이용하여 도수를 나타내면 다음 표와 같다.

수학 성적(점)	지난 학기 도수(명)	이번 학기 도수(명)
$40^{이상} \sim 50^{미만}$	3	1
50 ~ 60	4	5
60 ~ 70	7	$20x$
70 ~ 80	1	0
80 ~ 90	3	$20y$
90 ~ 100	2	2
합계	20	20

따라서 40점 이상 50점 미만인 계급에서 한 계급이 올라간 학생 수는 2명이고, 50점 이상 60점 미만에서 한 계급이 올라간 학생 수는 1명이고, 70점 이상 80점 미만인 계급의 1명도 성적향상이 되었다.
한 계급이 올라간 학생 수가 4명뿐이므로

$20x=8$, $20y=4$에서 $\frac{x}{y}=2$

134) [정답] (1) 10점 (2) 5 (3) 8 (4) 9 (5) 2

[해설] (2) 준구네 학급에서 수학 점수가 60점 이상인 학생 수는 $41-(1+4+6+10)=20$(명)이므로 60점 이상 70점 미만인 학생 수 A $=\frac{1}{4}\times 20=5$

(3) B $=20-(5+5+2)=8$

(4) 현준이네 학급에서 80점 이상인 학생 수는 전체의 15%이므로 $40\times 0.85=34$(명)이다.
$\therefore$ C $=34-(2+3+6+9+5)=9$

(5) D $=6-4=2$

135) [정답] ⑤

[해설] 다음 표는 소인수가 2, 5뿐이면서 256이하인 자연수를 구한 것이고 총 21개이다.

$\times$	1	2	2^2	2^3	2^4	2^5	2^6	2^7	2^8
1	1	2	4	8	16	32	64	128	256
5	5	10	20	40	80	160			
5^2	25	50	100	200					
5^3	125	250							

(i) $n=1$이면

$S=\frac{2\times 5}{k}$가 유한소수가 되도록 하는

k의 값은 21개인데
이때 S가 자연수가 되어서는 안 되므로
21개 중 $2\times 5=10$의 약수 4개를 제외해야 한다.
따라서 S가 자연수가 아닌
유한소수가 되게 하는 k의 값은 $21-4=17$개다.

- 118 -

(홀수)

(ii) $n=2$이면

$S=\dfrac{2^2\times 5}{k}$가 유한소수가 되도록 하는

k의 값은 21개인데

이때 S가 자연수가 되어서는 안 되므로

21개 중 $2^2\times 5=20$의 약수 6개를

제외해야 한다.

따라서 S가 자연수가 아닌 유한소수가 되게 하는

k의 값은 $21-6=15$개다. (홀수)

(iii) $n=3$이면

$S=\dfrac{2^3\times 5}{k}$가 유한소수가 되도록 하는 k의 값은

21개인데

이때 S가 자연수가 되어서는 안 되므로

21개 중 $2^3\times 5=40$의 약수 8개를 제외해야 한다. 따라서 S가 자연수가 아닌 유한소수가 되게 하는 k의 값은 $21-8=13$개다. (홀수)

(iv) $n=4$이면 S가 자연수가 아닌 유한소수가 되게 하는 k의 값은 $21-10=11$개다. (홀수)

(v) $n=5$이면 S가 자연수가 아닌 유한소수가 되게 하는 k의 값은 $21-12=9$개다. (홀수)

(vi) $n=6$이면 S가 자연수가 아닌 유한소수가 되게 하는 k의 값은 $21-13=8$개다. (짝수)

(vii) $n=7$이면 S가 자연수가 아닌 유한소수가 되게 하는 k의 값은 $21-14=7$개다. (홀수)

(viii) $n=8$이면 S가 자연수가 아닌 유한소수가 되게 하는 k의 값은 $21-15=6$개다. (짝수)

(ix) $n\geq 9$이면 S가 자연수가 아닌 유한소수가 되게 하는 k의 값은 $21-15=6$개다.(짝수)

(i)에서 (ix)에 의해

83이하인 자연수 n에 대해서 S가 자연수가 아닌 유한소수가 되게 하는 k의 값이 홀수개가 되게 하는 n은 1, 2, 3, 4, 5, 7의 6개이므로

k의 값이 짝수개가 되게 하는 n은 모두

$83-6=77$(개)

136) [정답] ②

[해설] $111=3\times 37$이고 $\dfrac{a}{b}$가 1보다 작으므로

$a=12$, $b=37$, $12\div 37=0.\dot{3}2\dot{4}$이므로 $c=3$

따라서 $a+b+c=12+37+3=52$

137) [정답] ⑤

[해설] 철이가 던진 주사위의 눈이 2, 5이므로

만들어지는 분수는 $\dfrac{5}{2}=2.5$이므로 유한소수이다.

따라서 2칸을 움직이면 철이의 위치는 ⑫이다.

아영이의 말이 철이의 말을 잡으려면

3칸을 움직여야 하므로 아영이가 던진 주사위의

눈으로 만들어지는 분수는

순환소수가 되어야 한다.

아영이가 던진 작은 주사위 눈의 수를 x라 할 때

$\dfrac{x}{3}$이 순환소수가 되어야 하므로

x가 될 수 있는 수는 1, 2, 4, 5에서

$1+2+4+5=12$

138) [정답] ④

[해설] $8^3+8^3+8^3+8^3=8^3\times 4=(2^3)^3\times 2^2=2^{11}$

$5^6+5^6+5^6+5^6+5^6=5^6\times 5=5^7$

따라서 주어진 식은

$2^{11}\times 5^7=2^4\times(2^7\times 5^7)=16\times 10^7$

$n=9$, $a=1+6=7$

$\therefore a+n=7+9=16$

139) [정답] ④

[해설] $A=(5\times 30^2)^2\times(5\times 4^2)^2\div(3\times 15^2)$

$=(2^2\times 3^2\times 5^3)^2\times(2^4\times 5)^2\div(3^3\times 5^2)$

$=2^{12}\times 3\times 5^6$

$=2^6\times 3\times(2^6\times 5^6)$

$=2^6\times 3\times 10^6$

$=192\times 10^6$

따라서 주어진 수는 9자리의 자연수이고 각 자리의 숫자의 합은 $1+9+2=12$이므로

$m+n=12+9=21$이다.

140) [정답] ④

[해설] $D\times(-y^3)=-3x^2y^3$ $\therefore D=3x^2$

$C\times 3x^2=-y^3$ $\therefore C=\dfrac{-y^3}{3x^2}$

$B\times\dfrac{-y^3}{3x^2}=3x^2$ $\therefore B=-\dfrac{9x^4}{y^3}$

$A\times\left(-\dfrac{9x^4}{y^3}\right)=\dfrac{-y^3}{3x^2}$ $\therefore A=\dfrac{y^6}{27x^6}$

$(-y^3)\times(-3x^2y^3)=E$ $\therefore E=3x^2y^6$

$(-3x^2y^3)\times(3x^2y^6)=F$ $\therefore F=-9x^4y^9$

$3x^2y^6\times(-9x^4y^9)=G$ $\therefore G=-27x^6y^{15}$

$\therefore A\times G=\dfrac{y^6}{27x^6}\times(-27x^6y^{15})=-y^{21}$

141) [정답] ③

[해설] 두 원기둥의 밑면의 반지름을 각각 r, $3r$이라 하고 높이를 각각 $5h$, $4h$라 할 때

원기둥 (가)의 부피는 $\pi r^2\times 5h=5\pi r^2h$

원기둥 (나)의 부피는 $\pi\times(3r)^2\times 4h=36\pi r^2h$

따라서 (나)의 부피는 (가)의 부피

$36\pi r^2h\div 5\pi r^2h=\dfrac{36}{5}$배이다.

142) [정답] ⑤

[해설] $P = \pi \times (2x^3 y)^2 \times 4x^2 y^2 = 16x^8 y^4 \pi$

$Q = \pi \times (4x^2 y^2)^2 \times 2x^3 y = 32x^7 y^5 \pi$

$\therefore \dfrac{Q}{P} = \dfrac{32x^7 y^5 \pi}{16x^8 y^4 \pi} = \dfrac{2y}{x}$

143) [정답] ②

[해설] 잘려진 삼각뿔의 하나의 부피는

$\dfrac{1}{2} \times \dfrac{1}{2}x \times \dfrac{1}{2}x \times \dfrac{1}{2}x \times \dfrac{1}{3} = \dfrac{1}{48}x^3$이므로

잘라낸 8개의 삼각뿔의 부피는 $\dfrac{1}{6}x^3$,

남은 도형의 부피는 $\dfrac{5}{6}x^3$

따라서 Q는 P의 5배이다.

144) [정답] ①

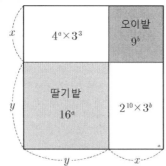

[해설]

오이밭의 한 변의 길이를 x라 하고
딸기밭의 한 변의 길이를 y라 하면

$xy = 4^a \times 3^3 = 2^{10} \times 3^b$이므로

$(2^2)^a \times 3^3 = 2^{10} \times 3^b$

$2^{2a} \times 3^3 = 2^{10} \times 3^b$

$2a = 10 \to a = 5, \ b = 3$

$\therefore a + b = 5 + 3 = 8$

145) [정답] ③

[해설] $A = 5x^2 - x - 4 - 4x^2 - 2x + 2 = x^2 - 3x - 2$

$B = -x^2 + 2x + x - 4 = -x^2 + 3x - 4$

$C = \dfrac{2(2x^2 - x + 4) - (5x^2 - x + 8)}{6}$

$= \dfrac{4x^2 - 2x + 8 - 5x^2 + x - 8}{6}$

$= \dfrac{-x^2 - x}{6}$

이제 $5A - [B + \{4A - 2(B - 3C)\}]$

$= 5A - \{B + (4A - 2B + 6C)\}$

$= 5A - (4A - B + 6C)$

$= A + B - 6C$

$= (x^2 - 3x - 2) + (-x^2 + 3x - 4) - 6 \times \left(\dfrac{-x^2 - x}{6} \right)$

$= -6 - (-x^2 - x)$

$= x^2 + x - 6$

146) [정답] ②

[해설]

$A + (-4x^2 y + 4xy - 2xy^2) = -7x^2 y + 12xy - 7xy^2$

$A = (-7x^2 y + 12xy - 7xy^2) - (-4x^2 y + 4xy - 2xy^2)$

$= -7x^2 y + 12xy - 7xy^2 + 4x^2 y - 4xy + 2xy^2$

$= -3x^2 y + 8xy - 5xy^2$

$B = (-3x^2 y + 8xy - 5xy^2) - (-4x^2 y + 4xy - 2xy^2)$

$= -3x^2 y + 8xy - 5xy^2 + 4x^2 y - 4xy + 2xy^2$

$= x^2 y + 4xy - 3xy^2$

$C \times \left(-\dfrac{1}{2}xy^2 \right)^2 = -\dfrac{x^5 y^6}{12}$

$C = \left(-\dfrac{x^5 y^6}{12} \right) \div \dfrac{1}{4}x^2 y^4$

$= \left(-\dfrac{x^5 y^6}{12} \right) \times \dfrac{4}{x^2 y^4} = -\dfrac{x^3 y^2}{3}$

$\therefore B \div C = (x^2 y + 4xy - 3xy^2) \div \left(-\dfrac{x^3 y^2}{3} \right)$

$= (x^2 y + 4xy - 3xy^2) \times \left(-\dfrac{3}{x^3 y^2} \right)$

$= -\dfrac{3}{xy} - \dfrac{12}{x^2 y} + \dfrac{9}{x^2}$

147) [정답] ②

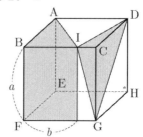

[해설]

$\overline{BI} = b$일 때, $\overline{IC} = a - b$

삼각기둥의 부피는 $\dfrac{1}{2} \times b \times a \times a = \dfrac{1}{2}a^2 b$

삼각뿔의 부피는

$\dfrac{1}{3} \times \dfrac{1}{2} \times (a - b) \times a \times a = \dfrac{1}{6}a^3 - \dfrac{1}{6}a^2 b$

따라서 남는 부분의 부피는

$a^3 - \left\{ \dfrac{1}{2}a^2 b + \left(\dfrac{1}{6}a^3 - \dfrac{1}{6}a^2 b \right) \right\}$

$= a^3 - \left(\dfrac{1}{6}a^3 + \dfrac{1}{3}a^2 b \right)$

$= \dfrac{5a^3}{6} - \dfrac{a^2 b}{3}$

148) [정답] ④

[해설] $\dfrac{a}{2^3 \times 3 \times 5^2 \times b}$가 유한소수가 되도록 하는 순서쌍 (a, b)는 $(3, 2)$, $(3, 4)$, $(3, 8)$, $(3, 5)$, $(6, 2)$, $(6, 4)$, $(6, 8)$, $(6, 5)$, $(9, 2)$, $(9, 4)$, $(9, 8)$, $(9, 3)$, $(9, 6)$, $(9, 5)$의 14개이다.

149) [정답] ⑤

[해설] ⑤ $\dfrac{3}{7}=0.\dot{4}2857\dot{1}$ 이므로 순환마디는 6개이다.

즉 $f(n)=f(n+6)$ 이므로

$f(19)=f(13)=f(7)=f(1)=4$ 이다.

따라서 $f(1)\times f(7)\times f(13)\times f(19)=4^4$ 이다.

150) [정답] ④

[해설] 준희가 본 분수는

$0.14\dot{6}=\dfrac{146-14}{900}=\dfrac{132}{900}=\dfrac{11}{75}$

태영이가 본 분수는 $0.7\dot{2}=\dfrac{72-7}{90}=\dfrac{65}{90}=\dfrac{13}{18}$

그런데 준희는 분모를, 태영이는 분자를 잘못 보

았으므로 처음 기약분수는 $\dfrac{11}{18}$ 이다.

따라서 $\dfrac{18}{11}=1.\dot{6}\dot{3}$ 이다.

151) [정답] ②

[해설] $A=0.\dot{a}bcd\dot{0}=\dfrac{10000a+1000b+100c+10d-a}{99990}$

$B=0.\dot{a}bc0\dot{d}=\dfrac{10000a+1000b+100c+d-a}{99990}$ 이므로

$A-B=\dfrac{10d-d}{99990}=\dfrac{9d}{99990}=\dfrac{d}{11110}$

152) [정답] ④

[해설] $\dfrac{1}{9}+\dfrac{1}{99}+\dfrac{1}{999}+\cdots$

$=0.\dot{1}+0.\dot{0}\dot{1}+0.\dot{0}0\dot{1}+\cdots$

이므로 n의 약수의 개수가 소수점 아래 n번째

자리의 숫자가 된다.

따라서 소수점 아래 30번째 자리의 숫자는 30의

약수의 개수인 8이다.

153) [정답] ③

[해설] $10^x=(2\times 5)^x$ 이고 1부터 2019까지의 곱에서

5의 거듭제곱의 지수는 2의 거듭제곱의 지수보다

작으므로 10^x 에서 x가 될 수 있는 값 중 가장

큰 값은 5의 거듭제곱의 지수와 같다.

1부터 2019까지 수에서 5의 배수는 403개, 5^2의

배수는 80개, 5^3의 배수는 16개, 5^4의 배수는 3

개이므로 1부터 2019까지의 곱에서 5의 거듭제

곱의 지수는 $403+80+16+3=502$ 이다.

즉, $1\times 2\times 3\times \cdots \times 2019$ 를 10^x 로 나누어 떨어질

때, 자연수 x의 값 중 가장 큰 값은 502이다.

154) [정답] ①

[해설] ⅰ) $x\geq 8$일 때,

$2^x\times 3^y\times 5^8=2^{x-8}\times 3^y\times 2^8\times 5^8$

$=2^{x-8}\times 3^y\times (2\times 5)^8$

$=2^{x-8}\times 3^y\times 10^8$

$2^{x-8}\times 3^y\times 10^8$ 이 10자리 자연수이려면

$2^{x-8}\times 3^y$ 가 2자리 자연수이어야 한다.

따라서 $2^{x-8}\times 3^y$ 가 2자리 자연수가 되도록 하는

x, y의 값을 순서쌍 (x,y)로 나타내면 $(8,3)$,

$(8,4)$, $(9,2)$, $(9,3)$, $(10,1)$, $(10,2)$, $(11,1)$,

$(11,2)$, $(12,1)$, $(13,1)$ 이다.

155) [정답] ②

[해설] 3, 3^2, $\cdots$, 3^9를 사용하여 가로, 세로, 대각선

으로 배열된 각각의 수의 곱이 모두 같도록 하려

면 가로, 세로, 대각선의 곱이 3^{15}가 되어야 한

다.

3^4	3^9	3^2
3^3	3^5	3^7
3^8	3	3^6

즉 위와 같이 배열해야 하므로 ♥의 값은 3^3이

다.

156) [정답] ⑤

[해설] 변 AB를 회전축으로 1회전 시킬 때 생기는

회전체는 밑면인 원의 반지름의 길이가 $3a^3b^2$이고

높이가 $4ab^3$인 원기둥이므로

$V_1=(3a^3b^2)^2\pi\times 4ab^3=9a^6b^4\pi\times 4ab^3=36a^7b^7\pi$

변 BC를 회전축으로 1회전 시킬 때 생기는 회

전체는 밑면인 원의 반지름의 길이가 $4ab^3$이고

높이가 $3a^3b^2$인 원기둥이므로

$V_2=(4ab^3)^2\pi\times 3a^3b^2=16a^2b^6\pi\times 3a^3b^2=48a^5b^8\pi$

따라서 $\dfrac{V_2}{V_1}=\dfrac{48a^5b^8\pi}{36a^7b^7\pi}=\dfrac{4b}{3a^2}$ 이다.

157) [정답] ①

[해설] $\dfrac{1}{x}+\dfrac{1}{y}=\dfrac{x+y}{xy}=3$ 이므로 $x+y=3xy$

$\dfrac{y}{x}+\dfrac{x}{y}=\dfrac{x^2+y^2}{xy}=\dfrac{5}{2}$ 이므로 $x^2+y^2=\dfrac{5}{2}xy$ 이다.

$\dfrac{5xy-(x+y)}{x^2+y^2+(x+y)}$ 에

$x+y=3xy$, $x^2+y^2=\dfrac{5}{2}xy$ 를 대입하면

$(5xy-3xy)\div(\dfrac{5}{2}xy+3xy)=2xy\div\dfrac{11}{2}xy=\dfrac{4}{11}$

158) [정답] ⑤

[해설] $A-[2B-\{A+(B-C)\}]$

$=A-\{2B-(A+B-C)\}$

$=A-(B-A+C)$

$=A-B+A-C$

$=2A-B-C$

$A=x^2-x+1$, $B=\dfrac{-8x^3+2x^2-6x}{-2x}=4x^2-x+3$

$C=(2xy)^3 \div xy^3 = \dfrac{8x^3y^3}{xy^3}=8x^2$을 대입하면

$2(x^2-x+1)-(4x^2-x+3)-8x^2$

$=2x^2-2x+2-4x^2+x-3-8x^2=-10x^2-x-1$

159) [정답] ①

[해설] $a+b+c=0$이므로 $a+b=-c$, $b+c=-a$,

$a+c=-b$이므로

$\dfrac{a+b}{c}+\dfrac{b+c}{a}+\dfrac{a+c}{b}=\dfrac{-c}{c}+\dfrac{-a}{a}+\dfrac{-b}{b}$

$\qquad\qquad = (-1)+(-1)+(-1)=-3$

160) [정답] ⑤

[해설] 길동이가 수영하는 속력을 초속 am, 강의 유속을 초속 bm라 하면

길동이가 수영장에서 왕복하는데 걸린 시간

$T_1=\dfrac{100}{a}$,

강에서 상류와 하류를 왕복하는 데 걸린 시간

$T_2=\dfrac{50}{a+b}+\dfrac{50}{a-b}=\dfrac{100a}{a^2-b^2}$

$\dfrac{100}{a}$와 $\dfrac{100a}{a^2-b^2}$의 대소를 비교를 하기위해 분자를 같도록 만들면

$\dfrac{100a}{a^2}$, $\dfrac{100a}{a^2-b^2}$

이때 $a^2>a^2-b^2$이므로

$\dfrac{100a}{a^2}<\dfrac{100a}{a^2-b^2}$ $\quad \therefore T_1 < T_2$

161) [정답] ①

[해설] $(a-b)x+(2a+3b)<0 \cdots \text{⊙}$에서

$(a-b)x<-2a-3b$

⊙의 해가 $3x+1>0$, 즉 $x>-\dfrac{1}{3}$ 이므로

$a-b<0 \cdots \text{ⓛ}$ $\quad \therefore x>\dfrac{-2a-3b}{a-b}$

$\dfrac{-2a-3b}{a-b}=-\dfrac{1}{3}$에서

$6a+9b=a-b$ $\quad \therefore a=-2b \cdots \text{ⓒ}$

ⓒ을 ⓛ에 대입하면 $-2b-b<0$ $\quad \therefore b>0$

ⓒ을 $(a-2b)x-(5a-2b)<0$에 대입하면

$-4bx+12b<0$, $-4bx<-12b$, $bx>3b$

이때 $b>0$이므로 $x>3$

162) [정답] ①

[해설] $\dfrac{5x+2a}{3}>2x$의 양변에 3을 곱하면

$5x+2a>6x$

$\therefore x<2a$

이를 만족하는 자연수 x가 3개이므로

$3<2a\le 4$

$\therefore \dfrac{3}{2}<a\le 2$

163) [정답] ④

[해설] 연립방정식 $\begin{cases} 8x+5y=4 \\ 3x-ay=17 \end{cases}$ 의 해에 각각 1을

더하면 연립방정식 $\begin{cases} -4x+7y=-37 \\ bx-3y=17 \end{cases}$ 의 해가

되므로 $\begin{cases} 8x+5y=4 \\ 3x-ay=17 \end{cases}$ 의 해는 연립방정식

$\begin{cases} 8x+5y=4 \\ -4(x+1)+7(y+1)=-37 \end{cases}$ 의 해와 같다.

$\begin{cases} 8x+5y=4 \\ -4(x+1)+7(y+1)=-37 \end{cases}$

$\Rightarrow \begin{cases} 8x+5y=4 \quad \cdots \text{⊙} \\ -4x+7y=-40 \cdots \text{ⓛ} \end{cases}$

⊙$+$ⓛ$\times 2$를 하면 $19y=-76$ $\quad \therefore y=-4$

$y=-4$를 ⊙에 대입하면 $8x-20=4$ $\quad \therefore x=3$

이때 $x=3$, $y=-4$를 $3x-ay=17$에 대입하면

$9+4a=17$ $\quad \therefore a=2$

$x=3+1=4$, $y=-4+1=-3$을 $bx-3y=17$에

대입하면 $4b+9=17$ $\quad \therefore b=2$

$\therefore a+b=4$

164) [정답] ①

[해설] 잘못 본 a의 값을 b라고 하면

$a=b-10$에서 $b=a+10$

따라서 연립방정식 $\begin{cases} (a+10)x-2y=20 \\ 3x+2y=1 \end{cases}$의 해가

$x=3$, $y=-4$이므로

$(a+10)x-2y=20$에 $x=3$, $y=-4$를 대입하면

$3(a+10)+8=20$, $a=-6$

이제 원래 연립방정식 $\begin{cases} -6x-2y=20 \\ 3x+2y=1 \end{cases}$에서

두 식을 더하면 $-3x=21$에서 $x=-7$, $y=11$

따라서 $p=-7$, $q=11$일 때

$\therefore a-p+q=(-6)-(-7)+11=12$

165) [정답] ④

[해설] B지점에서 x명이 내리고 y명이 탔다고 하면,
각 지점을 이용한 승객이 수는 $A \leftrightarrow B$가 x명,
$A \leftrightarrow C$가 $40-x$명, $B \leftrightarrow C$가 y명이다.

$$\begin{cases} 40-x+y=35 \\ 1000x+1500(40-x)+800y=58100 \end{cases}$$

$$\Rightarrow \begin{cases} -x+y=-5 & \cdots \text{㉠} \\ -5x+8y=-19 & \cdots \text{㉡} \end{cases}$$

㉠$\times 5 - $㉡을 하면 $-3y=-6$ $\quad \therefore y=2$

$y=2$를 ㉠에 대입하면 $-x+2=-5$ $\quad \therefore x=7$

따라서 B지점에서 탄 승객의 수와 내린 승객 수는 각각 7명, 2명이므로 합은 9명이다.

166) [정답] ⑤

[해설] 마름모의 개수를 x개, 정육각형의 개수를 y개라 하면

$$\begin{cases} x+y=13 & \cdots \text{㉠} \\ 2x+6y=42 & \cdots \text{㉡} \end{cases}$$

$2\times$㉠$-$㉡을 하면 $-4y=-16$ $\quad \therefore y=4$

$y=4$를 ㉠에 대입하면

$x+4=13$ $\quad \therefore x=9$

$\therefore x=9, \ y=4$

따라서 마름모는 9개이다.

167) [정답] ①

[해설] 배구를 선택한 남학생과 여학생의 수를 각각 x명, y명이라 하면

농구를 선택한 남학생 수는 $162 \times \dfrac{4}{9} = 72$(명)

여학생 수는 $162 \times \dfrac{5}{9} = 90$(명)

	남	여
배구	x	y
농구	72	90
총합	$x+72$	$y+90$

(단위:명)

$$\begin{cases} x:y=5:1 \\ x+72:y+90=3:2 \end{cases} \quad \text{즉,} \quad \begin{cases} 5y=x \\ 2x-3y=126 \end{cases}$$

$\therefore x=90, \ y=18$

따라서 2학년 전체 학생 수는

$(72+90)+(90+18)=270$명이다.

168) [정답] ③

[해설] 원의 둘레의 길이는 $2\pi \times 2 = 4\pi \, km$

부채꼴의 중심각의 크기를 $x°$라 할 때,

부채꼴의 넓이는 $\dfrac{x}{360} \times \pi \times 2^2 = \pi$에서 $x=90$

따라서 색칠한 부채꼴을 제외한 나머지 부채꼴의 호의 길이는 $\dfrac{270}{360} \times 2\pi \times 2 = 3\pi \, km$

따라서 2시간 동안 두 사람이 이동한 거리의 합이 $3\pi \, km$이므로

$$\begin{cases} 2x+2y=3\pi & \cdots \text{㉠} \\ x=\dfrac{3}{2}y & \cdots \text{㉡} \end{cases}$$

㉡식을 ㉠식에 대입하면 $3y+2y=3\pi$, $y=\dfrac{3}{5}\pi$

㉠에 대입하면 $x=\dfrac{9}{10}\pi$

따라서 A의 속력은 시속 $\dfrac{9}{10}\pi \, km$

169) [정답] ③

[해설] 수하가 집으로부터 뛰기 시작한 거리를 xm라 하고 뛰어가는 속력을 분속 ym라 하면

$$\begin{cases} x+10y=1200 \\ x+30y=3000 \end{cases}$$

두 식을 빼면 $20y=1800$에서 $y=90$, $x=300$

즉 수하는 집으로부터 $300m$ 떨어진 곳에서 분속 $90m$으로 뛰었다.

이제 뛰기 시작한지 t분 후에 집으로부터의 거리가 $4350m$가 된다면

$300+90t=4350$

$\therefore t=45$(분)

170) [정답] ④

[해설] 인수가 이동한 시간을 x시간, 인수의 속력을 시속 ykm라 하면
은비와 태현이의 이동한 시간, 속력은 다음 표와 같다.

	시간	속력	거리
은비	$x+4$	$y-3$	$(x+4)(y-3)$
태현	$x+2$	$y-2$	$(x+2)(y-2)$
인수	x	y	xy

세 사람이 이동한 거리가 모두 같으므로

$$\begin{cases} (x+4)(y-3)=xy \\ (x+2)(y-2)=xy \end{cases}$$

$$\rightarrow \begin{cases} xy-3x+4y-12=xy \\ xy-2x+2y-4=xy \end{cases}$$

$$\rightarrow \begin{cases} -3x+4y=12 & \cdots \text{㉠} \\ -2x+2y=4 & \cdots \text{㉡} \end{cases}$$

㉠$-$㉡$\times 2$에서 $x=4, \ y=6$

따라서 A도시에서 B도시까지의 거리는

$\therefore xy=24km$

171) [정답] ①

[해설] $\dfrac{x}{2} - \dfrac{x-1}{3} > \dfrac{7}{6}$ 에서

$3x - 2(x-1) > 7$, $3x - 2x + 2 > 7$ $\quad \therefore x > 5$

$a(x-2) + b(x+1) < 0$ 에서

$ax - 2a + bx + b < 0$, $(a+b)x < 2a - b$

두 부등식의 해는 같으므로 $a + b < 0$

즉, $x > \dfrac{2a-b}{a+b}$ 이므로 $\dfrac{2a-b}{a+b} = 5$

$2a - b = 5(a+b)$, $2a - b = 5a + 5b$ $\quad \therefore a = -2b$

$-2b + b < 0$, $-b < 0$ $\quad \therefore b > 0$

한편, $a(x-3) + b(4-3x) > 0$ 에서

$ax - 3a + 4b - 3bx > 0$

$a = -2b$ 를 대입하면

$-2bx + 6b + 4b - 3bx > 0$, $-5bx + 10b > 0$

$-5bx > -10b$ $\quad \therefore x < 2$

172) [정답] ①

[해설] $(a-b)x + a - 9b < 0$ 에서

$(a-b)x < 9b - a \cdots \bigcirc$

$\bigcirc$의 해가 $x > \dfrac{1}{3}$ 이므로 $a - b < 0 \cdots \bigcirc$

$\therefore x > \dfrac{9b-a}{a-b}$

$\dfrac{9b-a}{a-b} = \dfrac{1}{3}$ 에서 $27b - 3a = a - b$, $28b = 4a$

$\therefore a = 7b \cdots \bigcirc$

$\bigcirc$을 $\bigcirc$에 대입하면 $7b - b < 0$, $6b < 0$ $\quad \therefore b < 0$

$\bigcirc$을 $(a-4b)x + 3a - 6b \geq 0$ 에 대입하면

$3bx + 15b \geq 0$, $3bx \geq -15b$, $bx \geq -5b$

이때 $b < 0$ 이므로 $x \leq -5$

173) [정답] ④

[해설] $0.3(x-1) \leq 0.1(x-7) + a$

양변에 10을 곱하면

$3(x-1) \leq x - 7 + 10a$

$3x - 3 \leq x - 7 + 10a$

$2x \leq -4 + 10a$ $\quad \therefore x \leq \dfrac{-4+10a}{2}$

따라서 일차부등식을 만족시키는 자연수 x가 3개 이상이 되려면 $\dfrac{-4+10a}{2} \geq 3$

$-4 + 10a \geq 6$, $10a \geq 10$ $\quad \therefore a \geq 1$

174) [정답] ④

[해설] 미술관의 입장객 수를 x명이라 한다면

$1000 \times \left(1 - \dfrac{15}{100}\right) \times x > 1000 \times \left(1 - \dfrac{20}{100}\right) \times 40$

$\therefore x > \dfrac{640}{17}$

따라서 x는 자연수이므로 38명부터 40명의 단체 입장권을 사는 것이 유리하다.

175) [정답] ④

[해설] 집으로부터 약속 장소까지 거리를 $x$km라 하면 집에서 약속 장소까지 $\dfrac{1}{3}$ 지점까지 갔다가 집으로 돌아왔을 때 걸린 시간은

$\dfrac{1}{3}x \div 4 + \dfrac{1}{3}x \div 5 = \dfrac{3}{20}x$(시간)이다.

즉, $\dfrac{3}{20}x + \dfrac{5}{60} + \dfrac{x}{5} \leq \dfrac{35}{60}$

$9x + 5 + 12x \leq 35$, $21x \leq 30$ $\quad \therefore x \leq \dfrac{10}{7}$

176) [정답] ②

[해설] 연립방정식 $\begin{cases} 2x + 3y = 10 & \cdots \bigcirc \\ 4x - by + 2 = 10 & \cdots \bigcirc \end{cases}$ 와

연립방정식 $\begin{cases} ax + y = -1 & \cdots \bigcirc \\ 3x + 2y = 5 & \cdots \bigcirc \end{cases}$ 의 해가 같으므로 $\bigcirc \times 3 - \bigcirc \times 2$를 하면 $5y = 20$ $\quad \therefore y = 4$

$y = 4$를 $\bigcirc$에 대입하면

$2x + 3 \times 4 = 10$ $\quad \therefore x = -1$

$x = -1$, $y = 4$를 $\bigcirc$에 대입하면

$4 \times (-1) - 4b + 2 = 10$ $\quad \therefore b = -3$

$x = -1$, $y = 4$를 $\bigcirc$에 대입하면

$-a + 4 = -1$ $\quad \therefore a = 5$

$\therefore a - b = 5 - (-3) = 8$

177) [정답] ⑤

[해설] $x = 3$을 $2x + y = -2$에 대입하면

$6 + y = -2$ $\quad \therefore y = -8$

$x - y = 5$에서 5를 k로 잘못 보았다고 하면

$x - y = k$

연립방정식의 해 $x = 3$, $y = -8$을 대입하면

$3 - (-8) = k$ $\quad \therefore k = 11$

따라서 5를 11로 잘못 보았다.

178) [정답] ①

[해설] a와 b를 바꾸어 놓으면

$\begin{cases} bx + ay = 7 \cdots \bigcirc \\ ax + by = -8 \cdots \bigcirc \end{cases}$

$\bigcirc$에 $x = 1$, $y = -2$를 대입하면

$b - 2a = 7 \cdots \bigcirc$

$\bigcirc$에 $x = 1$, $y = -2$를 대입하면

$a - 2b = -8 \cdots \bigcirc$

$\bigcirc + \bigcirc \times 2$를 하면 $-3b = -9$ $\quad \therefore b = 3$

$b = 3$을 $\bigcirc$에 대입하면

$3 - 2a = 7$, $-2a = 4$ $\quad \therefore a = -2$

따라서 처음 연립방정식은

$\begin{cases} -2x + 3y = 7 \cdots ① \\ 3x - 2y = -8 \cdots ② \end{cases}$

$① \times 3 + ② \times 2$를 하면 $5y = 5$ $\quad \therefore y = 1$

$y = 1$을 $①$에 대입하면

$-2x + 3 = 7$, $-2x = 4$ $\quad \therefore x = -2$

179) [정답] ①

[해설] $x=2$, $y=1$을 $ax+by=5$에 대입하면

$2a+b=5$ $\cdots$ ㉠

또, $x=1$, $y=3$을 $ax+by=5$에 대입하면

$a+3b=5$ $\cdots$ ㉡

이때 ㉠$-$㉡$\times 2$를 하면 $-5b=-5$ $\therefore b=1$

$b=1$을 ㉡에 대입하면 $a+3=5$ $\therefore a=2$

한편, $x=2$, $y=1$을 $3x-2y=c$에 대입하면

$3\times 2-2\times 1=c$ $\therefore c=4$

$\therefore a+b-c=2+1-4=-1$

180) [정답] ①

[해설] B지점에서 탄 승객 수와 내린 승객 수를 각각 x명, y명이라 하면 A지점에서 B지점까지 이용한 승객 수는 y명, B지점에서 C지점까지 이용한 승객 수는 x명, A지점에서 C지점까지 이용한 승객 수는 $(30-y)$명이므로

$\begin{cases} 30+x-y=25 \\ 1200y+1000x+2000(30-y)=58000 \end{cases}$

$\therefore x=10$, $y=15$

따라서 B지점에서 탄 승객 수는 10명, 내린 승객 수는 15명이다.

181) [정답] ②

[해설] 직사각형의 짧은 변의 길이를 $x\,cm$, 긴 변의 길이를 $y\,cm$라 하면

$\begin{cases} -2x+3y=19 \cdots ㉠ \\ 3x+y=21 \cdots ㉡ \end{cases}$

㉠$-$㉡$\times 3$을 하면 $-11x=-44$ $\therefore x=4$

$x=4$를 ㉡에 대입하면 $12+y=21$ $\therefore y=9$

따라서 짧은 변의 길이는 $4\,cm$, 긴 변의 길이는 $9\,cm$이다.

182) [정답] ②

[해설] 일차함수 $f(x)=ax+b$라 하자.

$f(120)-f(1)=(120a+b)-(a+b)=119a$이므로

$\dfrac{f(120)-f(1)}{119}=\dfrac{119a}{119}=a$

$f(119)-f(2)=(119a+b)-(2a+b)=117a$이므로

$\dfrac{f(119)-f(2)}{117}=\dfrac{117a}{117}=a$

따라서 주어진 식은 $a+a+a+\cdots+a=180$

$60a=180$이므로 $a=3$

따라서 $f(x)=3x+b$일 때

$\therefore f(22)-f(15)$

$=(66+b)-(45+b)$

$=21$

183) [정답] ③

[해설] $y=-\dfrac{3}{2}x+p$의 x절편이 $\dfrac{2}{3}p$, y절편이 p이므로 $A(0,\ p)$, $D\left(\dfrac{2}{3}p,\ 0\right)$

$y=\dfrac{2}{5}x+q$의 x절편이 $-\dfrac{5}{2}q$, y절편이 q이므로 $B(0,\ q)$, $C\left(-\dfrac{5}{2}q,\ 0\right)$

(i) $\overline{AB}:\overline{BO}=2:1$이므로

$(p-q):q=2:1$에서 $p-q=2q$, $p=3q$

(ii) $\overline{CD}=9$에서 $\dfrac{2}{3}p-\left(-\dfrac{5}{2}q\right)=9$이므로

$\dfrac{2}{3}p+\dfrac{5}{2}q=9$

이제 (i), (ii)를 동시에 만족하는 p, q는

연립방정식 $\begin{cases} p=3q \cdots ㉠ \\ \dfrac{2}{3}p+\dfrac{5}{2}q=9 \cdots ㉡ \end{cases}$의 해이다.

㉠식을 ㉡식에 대입하면

$2q+\dfrac{5}{2}q=9$, $\dfrac{9}{2}q=9$에서 $q=2$

㉠식에 대입하면 $p=3\times 2=6$

$\therefore \dfrac{p}{q}=\dfrac{6}{2}=3$

184) [정답] ②

[해설] 두 점 $A(0,\ 6)$, $C(5,\ 0)$을 지나는 직선의 식은 $y=-\dfrac{6}{5}x+6$이고

$\triangle OAC=\dfrac{1}{2}\times 5\times 6=15$이다.

이때 $\triangle OAB:\triangle OBC=1:2$이므로

$\triangle OBC=15\times\dfrac{2}{3}=10$이다.

점 B가 $y=-\dfrac{6}{5}x+6$ 위의 점이므로

$B\left(k,\ -\dfrac{6}{5}k+6\right)$이라 할 때,

$\triangle OBC=\dfrac{1}{2}\times 5\times\left(-\dfrac{6}{5}k+6\right)=10$

$-\dfrac{6}{5}k+6=4$, $-\dfrac{6}{5}k=-2$, $k=\dfrac{5}{3}$

따라서 점 B의 좌표는 $\therefore B\left(\dfrac{5}{3},\ 4\right)$

185) [정답] ②

[해설] 일차함수 $y=-\dfrac{3}{4}x+3$이 x축과 만나는 점의

좌표를 A라고 하면 $A(4,0)$, y축과 만나는 점의 좌표를 B라고 하면 $B(0,3)$

$y=mx$와 $y=-\dfrac{3}{4}x+3$의 교점을 P

$y=nx$와 $y=-\dfrac{3}{4}x+3$의 교점을 Q라고 하면

$\triangle AOB = 3\times 4\times \dfrac{1}{2}=6$

$\triangle QOB = \triangle POA = \dfrac{1}{3}\triangle AOB = 2$

(i) 점 P의 y좌표를 a라고 하면

$4\times a\times \dfrac{1}{2}=2$ $\therefore a=1$

$y=1$을 $y=-\dfrac{3}{4}x+3$에 대입하면 $1=-\dfrac{3}{4}x+3$

$\therefore x=\dfrac{8}{3}$

즉 $y=mx$가 점 $P(\dfrac{8}{3},1)$을 지나므로

$1=\dfrac{8}{3}m$ $\therefore m=\dfrac{3}{8}$

(ii) 점 Q의 x좌표를 b라고 하면

$3\times b\times \dfrac{1}{2}=2$ $\therefore b=\dfrac{4}{3}$

$x=\dfrac{4}{3}$을 $y=-\dfrac{3}{4}x+3$에 대입하면

$y=-\dfrac{3}{4}\times \dfrac{4}{3}+3=2$

$y=nx$가 점 $Q(\dfrac{4}{3},2)$를 지나므로

$2=\dfrac{4}{3}n$ $\therefore n=\dfrac{3}{2}$

$\therefore m+n=\dfrac{3}{8}+\dfrac{3}{2}=\dfrac{15}{8}$

186) [정답] ③

[해설] 일차방정식 $ax-y-b=0$에서 $y=ax-b$의 그래프가 제1사분면을 지나지 않으려면 (기울기) $=a\le 0$, (y절편)$=-b\le 0$, $b\ge 0$이 성립해야 하고, 이 그래프가 점 $(1,-3)$을 지나므로 $a+3-b=0$ 을 만족해야 한다.

즉 $a\le 0$, $b\ge 0$이면서 $a-b=-3$을 만족하는 정수 a,b의 값을 순서쌍으로 나타내면 $(0,3)$, $(-3,0)(-1,2)$, $(-2,1)$ 이므로 정수 a의 값은 4개다

187) [정답] ⑤

[해설] (i) 두 점 $(1,3)$, $(3,5)$을 지나는

직선의 기울기는 $\dfrac{5-3}{3-1}=\dfrac{2}{2}=1$

따라서 일차함수의 식을 $y=x+b$라 할 때, $x=1$, $y=3$을 대입하면

$3=1+b \to b=2$

기울기는 잘못 보았으므로 y절편 $b=2$

(ii) 두 점 $(0,-1)$, $(2,3)$을 지나는 직선의 기울기 $a=\dfrac{3-(-1)}{2-0}=\dfrac{4}{2}=2$

y절편을 잘못 보았으므로 기울기 $a=2$

(i), (ii)에서 $y=ax+b$는 $y=2x+2$

이 그래프가 점 $(9,k)$을 지나므로

$\therefore k=18+2=20$

188) [정답] ③

[해설] 점 B의 y좌표가 -1이므로 $y=-1$을 $y=-x+5$에 대입하면

$-1=-x+5$ $\therefore x=6$ $\therefore B(6,-1)$,

점 C의 좌표를 $(k,-1)$이라 하면

사각형 $ABCD$의 넓이가 18이므로

$6\times (k-6)=18$ $\therefore k=9$ $\therefore C(9,-1)$

$y=ax+b$와 $y=-x+5$의 그래프가 평행하므로 $a=-1$

$y=-x+b$의 그래프가 점 $C(9,-1)$을 지나므로

$-1=-9+b$ $\therefore b=8$

$\therefore y=-x+8$

따라서 사각형 $ABCD$를 y축을 회전축으로 1회전 시킨 회전체는 다음 그림과 같다.

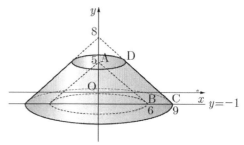

따라서 회전체의 부피는

$\dfrac{1}{3}\times 9^2\pi \times 9-\left(\dfrac{1}{3}\times 3^2\pi \times 3\right)-\left(\dfrac{1}{3}\times 6^2\pi \times 6\right)$

$=162\pi$

189) [정답] ③

[해설] 점 A의 좌표는 $3x-y-3=0$에 $y=1$을 대입하면 $3x-1-3=0$ $\therefore x=\dfrac{4}{3}$ $\therefore A\left(\dfrac{4}{3},1\right)$

점 B의 좌표는 $3x-y-3=0$에 $y=-4$을 대입하면 $3x+4-3=0$ $\therefore x=-\dfrac{1}{3}$ $\therefore B\left(-\dfrac{1}{3},-4\right)$

사각형 $ABCD$가 평행사변형이므로 $y=ax+b$에서 $a=3$이고, 사각형 $ABCD$의 높이가 5이므로 사각형 $ABCD$의 넓이가 $\dfrac{25}{3}$이 되기 위해서는 밑변의 길이가 $\dfrac{5}{3}$이 되어야 한다.

즉, $y=3x+b$의 그래프가 점 $\left(-\dfrac{1}{3},1\right)$을 지나야 하므로 $1=-1+b$ $\therefore b=2$

$\therefore a+b=5$

190) [정답] ③

[해설] 점 A가 $y=2x$ 위의 점이므로

점 A, B의 x좌표를 a라 하면 $A(a,2a)$, $B(a,0)$

이때 $\overline{AB}=\overline{BC}=2a$이므로 $C(3a,0)$, $D(3a,2a)$

이제 점 $D(3a,2a)$가 $y=-\dfrac{2}{3}x+4$ 위의 점이므로 대입하면 $2a=-2a+4$, $a=1$

이제 정사각형 $ABCD$의 넓이를 이등분하는 직선은 정사각형의 두 대각선의 교점을 지나야 한다.

정사각형의 두 대각선의 교점을 F라 하면 $A(1,2)$, $C(3,0)$에서 $F(2,1)$

또한

연립방정식 $\begin{cases} y=2x \\ y=-\dfrac{2}{3}x+4 \end{cases}$의 해가 $x=\dfrac{3}{2}$, $y=3$이므로 $E\left(\dfrac{3}{2},3\right)$

따라서 정사각형의 넓이를 이등분하는 직선은 두 점 $E\left(\dfrac{3}{2},3\right)$, $F(2,1)$를 지나는 직선이므로 기울기는 -4

따라서 직선의 식을 $y=-4x+b$라 할 때, $x=2$, $y=1$을 대입하면 $1=-8+b$에서 $b=9$

$\therefore y=-4x+9$

191) [정답] ①

[해설] 직선 l은 원점과 점 $(1, 3)$을 지나는 직선이므로 직선의 식은 $y=3x$이다.

직선 n은 y절편이 6이므로 방정식을 $y=ax+6$이라 할 때, 점 $(1, 3)$을 지나므로 $3=a+6$ → $a=-3$에서 직선의 방정식은 $y=-3x+6$이다.

이때 점 A, D의 x좌표를 k라 하면 $A(k, 0)$, $D(k, 3k)$에서 $\overline{AD}=3k$이므로

$\overline{AB}=3k$에서 $B(4k, 0)$, $D(4k, 3k)$

그런데 점 $B(4k, 0)$이 직선 $n:y=-3x+6$ 위의 점이므로 $0=-12k+6$에서 $k=\dfrac{1}{2}$이므로

점 C의 좌표는 $C\left(2, \dfrac{3}{2}\right)$이다.

이제 직선 m은 두 점 $(1, 3)$와 $\left(2, \dfrac{3}{2}\right)$을 지나는 직선이므로

기울기는 $\left(\dfrac{3}{2}-3\right)\div(2-1)=-\dfrac{3}{2}$

직선의 식을 $y=-\dfrac{3}{2}x+b$라 할 때 $x=1$, $y=3$을 대입하면

$3=-\dfrac{3}{2}+b$, $b=\dfrac{9}{2}$

$\therefore y=-\dfrac{3}{2}x+\dfrac{9}{2}$

192) [정답] ④

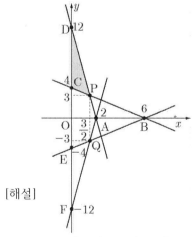

[해설]

두 점 $A(2, 0)$와 $D(0, 12)$을 지나는 직선의 y절편이 12이고

기울기는 $\dfrac{12-0}{0-2}=-6$이므로

직선의 식은 $y=-6x+12$ …㉠

두 점 $B(6,0)$와 $C(0, 4)$을 지나는 직선의 y절편이 4이고

기울기는 $\dfrac{4-0}{0-6}=-\dfrac{2}{3}$이므로

직선의 식은 $y=-\dfrac{2}{3}x+4$ …ⓛ

이제 점 P는 ㉠ 직선과 ⓛ 직선의 교점이므로

연립방정식 $\begin{cases} y=-6x+12 \\ y=-\dfrac{2}{3}x+4 \end{cases}$의 해 $x=\dfrac{3}{2}$, $y=3$에

대하여 $P\left(\dfrac{3}{2},\ 3\right)$

(i) $\overline{PQ}$와 $\overline{DF}$를 각각 지름으로 하는 원을 두 밑면으로 하는 원뿔대의 부피를 V_1라 하면

$$V_1 = \dfrac{1}{3} \times \left(\pi \times 12^2 \times 2 - \pi \times 3^2 \times \dfrac{1}{2}\right) = \dfrac{189}{2}\pi$$

(ii) $\overline{PQ}$와 $\overline{CE}$를 각각 지름으로 하는 원을 두 밑면으로 하는 원뿔대의 부피를 V_2라 하면

$$V_2 = \dfrac{1}{3} \times \left(\pi \times 4^2 \times 6 - \pi \times 3^2 \times \dfrac{9}{2}\right) = \dfrac{37}{2}\pi$$

이제 $\triangle PCD$를 x축을 중심으로 하여 1회전하였을 때의 회전체의 부피는

$$\therefore V_1 - V_2 = \dfrac{189-37}{2}\pi = 76\pi$$

193) [정답] ②
[해설] B주차장의 이용요금 그래프의 기울기는
$\dfrac{8000-0}{150-0} = \dfrac{160}{3}$이고 점 $(0,0)$을 지나므로
$y = \dfrac{160}{3}x$

A주차장의 이용요금 그래프의 기울기는
$\dfrac{8000-1400}{180-0} = \dfrac{110}{3}$이고 y절편은 1400이므로
$y = \dfrac{110}{3}x + 1400$

A주차장을 이용하는 것이 B주차장을 이용하는 것보다 이용요금이 저렴하려면

$\dfrac{110}{3}x + 1400 < \dfrac{160}{3}x$

$1400 < \dfrac{50}{3}x$ $\therefore x > 84$

따라서 84분을 초과로 주차할 때, A주차장을 이용하는 것이 더 저렴하다.

194) [정답] ②

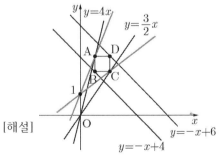

[해설]
일차방정식 $4x-y=0$의 직선의 그래프 위의 점 A의 좌표를 $(a,4a)$라 하면 $\overline{AD}$는 x축에 평행하

고, □ABCD는 정사각형이므로
B의 x좌표도 a이다. 따라서 $B(a,4-a)$이다.
이때 정사각형의 한 변의 길이는
$4a-(4-a)=5a-4$
점 C의 좌표는 $(6a-4,9a-6)$
점 D의 좌표는 $(6a-4,-6a+10)$
$\overline{AB}=\overline{CD}$이므로
$5a-4=-6a+10-(9a-6)$
$5a-4=-15a+16$
$20a-20$ $\therefore a-1$
따라서 사각형 ABCD와 직선 $y=kx+1$가 두 점에서 만나도록 하는 상수 k값의 범위는 직선 $y=kx+1$이 점 $A(1,4)$을 지날 때의 k값 보다는 작고 점 $C(2,3)$를 지날 때보다는 커야 한다.
i) 점 $A(1,4)$를 지날 때 k값은
$4=k+1$ $\therefore k=3$
ii) 점 $C(2,3)$를 지날 때 k값은
$3=2k+1$ $\therefore k=1$
$\therefore 1<k<3$

195) [정답] ⑤
[해설] 하나가 잘못 본 일차함수는 $y=-ax+b$이고 이 그래프는 $(-1,2)$를 지나므로
$2=a+b$ …㉠
세화가 잘못 본 일차함수는 $y=ax-b$이고, 이 그래프는 $(-3,4)$를 지나므로
$4=-3a-b$ …㉡
㉠+㉡을 하면 $6=-2a$ $\therefore a=-3$
$a=-3$을 ㉠에 대입하면
$-3+b=2$ $\therefore b=5$
따라서 처음 일차함수는 $y=-3x+5$이고 이 그래프의 x절편은 $\dfrac{5}{3}$이다.

196) [정답] ④
[해설] 두 점 $(0,1)$, $(2,0)$을 지나는 직선의 기울기는
$\dfrac{0-1}{2-0} = -\dfrac{1}{2}$이므로 색칠한 부분을 지나는 일차함수의 기울기를 a라 하면 $-\dfrac{1}{2} \le a \le 0$이다.
따라서 색칠한 부분만을 지나는 일차함수는 ④이다.

197) [정답] ①

[해설] 사각형 $OCBA$는 정사각형이므로 $C(6,\,0)$, $B(6,\,6)$이고 넓이는 $6\times 6=36$이다.

$\triangle ABD=\dfrac{1}{3}\square OCBA$이므로

$\dfrac{1}{2}\times 6\times \overline{BD}=\dfrac{1}{3}\times 36 \quad \therefore \overline{BD}=4$

$\therefore D(6,\,2)$

직선 AD는 점 $(0,\,6)$, $(6,\,2)$를 지나므로 기울기는 $\dfrac{2-6}{6-0}=-\dfrac{2}{3}$

198) [정답] ④

[해설] $y=cx+d$의 그래프가 원점을 지나므로 $d=0$

$y=cx+b$와 $y=ax+b$의 y절편은 b로 같고 y절편의 값이 음수이므로 $b=-3$이고 $y=cx+b$의 그래프가 $y=ax+b$의 그래프보다 가파르므로 $a=5,c=7$이다.

따라서 $f(x)=-3x+5$이므로

$f(-5)=-3\times(-5)+5=20$이다.

199) [정답] ①

[해설] 종이컵을 한 개 더 쌓을 때마다 0.5cm씩 높아지므로 $y=7.5+0.5(x-1)$, 즉 $y=0.5x+7$

$\therefore b=0.5,\ c=7$

$x=100$, $y=a$를 대입하면

$a=7.5+0.5(100-1) \quad \therefore a=57$

$\therefore a+2b+c=57+2\times 0.5+7=65$

200) [정답] ①

[해설] 연준: 두 점 $(-1,\,0)$, $(2,\,-3)$을 지나므로

$(기울기)=\dfrac{-3-0}{2-(-1)}=-1$

y절편을 p라 하면 $y=-x+p$

$y=-x+p$에 $x=-1$, $y=0$을 대입하면

$0=1+p \quad \therefore p=-1$

따라서 일차함수의 식은 $y=-x-1$

$\therefore x+y+1=0$

이때 b는 바르게 보았으므로 $b=1$

민기: 두 점 $(-1,\,10)$, $(2,\,-2)$을 지나므로

$(기울기)=\dfrac{-2-10}{2-(-1)}=-4$

y절편을 q라 하면 $y=-4x+q$

$y=-4x+q$에 $x=2$, $y=-2$를 대입하면

$-2=-8+q \quad \therefore q=6$

따라서 일차함수의 식은

$y=-4x+6 \quad \therefore 4x+y-6=0$

이때 a는 바르게 보았으므로 $a=4$

$4x+y+1=0$의 그래프는 점 $(-2,\,k)$를 지나므로

$-8+k+1=0 \quad \therefore k=7$

201) [정답] ⑤

[해설] A좌표를 $(a,0)$, B좌표를 $(b,0)$이라 하면

$y=x+5$에 $x=a$를 대입하면 $y=a+5$

따라서 점 D의 좌표는 $(a,a+5)$

$y=-2x+5$에 $x=b$를 대입하면 $y=-2b+5$

따라서 점 C의 좌표는 $(b,-2b+5)$

이때 사각형 $ABCD$는 정사각형이므로

$\overline{AD}=\overline{BC}$

$a+5=-2b+5,\ a=-2b \cdots$ ㉠

$\overline{AD}=\overline{AB}$

$a+5=b-a,\ 2a-b=-5 \cdots$ ㉡

㉠을 ㉡에 대입하면

$-4b-b=-5,\ -5b=-5 \quad \therefore b=1$

$b=1$를 ㉠에 대입하면 $a=-2\times 1 \quad \therefore a=-2$

따라서 사각형 $ABCD$는 한 변의 길이가

$1-(-2)=3$인 정사각형이므로 넓이 $S=3^2=9$

$y=-2x+5$의 x절편은 $\dfrac{5}{2}$, $y=x+5$의 x절편은 -5이므로 두 일차함수의 그래프와 x축으로 둘러싸인 삼각형의 넓이

$T=\dfrac{1}{2}\times 5\times\left\{\dfrac{5}{2}-(-5)\right\}=\dfrac{75}{4}$

따라서 $S:T=9:\dfrac{75}{4}=36:75=12:25$이다.

202) [정답] ①

[해설] $y=\dfrac{2}{3}x+2$에 $x=0$을 대입하면 $y=2$

$y=0$을 대입하면 $0=\dfrac{2}{3}x+2 \quad \therefore x=-3$

따라서 $A(-3,0)$, $B=(0,2)$이므로

$\triangle BAO=\dfrac{1}{2}\times 3\times 2=3$이고,

$\triangle BAO:\triangle CBD=3:2$이므로

$3\triangle CBD=2\triangle BAO$

$3\triangle CBD=2\times 3=6 \quad \therefore \triangle CBD=2$

$y=ax+6$에 $x=0$을 대입하면 $y=6$이므로

$C(0,6)$이고 점 D의 x좌표를 m이라 하면

$\triangle CBD$의 넓이가 2이므로

$\dfrac{1}{2}\times 4\times m=2,\ 2m=2 \quad \therefore m=1$

$y=\dfrac{2}{3}x+2$에 $x=1$을 대입하면

$y=\dfrac{2}{3}+2=\dfrac{8}{3}$

즉 교점의 좌표가 $\left(1,\dfrac{8}{3}\right)$이므로

$y=ax+6$에 $x=1$, $y=\dfrac{8}{3}$을 대입하면

$\dfrac{8}{3}=a+6 \quad \therefore a=-\dfrac{10}{3}$

203) [정답] ⑤

[해설] 주어진 도형의 넓이는 $2 \times 2 \times 4 = 16$

이 도형의 넓이를 이등분하는 직선이 점 $(0,7)$을 지나므로 직선의 y절편은 7이다.

직선의 방정식을 $y = ax + 7$라 하고

$y = 0$을 대입하면 $0 = ax + 7$ $\therefore x = -\dfrac{7}{a}$

$y = ax + 7$에 $y = 6$을 대입하면

$6 = ax + 7$, $-1 = ax$ $\therefore x = -\dfrac{1}{a}$

따라서 주어진 도형을 이등분하는 직선은 아래 그림과 같고

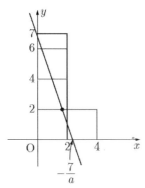

$\dfrac{1}{2} \times \left(-\dfrac{7}{a}\right) \times 7 - \dfrac{1}{2} \times \left(-\dfrac{1}{a}\right) \times 1 = 8$이므로

$-\dfrac{49}{2a} + \dfrac{1}{2a} = 8$, $-\dfrac{48}{2a} = 8$, $-48 = 16a$ $\therefore a = -3$

즉 직선의 방정식은 $y = -3x + 7$이므로 $y = 2$를 대입하면

$2 = -3x + 7$, $3x = 5$ $\therefore x = \dfrac{5}{3}$

$y = 2$의 그래프와 만나는 점은 $\left(\dfrac{5}{3}, 2\right)$이므로

$6(A+B) = 6\left(\dfrac{5}{3} + 2\right) = 22$이다.

204) [정답] ④

[해설] 가은이는 x의 계수를 잘못 보았으므로 b는 바르게 보고 풀었다. 가은이가 그린 두 점 $(-1, 6)$, $(1, 2)$를 지나는 직선의 기울기는

$\dfrac{2-6}{1-(-1)} = \dfrac{-4}{2} = -2$이므로

일차함수의 식을 $y = -2x + b$라 하면

이 직선이 $(1, 2)$를 지나므로 $2 = -2 + b$ $\therefore b = 4$

나희는 상수항을 잘못 보았으므로 a는 바르게 보고 풀었다. 나희가 그린 두 점 $(2, 3)$, $(6, 11)$을 지나는 직선의 기울기는 $\dfrac{11-3}{6-2} = \dfrac{8}{4} = 2$이므로

(기울기) $= a = 2$이다.

즉 바르게 본 일차함수의 식은 $y = 2x + 4$이므로 $y = 0$을 대입하면 $0 = 2x + 4$ $\therefore x = -2$

따라서 바르게 그려진 일차함수의 그래프의 x절편은 -2이다.

205) [정답] ④

[해설] $\angle ABC = 150°$이므로 $\angle A + \angle C = 30°$

$\triangle ABE$에서 $\angle AEB = \angle ABE = \angle a$

$\triangle CDB$에서 $\angle CDB = \angle CBD = \angle b$라 하면

$\angle A + 2\angle a + \angle C + 2\angle b = 360°$

$2(\angle a + \angle b) = 330°$

$\therefore \angle a + \angle b = 165°$

$\triangle BDE$에서 $\angle BDC + \angle AEB = \angle a + \angle b = 165°$

이므로 $\angle DBE = 180° - 165° = 15°$

$\therefore \angle ABD + \angle CBE = 150° - \angle DBE = 135°$

206) [정답] ④

[해설] $\triangle ABC$는 $\overline{AB} = \overline{AC}$인 이등변삼각형이므로

$\angle B = \angle C = \dfrac{1}{2}(180° - 40°) = 70°$

$\triangle BDM$은 $\overline{BM} = \overline{DM}$인 이등변삼각형이므로

$\angle DMB = 180° - (70° + 70°) = 40°$

마찬가지로 $\triangle CEM$은 $\overline{ME} = \overline{MC}$인 이등변삼각형이므로 $\angle EMC = 40°$

$\therefore \angle DME = 180° - (40° + 40°) = 100°$

따라서 부채꼴 DME는 중심각의 크기가 $100°$이고 반지름의 길이는 $6cm$이므로 넓이는

$6^2\pi \times \dfrac{100}{360} = 10\pi \, (cm^2)$이다.

207) [정답] ①

[해설] 보조선 $\overline{BF}$를 그으면 $\triangle BEF$와 $\triangle BCF$에서

$\overline{BE} = \overline{BC}$, $\angle BEF = \angle BCF = 90°$, $\overline{BF}$는 공통

이므로 $\triangle BEF \equiv \triangle BCF$(RHS합동)

즉, $\overline{EF} = \overline{CF}$

$\triangle DEF$에서 $\angle EDF = 45°$이므로 $\overline{ED} = \overline{EF} = x$라 하면 $\overline{CF} = x$이므로 $\overline{DF} = \dfrac{11}{6} - x$

$\therefore 2\overline{DF} + \overline{DE} + \overline{EF} = 2\left(\dfrac{11}{6} - x\right) + x + x = \dfrac{11}{3}(cm)$

208) [정답] ④

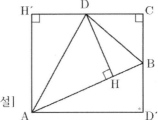

[해설]

$\triangle AH'D$와 $\triangle AHD$에서 $\overline{AD}$는 공통,

$\angle H' = \angle AHD = 90°$, $\angle H'AD = \angle HAD$(접은각)

이므로 $\triangle AH'D \equiv \triangle AHD$(RHA합동)이다.

$\triangle DBC$와 $\triangle DBH$에서

$\angle C = \angle DHB = 90°$ $\cdots$ ㉠

$\overline{DB}$는 공통 $\cdots$ ㉡, $\angle ADH + \angle HDB = 90°$

$\angle ADH' + \angle CDB = 90°$

이때 $\angle ADH = \angle ADH'$ 이므로

$\angle HDB = \angle CDB \cdots$ ㉢

㉠, ㉡, ㉢에서 $\triangle DBC \equiv \triangle DBH$(RHA합동)이다.

$\triangle AH'D \equiv \triangle AHD$에서 $\overline{H'D} = \overline{HD}$,

$\triangle DBC \equiv \triangle DBH$에서 $\overline{HD} = \overline{CD}$이므로

$\overline{H'D} = \overline{CD}$

즉 점 D는 $\overline{H'C}$의 중점이므로

$\triangle AH'D = \triangle ADC = \dfrac{1}{2}\triangle AH'C$

$\qquad = \dfrac{1}{4}\square AD'CH' = 60$

$\triangle DBC = \triangle DBH = a$라 하면

$\triangle ADB = \triangle AD'B = \triangle AHD + \triangle DBH$

$\qquad = 60 + a$

직사각형 모양의 종이의 넓이가 240이므로

$240 = \triangle AH'D + \triangle ADB + \triangle AD'B + \triangle DBC$

$\qquad = 60 + (60 + a) + (60 + a) + a$

$\qquad = 180 + 3a$

즉 $240 = 180 + 3a$이므로 $a = 20$

따라서 $\square ABCD = \triangle ADB + \triangle DBC$

$\qquad\qquad = (60 + 20) + 20$

$\qquad\qquad = 100$

209) [정답] ⑤

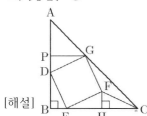

[해설]

위의 그림처럼 점 G에서 $\overline{AB}$에 내린 수선의 발을 점 P라 하면

$\triangle DBE$와 $\triangle GPD$에서 $\angle GPD = \angle DBE = 90°$

$\angle BDE + \angle GDP = 90°$

$\angle BDE + \angle DEB = 90°$ $\quad \therefore \angle GDP = \angle DEB$

$\overline{DE} = \overline{DG}$이므로 $\triangle DBE \equiv \triangle GPD$(RHA합동)이다.

$\overline{PD} = \overline{BE} = a\,cm$, $\overline{BD} = \overline{PG} = b\,cm$라 하면

$\triangle ABC$가 직각이등변삼각형이므로 $\angle A = 45°$,

따라서 $\triangle APG$도 직각이등변삼각형이므로

$\overline{PG} = \overline{AP} = b$

$\overline{DB} + \overline{BE} = 14$이므로 $a + b = 14 \cdots$ ㉠

$\overline{AB} = \overline{BC} = 24$이므로

$\overline{BD} + \overline{PD} + \overline{AP} = a + 2b = 24 \cdots$ ㉡

㉠ - ㉡을 하면 $-b = -10$ $\quad \therefore b = 10$

$b = 10$를 ㉠에 대입하면 $a + 10 = 14$ $\quad \therefore a = 4$

이때 점 F에서 $\overline{EC}$에 내린 수선의 발을 H라 하면

$\triangle BDE$와 $\triangle HEF$에서 $\overline{DE} = \overline{EF}$,

$\angle B = \angle FHE = 90°$

$\angle DEB + \angle BDE = 90°$

$\angle DEB + \angle FEH = 90°$ $\quad \therefore \angle BDE = \angle FEH$

따라서 $\triangle BDE \equiv \triangle HEF$(RHA합동)

$\therefore \overline{HF} = \overline{BE} = 4$, $\overline{EC} = \overline{BC} - \overline{BE} = 20$

$\triangle ADG = \dfrac{1}{2} \times 14 \times 10 = 70$,

$\triangle FEC = \dfrac{1}{2} \times 20 \times 4 = 40$이므로

$\triangle ADG$의 넓이는 $\triangle FEC$의 넓이의 $\dfrac{7}{4}$배이다.

210) [정답] ①

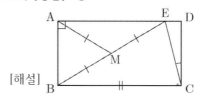

[해설]

$\overline{BE}$의 중점을 점 M이라 하면, M은 직각삼각형 $\triangle ABE$의 빗변의 중점이므로 외심이다.

따라서 $\overline{AM} = \overline{BM} = \overline{ME}$이고, $\overline{BC} = \overline{BE} = 2\overline{AB}$이므로 $\overline{BM} = \overline{AB}$이다. 즉 $\triangle ABM$은 세 변의 길이가 같은 정삼각형이므로 $\angle ABM = 60°$,

$\angle EBC = 30°$이고 $\triangle BEC$는 $\overline{BE} = \overline{BC}$인 이등변삼각형이므로

$\angle BEC = \angle BCE = \dfrac{1}{2}(180° - 30°) = 75°$

$\therefore \angle DCE = 90° - 75° = 15°$

211) [정답] ①

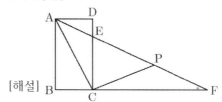

[해설]

$\overline{EF}$의 중점을 P라 하면 $\overline{AC} : \overline{EF} = 1 : 2$이므로

$\overline{EP} = \overline{FP} = \overline{AC}$

점 P는 $\triangle ECF$의 외심이므로 $\overline{EP} = \overline{PC} = \overline{PF}$

$\angle AFB = a$라 하면 $\angle PCF = \angle AFB = a$

$\triangle PCF$에서 $\angle APC$는 외각이므로

$\angle APC = 2a$

또, $\overline{AC} = \overline{PC}$이므로 $\angle CAP = \angle APC = 2a$

$\triangle ACF$에서 $\angle ACB$는 외각이므로

$\angle ACB = 2a + a = 3a$

즉, $3a = 180° - (36° + 90°) = 54°$

$\therefore a = 18°$

212) [정답] ③

[해설] 내심의 성질에 의해서

$\angle BAI = \angle CAI = a$, $\angle BCI = \angle ACI = b$라 하면

$\triangle ACD$에서 $\angle BDC = 2a + b = 95°$ ⋯ ㉠

$\triangle ACE$에서 $\angle AEB = a + 2b = 100°$ ⋯ ㉡

㉠+㉡을 하면 $3(a+b) = 195°$

$\therefore a + b = 65°$

즉, $2(a+b) = 2 \times 65° = 130°$이므로

$\angle B = 180° - 130° = 50°$

213) [정답] ④

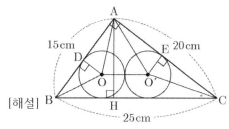

[해설]

두 원 O, O'의 반지름의 길이를 $r cm$라 하면

$\overline{OO'} = 2r cm$, $\overline{OD} = \overline{OE} = r cm$

점 A에서 $\overline{BC}$에 내린 수선의 발을 점 H라 하면

$\overline{AB} \times \overline{AC} = \overline{BC} \times \overline{AH}$이므로

$15 \times 20 = 25 \times \overline{AH}$ $\therefore \overline{AH} = 12 cm$

따라서 $\triangle AOO'$의 높이는 $12 - r (cm)$

$\triangle ABC = \triangle ABO + \triangle AOO' + \triangle AO'C + \square OBCO'$

$150 = \dfrac{1}{2} \times 15 \times r + \dfrac{1}{2} \times 2r \times (12 - r) + \dfrac{1}{2} \times 20 \times r$

$\qquad + \dfrac{1}{2} \times (25 + 2r) \times r$

$150 = 42r$ $\therefore r = \dfrac{25}{7}$

따라서 두 원 O, O'의 반지름의 길이는 $\dfrac{25}{7} cm$

이다.

214) [정답] ①

[해설] $\triangle AOC$에서 $\overline{OA} = \overline{OC}$이므로

$\angle AOC = 180° - 10° \times 2 = 160°$

$\angle ABC = \dfrac{1}{2} \angle AOC = \dfrac{1}{2} \times 160° = 80°$

따라서 $\triangle ABD$에서 $\angle ADE$는 외각이므로

$\angle ADE = 80° + 25° = 105°$

215) [정답] ⑤

[해설] 점 I가 $\triangle ABC$의 내심이므로

$\overline{DI} = \overline{IE} = \overline{IF}$

$\triangle AIF$와 $\triangle AID$에서

$\overline{AI}$는 공통, $\angle ADI = \angle AFI = 90°$, $\overline{DI} = \overline{IF}$이므로$\triangle AIF \equiv \triangle AID(RHS$합동)이고,

마찬가지로 $\triangle BID \equiv \triangle BIE$, $\triangle CIE \equiv \triangle CIF$이다.

점 O가 $\triangle ABC$의 외심이므로

$\overline{OA} = \overline{OB} = \overline{OC}$이다.

$\triangle OAG$와 $\triangle OBG$에서 $\overline{OG}$는 공통, $\overline{OA} = \overline{OB}$,

$\angle OGA = \angle OGB = 90°$이므로

$\triangle OAG \equiv \triangle OBG(RHS$합동)이고 마찬가지로

$\triangle OAJ \equiv \triangle OCJ$, $\triangle OCH \equiv \triangle OBH$이다.

따라서 옳은 것은 ⑤이다.

216) [정답] ⑤

[해설] $\angle ADB = 66° + 50° = 116°$

$\triangle ABD$에서 $\overline{AD} = \overline{BD}$이므로

$\angle ABD = \dfrac{180° - 116°}{2} = 32°$

내심의 성질에 의해 $\angle IBD = \dfrac{1}{2} \times 32° = 16°$

한편, $\triangle ADC$에서 $\angle DOC = 2 \times 66° = 132°$

$\overline{OD} = \overline{OC}$이므로

$\angle OCD = \dfrac{1}{2} \times (180° - 132°) = 24°$

따라서 $\triangle PBC$에서

$\angle IPO = 180° - (16° + 24°) = 140°$

217) [정답] ②

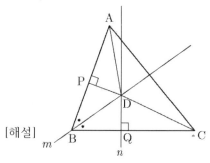

[해설]

ㄱ. 주어진 조건에서 $\overline{BC}$와 $\overline{AB}$의 길이가 같다는 조건이 없으므로 알 수 없다.

ㄴ. 직선 m은 $\angle B$의 이등분선이고,

직선 n은 $\overline{BC}$의 수직이등분선이므로 $\overline{BD} = \overline{CD}$

즉, $\angle DBC = \angle DCB$

$\therefore \angle ABD = \angle DCB$

ㄷ. 점 D에서 $\overline{AB}$에 내린 수선의 발을 P라 하면

$\triangle BPD$와 $\triangle BQD$에서

$\angle PBD = \angle QBD$, $\angle BPD = \angle BQD = 90°$

$\overline{BD}$는 공통이므로 $\triangle BPD \equiv \triangle BQD(RHA$합동)

$\therefore \overline{PD} = \overline{QD}$

ㄹ. $\overline{AB} = \overline{AC}$이면 직선 n이 $\angle A$의 이등분선이다. 즉, 직선 m과 n의 교점 D는 각의 이등분선의 교점이므로 내심이다.

ㅁ. $\triangle ABC$의 외심이 점 D와 일치한다면

$\overline{DA} = \overline{DB} = \overline{DC}$

그런데 이등변삼각형이라도

이 조건을 만족하므로 반드시 정삼각형은 아니다.

218) [정답] ②

[해설] 내접원의 반지름의 길이를 r라 하면

$$\frac{1}{2}r \times (6+8+10) = \frac{1}{2} \times 6 \times 8$$

$$12r = 24 \quad \therefore r = 2(cm)$$

내심의 성질에 의해

$$\triangle ADI \equiv \triangle AFI, \qquad \triangle BDI \equiv \triangle BEI,$$

$$\triangle CEI \equiv \triangle CFI$$

각각의 합동인 삼각형의 빗변을 맞닿게 붙이면 한 변의 길이가 2인 직사각형이 된다.

직사각형의 둘레의 길이는 $2 \times (24+2) = 52$

219) [정답] ③

[해설] $\triangle BEF$에서 $\angle FBE + \angle EFB = 90°$,

$\triangle DEC$에서 $\angle EDC + \angle ECD = 90°$이므로

$\angle EFB = \angle EDC \quad \cdots \bigcirc$

$\angle EFB = \angle DFA$ (맞꼭지각) $\quad \cdots \bigcirc$

$\bigcirc$, $\bigcirc$에 의해 $\overline{AD} = \overline{AF}$

$\overline{AF} = x$라 하면 $\overline{CA} = 16 - x$

$\overline{AB} = \overline{AC}$이므로 $6 + x = 16 - x$

$2x = 10 \quad \therefore x = 5 \,(\text{cm})$

220) [정답] ④

[해설] $\triangle ABY$에서 $\angle BAC = 2a$

$\overline{BA} = \overline{BC}$이므로 $\angle ACB = \angle BAC = 2a$

이때, $\overline{AB}$는 2번째 선분이다.

$\triangle BYC$에서 $\angle CBD = 3a$

$\overline{CB} = \overline{CD}$이므로 $\angle CDB = \angle CBD = 3a$

이때, $\overline{BC}$는 3번째 선분이다.

$\triangle DYC$에서 $\angle DCZ = a + 3a = 90°$

$4a = 90° \quad \therefore a = 22.5°$

이때, $\overline{CD}$는 4번째 선분이다.

같은 방법을 $\overline{NO}$는 15번째 선분이므로

$15b = 90° \quad \therefore b = 6$

$\therefore a - b = 22.5 - 6 = 16.5°$

221) [정답] ④

[해설] $\angle CDE = a$라 하면

$\overline{CD} = \overline{CE}$이므로 $\angle CED = \angle CDE = a$

$\angle BCD$는 $\triangle CDE$의 외각이므로

$\angle BCD = \angle CED + \angle CDE = a + a = 2a$

또, $\overline{AB} = \overline{AC}$이므로 $\angle ABC = \angle ACB = 2a$

$\angle CBD = \frac{1}{2}\angle ABC$이므로 $\angle CBD = a$

$\angle CBD = \angle DEB = a$이므로

$\triangle BED$는 $\overline{BD} = \overline{DE}$인 이등변삼각형이다.

따라서 $\overline{AD} = \overline{DE} = \overline{BD}$이므로

$\triangle ABD$는 이등변삼각형이므로

$\angle BAD = \angle ABD = a$

$\triangle ABC$에서 $a + 2a + 2a = 180° \quad \therefore a = 36°$

222) [정답] ⑤

[해설] $\overline{AB} = \overline{AC}$, $\overline{AD} = \overline{AE}$이므로

$\angle ABC = \angle ACB = a$,

$\angle ADE = \angle AED = b$라 놓으면

$\angle AED$는 $\triangle CDE$의 외각이므로

$\angle AED = \angle ECD + \angle CDE$

즉, $b = 8° + a \quad \cdots \bigcirc$

$\angle ADC$는 $\triangle ABD$의 외각이므로

$\angle ADC = \angle ABD + \angle BAD$

즉, $b + 8° = a + \angle BAD \quad \cdots \bigcirc$

$\bigcirc$을 $\bigcirc$에 대입하면

$(8° + a) + 8° = a + \angle BAD$

$\therefore \angle BAD = 16°$

223) [정답] ③

[해설] $\angle ABD = a$라 하면

$\overline{AD} = \overline{BD}$이므로 $\angle BAD = a$

$\overline{AB} = \overline{AC}$이므로 $\angle ACB = \angle ABC = a + 24°$

$\triangle ABC$에서

$a + (a + 24°) + (a + 24°) = 180°$

$3a = 132° \quad \therefore a = 44°$

또, $\triangle CDE$에서

$\angle DEC = \dfrac{180° - 68°}{2} = 56°$

$\angle DEC$는 $\triangle BDE$의 외각이므로

$\angle DEC = \angle EBD + \angle BDE$

$56° = 24° + \angle BDE$

$\therefore \angle BDE = 56° - 24° = 32°$

224) [정답] ①

[해설] $\triangle ABC$와 $\triangle EDC$에서

$\overline{AB} = \overline{ED}$, $\angle ACB = \angle ECD = 90°$,

$\angle BAC = \angle DEC = 35°$이므로

$\triangle ABC \equiv \triangle EDC$ (RHA합동)

$\therefore \overline{AC} = \overline{EC}$

한편, 두 점 A, E를 지나는 직선의 기울기는

$\dfrac{\overline{EC}}{\overline{AC}} = 1$

$y = x + b$라 놓고 $x = 2$, $y = 3$을 대입하면

$3 = 2 + b \quad \therefore b = 1$

따라서 두 점 A, E를 지나는 일차함수의 식은

$y = x + 1$

225) [정답] ②

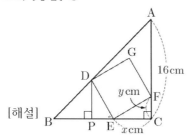

[해설]

점 D에서 $\overline{BC}$에 내린 수선의 발을 점 P라 하면
$\triangle EFC$와 $\triangle DEP$에서
$\overline{EF} = \overline{DE}$ ··· ㉠
$\angle ECF = \angle DPE = 90°$ ··· ㉡
$\angle CEF + \angle CFE = 90°$,
$\angle CEF + \angle PED = 90°$ 이므로
$\angle CFE = \angle PED$ ··· ㉢
㉠, ㉡, ㉢에 의해 $\triangle EFC \equiv \triangle DEP$ (RHA합동)
즉, $\overline{EC} = \overline{DP} = x$, $\overline{CF} = \overline{PE} = y$
그런데 $\triangle ABC$는 직각이등변삼각형이므로
$\angle ABC = 45°$ 이고
$\triangle DBP$도 직각이등변삼각형이다.
따라서 $\overline{DP} = \overline{BP} = x$
$\overline{BC} = x + y + x = 2x + y = 16$이므로
$x + y = 10$과 연립하여
$x = 6$, $y = 4$
$\therefore x - y = 2\,(\text{cm})$

226) [정답] ①

[해설] $\angle AOC$ 중 작은 각의 크기를 $a°$,
큰 각의 크기를 $b°$라 하면
$a = 2\angle B = 2 \times 75° = 150°$
$b = 360° - 150° = 210°$
$\triangle ACD$에서 $b = 2\angle D$이므로
$210° = 2\angle D$ $\therefore \angle D = 105°$

227) [정답] ②

[해설] $\triangle CEF$는 직각삼각형이고 $\overline{EG} = \overline{FG}$이므로
점 G는 $\triangle CEF$의 외심이다.
즉, $\overline{CG} = \overline{EG} = \overline{FG}$
$\triangle CGF$에서 $\angle GCF = \angle GFC = a$라 하면
$\angle CGE$는 외각이므로 $\angle CGE = 2a$
또, $\overline{AC} = \overline{CG}$이므로 $\angle CAG = \angle AGC = 2a$
$\angle ACB$는 $\triangle ACF$의 외각이므로
$\angle ACB = a + 2a = 3a = 54°$ $\therefore a = 18°$
$\triangle CEF$에서 $\angle EFC = a = 18°$이므로
$\therefore \angle CEG = 180° - (90° + 18°) = 72°$

228) [정답] ⑤

[해설] 점 O는 $\triangle ABC$의 외심이므로
$\angle BCA = \dfrac{1}{2}\angle BOA = \dfrac{1}{2} \times 90° = 45°$
$\angle BCO = 45° - 30° = 15°$
또, $\overline{OA} = \overline{OB} = \overline{OC}$, $\triangle AOB = 32\,\text{cm}^2$이므로
$\overline{OA} = \overline{OB} = \overline{OC} = 8\,(\text{cm})$
한편, $\triangle OBC$에서
$\angle BOC = 180° - 2 \times 15° = 150°$
따라서 부채꼴 BOC의 넓이는
$\pi \times 8^2 \times \dfrac{150°}{360°} = \dfrac{80}{3}\pi\,(\text{cm}^2)$

229) [정답] ④

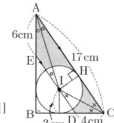

[해설]

내심의 성질에 의해
$\angle BAI = \angle CAI$, $\angle ACI = \angle BCI$ ··· ㉠
또, $\overline{ED} // \overline{AC}$이므로
$\angle CAI = \angle EIA$, $\angle ACI = \angle DIC$ ··· ㉡
㉠, ㉡에서
$\angle BAI = \angle EIA$, $\angle BCI = \angle DIC$이므로
$\overline{AE} = \overline{EI} = 6\,\text{cm}$, $\overline{CD} = \overline{ID} = 4\,\text{cm}$
또, 점 I에서 $\overline{AC}$에 내린 수선의 발을 H라 하면
$\overline{IH}$는 내접원의 반지름의 길이와 같으므로
$\overline{IH} = 3\,\text{cm}$
따라서 색칠한 부분의 넓이는
$\square AEDC$에서 반원을 뺀 값이다.
$\dfrac{1}{2} \times (10 + 17) \times 3 - \dfrac{1}{2}\pi \times 3^2 = \dfrac{81 - 9\pi}{2}\,(\text{cm}^2)$

230) [정답] ①

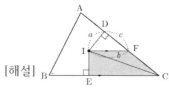

[해설]

내심의 성질에 의해 $\angle BCI = \angle ACI$
$\overline{IF} // \overline{BC}$이므로 $\angle FIC = \angle BCI$ (엇각)
즉, $\angle FIC = \angle FCI$이므로 $\overline{IF} = \overline{CF} = b$
또, 내심의 정의에 의해
$\overline{CD} = \overline{CE} = b + c$, $\overline{ID} = \overline{IE} = a$
따라서 사다리꼴 $IECF$의 넓이는
$\dfrac{1}{2} \times (b + b + c) \times a = \dfrac{1}{2}a(2b + c)$

231) [정답] ①

[해설] $\angle ABC = 2 \times \angle ABD = 2 \times 32° = 64°$

$\angle CBI = \angle ABI = 32°$

$\angle ACB = 180° - 56° - 64° = 60°$

한편, 점 I'은 $\triangle DBC$의 내심이므로

$\angle CBI' = \dfrac{1}{2} \angle CBI = \dfrac{1}{2} \times 32° = 16°$

$\angle BCI' = \dfrac{1}{2} \angle BCD = \dfrac{1}{2} \times 60° = 30°$

$\angle II'B$는 $\triangle CBI'$의 외각이므로

$\angle II'B = 16° + 30° = 46°$

232) [정답] ②

[해설] $\angle CAD = 180° - 72° = 108°$, $\overline{AC} = \overline{AD}$이므로

$\angle ADC = \dfrac{180° - 108°}{2} = 36°$

점 I'은 $\triangle ACD$의 내심이므로

$\angle ADI' = \dfrac{1}{2} \times 36° = 18°$

또, 점 I는 $\triangle ABC$의 내심이므로

$\angle DBO = \dfrac{1}{2} \angle ABC = \dfrac{1}{2} \times 38° = 19°$

따라서 $\triangle BOD$에서

$\angle IOI' = 180° - (19° + 18°) = 143°$

233) [정답] ⑤

[해설] $\angle BAI = \dfrac{1}{2} \angle BAC = \dfrac{1}{2} \times 72° = 36°$

$\angle BOC = 2 \angle BAC = 2 \times 72° = 144°$

$\overline{OB} = \overline{OC}$이므로 $\angle OBC = \dfrac{180° - 144°}{2} = 18°$

$\triangle ABE$에서 $\angle AED$는 외각이므로

$\angle AED = 36° + 42° + 18° = 96°$

234) [정답] ④

[해설] ① 평행사변형의 두 대각선은 서로 다른 것을 이등분하므로 $\overline{AO} = \overline{OC}$이다.

②, ③ $\triangle OAE$와 $\triangle OCF$에서 $\overline{OA} = \overline{OC}$

$\angle EAO = \angle FCO$(엇각),

$\angle AOE = \angle COF$(맞꼭지각)이므로

$\triangle OAE \equiv \triangle OCF$(ASA합동)

$\therefore \overline{OE} = \overline{OF}$

④ $\triangle OAE = \triangle OCF$이므로

$\square ABFE = \triangle ABC = \dfrac{1}{2} \square ABCD = 20cm^2$

⑤ $\triangle OAE + \triangle OBF = \triangle OCF + \triangle OBF = \triangle OBC$

$\qquad = \dfrac{1}{4} \square ABCD = 10cm^2$

235) [정답] ④

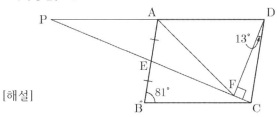

[해설]

$\overline{AD}$와 $\overline{CE}$의 연장선의 교점을 P라 하면

$\triangle AEP$와 $\triangle BEC$에서

$\overline{AE} = \overline{BE}$, $\angle PAE = \angle CBE$(엇각),

$\angle PEA = \angle CEB$(맞꼭지각)이므로

$\triangle AEP \equiv \triangle BEC$(ASA합동)

즉, $\overline{PA} = \overline{BC}$이므로 $\overline{PA} = \overline{AD}$

$\triangle PFD$에서 $\angle PFD = 90°$, $\overline{PA} = \overline{AD}$이므로 점 A는 $\triangle PFD$의 외심이다.

$\therefore \overline{PA} = \overline{FA} = \overline{DA}$

$\triangle AFD$에서 $\angle AFD = \angle ADF = 81° - 13° = 68°$

$\therefore \angle AFE = 90° - 68° = 22°$

236) [정답] ①

[해설] 사각형 $BECD$은 $\overline{BE} // \overline{DC}$이고 $\overline{BE} = \overline{CD}$이므로 한 쌍의 대변이 평행하고 그 길이가 같은 평행사변형이다.

$\therefore \angle BEC = \angle BDC = 44°$

$\overline{DC} // \overline{AB}$이므로 $\angle ABD = \angle BDC = 44°$(엇각)

$\triangle BEO$에서 $\angle ABO = \angle BEO + \angle BOE$이므로

$44° = 22° + \angle BOE$ $\therefore \angle BOE = 22°$

따라서 $\triangle BEO$는 $\overline{BE} = \overline{BO}$인 이등변삼각형이고 이때 $\overline{BE} = \overline{AB}$이므로 $\triangle ABO$는 $\overline{AB} = \overline{BO}$인 이등변삼각형이다.

$\therefore \angle BAO = \dfrac{1}{2}(180° - 44°) = 68°$

$\triangle ABO$에서

$\angle BOC = \angle BAO + \angle ABO = 44° + 68° = 112°$이므로 $\angle AOD = \angle BOC = 112°$(맞꼭지각)이다.

237) [정답] ⑤

[해설] 점 P가 출발한 지 t초 후 $\overline{AQ} // \overline{PC}$가 된다면

$\overline{AP} = 6t$, $\overline{CQ} = 9(t-3)$

즉, $6t = 9(t-3)$에서

$6t = 9t - 27$, $3t = 27$

$\therefore t = 9$

238) [정답] ③

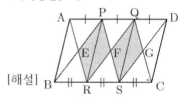

[해설]

$\overline{AD}=\overline{BC}$이므로 $\overline{AP}=\overline{PQ}=\overline{QD}=\overline{BR}=\overline{RS}=\overline{SC}$

□$ABRP$, □$PRSQ$, □$QSCD$는 모두 평행사변

형이다. □$ABRP$에서 $\triangle PER=\dfrac{1}{4}$□$ABRP$

$\triangle PER=\triangle PRF=\triangle QFS=\triangle QSG$이므로

□$ABRP=4\triangle PER=10$

$\therefore$ □$ABCD=3$□$ABRP=3\times 10=30$

239) [정답] ②

[해설] $\overline{AC}\perp\overline{DB}$이므로 $\triangle ABO$, $\triangle BCO$, $\triangle CDO$,

$\triangle ADO$는 모두 직각삼각형이다.

각각의 삼각형의 외심은 마름모의 각 변의 중점

에 있으므로 외심으로부터 점 O까지의 거리의

합과 같은 것은 $2\overline{AB}$이다.

240) [정답] ①

[해설] □$ABCD$의 넓이는 $\triangle ABO$, $\triangle BCO$,

$\triangle CDO$, $\triangle DAO$의 넓이의 합과 같으므로

$\overline{AB}=\overline{BC}=k$라 하면

□$ABCD=\dfrac{1}{2}\times\overline{AC}\times\overline{BD}$

$\qquad\quad =\dfrac{1}{2}k\times(\overline{OP}+\overline{OQ}+\overline{OR}+\overline{OS})$

그런데 $\angle ABC=60^\circ$, $\overline{AB}=\overline{BC}$이므로

$\triangle ABC$는 정삼각형이다. 즉, $\overline{AC}=\overline{AB}=k$

$\therefore \overline{OP}+\overline{OQ}+\overline{OR}+\overline{OS}=\overline{BD}$

241) [정답] ①

[해설] $\triangle ADQ$와 $\triangle ABP$에서 $\overline{AD}=\overline{AB}$,

$\angle ADQ=\angle ABP=90^\circ$, $\overline{AP}=\overline{AQ}$이므로

$\triangle ADQ\equiv\triangle ABP(RHS$합동)이다.

$\therefore \angle PAB=\angle QAD=32^\circ$

$\angle DAQ+\angle QAB=\angle PAB+\angle QAB=90^\circ$이므로

$\triangle PAQ$는 $\angle PAQ=90^\circ$인 직각이등변삼각형이

다.

$\therefore \angle AQP=45^\circ$

점 Q를 지나고 $\overline{PC}$와 평행한 선분이 $\overline{AB}$와 만

나는 점을 점 H라 하면

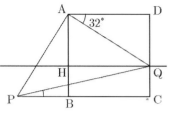

$\angle DAQ=\angle AQH=32^\circ$

$\angle QPC=\angle HQP$(엇각)

$\angle AQP=\angle AQH+\angle HQP$이므로

$45^\circ=32^\circ+\angle HQP$ $\quad\therefore \angle HQP=13^\circ$

$\therefore \angle QPC=\angle HQP=13^\circ$

242) [정답] ④

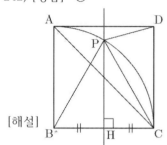

[해설]

$\overline{PH}$는 $\overline{BC}$의 수직이등분선이므로

$\overline{PB}=\overline{PC}$, $\overline{PB}=\overline{BC}$이므로

$\triangle PBC$는 정삼각형이다.

$\therefore \angle PBC=60^\circ$

또, $\overline{CP}=\overline{CD}$, $\angle PCD=30^\circ$이므로

$\angle DPC=\dfrac{180^\circ-30^\circ}{2}=75^\circ$

$\therefore \angle PBC+\angle BPD=60^\circ+(60^\circ+75^\circ)=195^\circ$

243) [정답] ②

[해설] $\overline{AD}/\!/\overline{BC}$인 등변사다리꼴 $ABCD$에서 점 A를

지나고 $\overline{CD}$에 평행한 직선이 $\overline{BC}$와 만나는 점을

P라 하면

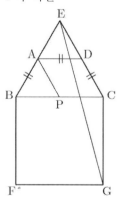

$\overline{AD}/\!/\overline{PC}$, $\overline{AP}/\!/\overline{DC}$이므로

□$APCD$는 평행사변형 $\therefore \overline{AD}=\overline{PC}$, $\overline{DC}=\overline{AP}$

이때 $\overline{BC}=2\overline{AD}$이므로 $\overline{BC}=2\overline{PC}$ $\therefore \overline{BP}=\overline{PC}$

$\triangle ABP$에서 $\overline{AB}=\overline{BP}=\overline{AP}$이므로

$\triangle ABP$는 정삼각형

$\therefore \angle ABP=60^\circ$, $\angle APB=\angle DCP=60^\circ$

이때 $\angle EAD = \angle ABP = 60°$ (동위각)

$\angle EDA = \angle DCB = 60°$ (동위각)이므로

$\triangle AED$는 정삼각형

$\therefore \overline{AE} = \overline{AD} = \overline{ED}$, $\angle AED = 60°$

따라서 $\triangle CEG$는 $\overline{CE} = \overline{CG}$인 이등변삼각형이고

$\angle ECG = 60° + 90° = 150°$이므로

$\angle CEG = \dfrac{1}{2}(180° - 150°) = 15°$

$\therefore \angle BEG = \angle AED - \angle CEG = 60° - 15° = 45°$

244) [정답] ③

[해설] $\overline{AE} /\!/ \overline{BD}$이므로 $\triangle ACE = \triangle ABE$

$\triangle ABE$와 $\triangle AFC$에서

$\overline{FA} = \overline{BA}$, $\overline{AE} = \overline{AC}$,

$\angle BAE = \angle CAE + \angle BAC$

$\qquad\quad = \angle FAB + \angle BAC$

$\qquad\quad = \angle FAC$

따라서 $\triangle ABE \equiv \triangle AFC$($SAS$합동)이다.

즉 $\triangle AFC = \triangle ABE = \triangle ACE$이고,

$\triangle ACE = \dfrac{1}{2} \square ACDE = 12cm^2$이므로

$\triangle AFC$의 넓이는 $12cm^2$이다.

245) [정답] ①

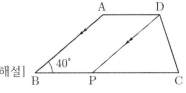

[해설]

점 D에서 $\overline{AB}$에 평행한 선분을 긋고

$\overline{BC}$와 만나는 점을 P라 하자.

$\square ABPD$는 평행사변형이므로

$\overline{AD} = \overline{BP}$, $\overline{AB} = \overline{DP}$

그런데 $\overline{AB} + \overline{AD} = \overline{BC}$이므로

$\overline{DP} + \overline{BP} = \overline{BP} + \overline{CP}$

$\therefore \overline{DP} = \overline{CP}$

$\triangle DPC$는 이등변삼각형이다.

$\angle DPC = \angle ABP = 40°$ (동위각)

$\angle PDC = \dfrac{180° - 40°}{2} = 70°$,

$\angle ADP = \angle ABC = 40°$

$\therefore \angle D = 40° + 70° = 110°$

246) [정답] ①

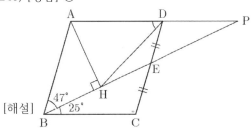

[해설]

$\angle BAD = 180° - (72°) = 108°$

$\triangle ABH$에서 $\angle BAH = 180° - (90° + 47°) = 43°$

이므로 $\angle DAH = 108° - 43° = 65°$

한편, $\overline{AD}$의 연장선과 $\overline{BE}$의 연장선의

교점을 P라 하자.

$\triangle DEP$와 $\triangle CEB$에서

$\overline{DE} = \overline{CE}$, $\angle DEP = \angle CEB$ (맞꼭지각),

$\angle DPE = \angle CBE$ (엇각)이므로

$\triangle DEP \equiv \triangle CEB$ (ASA합동)

$\therefore \overline{DP} = \overline{BC}$

그런데 $\overline{BC} = \overline{AD}$이므로 $\overline{AD} = \overline{DP}$

따라서 점 D는 $\triangle AHP$의 빗변의 중점이 되어

$\triangle AHP$의 외심이므로 $\overline{AD} = \overline{DP} = \overline{DH}$이고,

$\angle DHP = \angle DPH = 25°$이므로

$\angle ADH = 50°$

247) [정답] ②

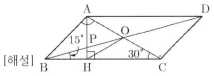

[해설]

점 A에서 $\overline{BC}$에 내린 수선의 발을 H라 하고,

$\overline{AH}$가 $\overline{BO}$와 만나는 점을 P라 하자.

$\triangle ACH$는 직각삼각형이고, $\overline{AO} = \overline{CO}$이므로

점 O는 $\triangle ACH$의 외심이다.

$\angle HAC = 60°$이므로

$\angle HOC = 2\angle HAC = 2 \times 60° = 120°$

또, $\triangle AHO$는 정삼각형이므로

$\overline{AO} = \overline{AH} = \overline{OH}$ $\cdots$ ㉠

한편, $\angle BOC = 180° - (15° + 30°) = 135°$

$\therefore \angle BOH = 135° - 120° = 15°$

$\angle HBO = \angle BOH = 15°$이므로 $\overline{BH} = \overline{OH}$ $\cdots$ ㉡

㉠, ㉡에 의해 $\overline{AH} = \overline{BH}$이므로

$\angle HAB = \angle HBA = 45°$

$\therefore \angle BAC = \angle HAB + \angle HAC = 45° + 60° = 105°$

248) [정답] ③

[해설] $\triangle PBQ$와 $\triangle ABC$에서

$\overline{PB} = \overline{AB}$ ··· ㉠

$\overline{BQ} = \overline{BC}$ ··· ㉡

$\angle PBQ + \angle QBA = 60°$,

$\angle QBA + \angle ABC = 60°$이므로

$\angle PBQ = \angle ABC$ ··· ㉢

㉠, ㉡, ㉢에 의해 $\triangle PBQ \equiv \triangle ABC$($ASA$합동)

즉, $\angle BPQ = \angle BAC = 85°$

$\angle BPA = 60°$이므로

$\angle APQ = 85° - 60° = 25°$

249) [정답] ②

[해설] $\square MNCD = \dfrac{1}{2}\square ABCD = \dfrac{1}{2}\times 24 = 12\,(\text{cm}^2)$

$\triangle OMN = \dfrac{1}{4}\square ABNM = \dfrac{1}{4}\times 12 = 3\,(\text{cm}^2)$

한편, $\triangle ABM$과 $\triangle DEM$에서

$\overline{AM} = \overline{DM}$, $\angle BAM = \angle EDM$(엇각),

$\angle AMB = \angle DME$(맞꼭지각)이므로

$\triangle ABM \equiv \triangle DEM$($ASA$합동)

$\therefore \triangle ABM = \triangle DEM = \dfrac{1}{2}\square ABNM$

$= \dfrac{1}{2}\times 12 = 6\,(\text{cm}^2)$

$\triangle ABN$과 $\triangle FCN$에서

$\overline{BN} = \overline{CN}$, $\angle ABN = \angle FCN$(엇각),

$\angle ANB = \angle FNC$(맞꼭지각)이므로

$\triangle ABN \equiv \triangle FCN$($ASA$합동)

$\therefore \triangle ABN = \triangle FCN = \dfrac{1}{2}\square ABNM$

$= \dfrac{1}{2}\times 12 = 6\,(\text{cm}^2)$

$\therefore \triangle EFO = \triangle OMN + \triangle DEM + \triangle FCN + \square MNCD$

$= 3 + 6 + 6 + 12 = 27\,(\text{cm}^2)$

250) [정답] ④

[해설] $\triangle ABC \equiv \triangle DCB$이므로

$\angle BAC = \angle CDB = 90° - x$

$\angle CDE = \dfrac{1}{2}\angle CDB = \dfrac{1}{2}(90° - x) = 45° - \dfrac{1}{2}x$

$\angle DCP = \angle BAC = 90° - x$ (엇각)이므로

$\triangle DPC$에서

$\left(45° - \dfrac{1}{2}x\right) + 96° + (90° - x) = 180°$

$-\dfrac{3}{2}x = -51°$ $\therefore x = 34°$

251) [정답] ⑤

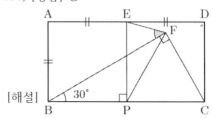

[해설]

점 E에서 $\overline{BC}$에 내린 수선의 발을 P라 하자.

$\square ABPE$는 정사각형이므로

$\overline{BP} = \overline{PE} = \overline{PC}$ ··· ㉠

이때 $\angle BFC = 90°$인 $\triangle FBC$에서

점 P가 빗변의 중점이므로

점 P는 $\triangle FBC$의 외심이며 $\overline{BP} = \overline{PF} = \overline{PC}$이다.

$\triangle FBP$에서 $\overline{BP} = \overline{PF}$이므로

$\angle PFB = \angle PBF = 30°$

외각인 $\angle FPC = 30° + 30° = 60°$

$\triangle EPF$에서

$\angle EPF = 90° - 60° = 30°$

또한 $\overline{PE} = \overline{PF}$이므로

$\angle PEF = \angle PFE = \dfrac{180° - 30°}{2} = 75°$

$\therefore \angle EFB = 75° - 30° = 45°$

252) [정답] ④

[해설] $\triangle ABP$는 정삼각형이므로

$\angle ABP = \angle BAP = 60°$

$\therefore \angle BAD = 60° + 54° = 114°$

또, $\angle ABC = 180° - 114° = 66°$이므로

$\angle CBP = 66° - 60° = 6°$

따라서 $\overline{BC} = \overline{AB} = \overline{BP}$이므로

$\angle BPC = \dfrac{180° - 6°}{2} = 87°$

253) [정답] ④

[해설] $\triangle ABF$와 $\triangle CDE$에서

$\overline{AB} = \overline{CD}$, $\angle ABF = \angle CDE = 90°$,

$\overline{BF} = \overline{DE}$이므로 $\triangle ABF \equiv \triangle CDE$($SAS$합동)

즉, $\angle BAF = \angle DCE = 30°$

$\triangle DHC$에서 $\angle CDH = 45°$이므로

$\angle DHC = 180° - (45° + 30°) = 105°$

254) [정답] ⑤

[해설] $\triangle ABE$와 $\triangle ADF$에서

$\overline{AB} = \overline{AD}$, $\overline{BE} = \overline{DF}$,

$\angle ABE = \angle ADF = 45°$이므로

$\triangle ABE \equiv \triangle ADF$ (SAS합동)

즉, $\angle BAE = \angle DAF = 28°$

또, $\triangle ABE$와 $\triangle CBE$에서

$\overline{AB} = \overline{BC}$, $\angle ABE = \angle CBE = 45°$,

$\overline{BE}$는 공통이므로 $\triangle ABE \equiv \triangle CBE$ (SAS합동)

즉, $\angle BCE = \angle BAE = 28°$

$\angle AEF = \angle ABE + \angle BAE = 45° + 28° = 73°$,

$\angle CEF = \angle CBE + \angle BCE = 45° + 28° = 73°$

$\therefore \angle AEC = \angle AEF + \angle CEF = 73° + 73° = 146°$

255) [정답] ①

[해설] $\triangle ABE$와 $\triangle ADF$에서

$\overline{AB} = \overline{AD}$, $\angle ABE = \angle ADF = 90°$,

$\overline{BE} = \overline{DF}$이므로 $\triangle ABE \equiv \triangle ADF$ (SAS합동)

즉, $\angle BAE = \angle DAF = 23°$

따라서 $\angle DAB = \angle DAE + \angle DAB$

$= \angle DAE + \angle DAF = \angle FAE = 90°$

$\therefore \angle FAG = \dfrac{1}{2} \times \angle FAE = \dfrac{1}{2} \times 90° = 45°$

$\therefore \angle DAG = \angle FAG - \angle FAD$

$= 45° - 23° = 22°$

256) [정답] ②

[해설] $\overline{DE} = 4\,\mathrm{cm}$, $\overline{BE} = 6\,\mathrm{cm}$

$\triangle ADO = \triangle ABO = \dfrac{1}{4}\square ABCD = \dfrac{1}{4} \times 100 = 25$

$\overline{AF} : \overline{FD} = \overline{BE} : \overline{EA} = 3 : 2$이므로

$\triangle DOF = \dfrac{2}{5}\triangle AOD = \dfrac{2}{5} \times 25 = 10\,(\mathrm{cm}^2)$

$\triangle BOE = \dfrac{3}{5}\triangle ABO = \dfrac{3}{5} \times 25 = 15\,(\mathrm{cm}^2)$

$\triangle AEF = \dfrac{1}{2} \times 4 \times 6 = 12\,(\mathrm{cm}^2)$

$\therefore \triangle EOF = \triangle ABD - (\triangle AEF + \triangle BOE + \triangle DOF)$

$= 50 - (12 + 15 + 10) = 13\,(\mathrm{cm}^2)$

257) [정답] ④

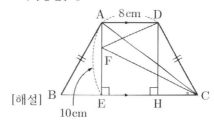

[해설]

$\triangle ADF = 8\,\mathrm{cm}^2$이므로 $\dfrac{1}{2} \times \overline{AF} \times 8 = 8$

$\therefore \overline{AF} = 2\,(\mathrm{cm})$

$\triangle AFC = 14\,\mathrm{cm}^2$이므로 $\dfrac{1}{2} \times 2 \times \overline{CE} = 14$

$\therefore \overline{CE} = 14\,(\mathrm{cm})$

점 D에서 $\overline{BC}$에 내린 수선의 발을 H라 하면

$\overline{EH} = \overline{AD} = 8\,\mathrm{cm}$, $\overline{AB} = \overline{CD}$이므로

$\overline{BE} = \overline{CH} = 6\,\mathrm{cm}$

따라서 사다리꼴 $ABCD$의 넓이는

$\dfrac{1}{2} \times (8 + 20) \times 10 = 140\,(\mathrm{cm}^2)$

258) [정답] ③

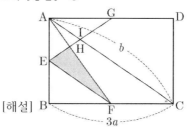

[해설]

$\overline{AC}$와 $\overline{EG}$의 교점을 I라 하자.

$\triangle ABF$에서

$\overline{AF}^2 = (2a)^2 + \left(\dfrac{3}{2}a\right)^2 = 4a^2 + \dfrac{9}{4}a^2 = \dfrac{25}{4}a^2$이므로

$\overline{AF} = \dfrac{5}{2}a$

$\triangle ABC$와 $\triangle EAG$에서

$\overline{AB} : \overline{EA} = \overline{BC} : \overline{AG} = 2 : 1$,

$\angle ABC = \angle EAG = 90°$이므로

$\triangle ABC \backsim \triangle EAG$ (SAS닮음)

$2 : 1 = b : \overline{EG}$에서 $2\overline{EG} = b$ $\therefore \overline{EG} = \dfrac{1}{2}b$

또, $\triangle EAG$와 $\triangle EBF$에서

$\overline{AE} = \overline{BE}$, $\overline{AG} = \overline{BF}$, $\angle EAG = \angle EBF = 90°$

이므로 $\triangle EAG \equiv \triangle EBF$ (SAS합동)

즉, $\overline{EF} = \overline{EG} = \dfrac{1}{2}b$

$\triangle AEG$에서 $\overline{EI} = \overline{AI} = \overline{GI} = \dfrac{1}{2}\overline{EG} = \dfrac{1}{4}b$

$\overline{AD} /\!/ \overline{BC}$이므로 $\angle DAH = \angle BFH$

$\angle DAI = \angle BFE$이므로 $\angle HAI = \angle EFH$ $\cdots \bigcirc$

$\angle EHF = \angle IHA$(맞꼭지각) $\cdots \bigcirc$

㉠, ㉡에 의해 $\triangle EFH \backsim \triangle IAH$(AA닮음)

$\overline{EF} : \overline{IA} = 2 : 1$이므로 $\overline{EH} : \overline{IH} = \overline{FH} : \overline{AH} = 2 : 1$

즉, $\overline{EH} = \dfrac{2}{3}\overline{EI} = \dfrac{2}{3} \times \dfrac{1}{4}b = \dfrac{1}{6}b$

$\overline{HF} = \dfrac{2}{3}\overline{AF} = \dfrac{2}{3} \times \dfrac{5}{2}a = \dfrac{5}{3}a$

따라서 $\triangle HEF$의 둘레의 길이는

$\overline{HE} + \overline{EF} + \overline{HF} = \dfrac{1}{6}b + \dfrac{1}{2}b + \dfrac{5}{3}a = \dfrac{5}{3}a + \dfrac{2}{3}b$

259) [정답] ④

[해설] 사각형 $AEFD$에서 두 대각선은 서로 다른 것을 이등분하고 그 길이가 같으므로 직사각형이다.

$\therefore \overline{AD} = \overline{EF} = 12cm$

$\triangle AOD = \triangle AEO = 24cm^2$이므로

$\triangle AED = \dfrac{1}{2} \times \overline{AD} \times \overline{AE} = \dfrac{1}{2} \times 12 \times \overline{AE} = 48cm^2$

$\therefore \overline{AE} = 8cm$

$\triangle BEF$에서 $\angle BEF = 90°$, $\overline{BE} = \overline{AB} - \overline{AE} = 5cm$

이므로 $\overline{BF}^2 = \overline{BE}^2 + \overline{EF}^2 = 5^2 + 12^2 = 169$

$\therefore \overline{BF} = 13cm$

$\triangle BEF$와 $\triangle FCD$에서

$\angle BEF = \angle BAD = \angle BCD$,

$\angle EBF + \angle EFB = \angle EFB + \angle CFD = 90°$이므로

$\angle EBF = \angle CFD$

$\therefore \triangle BEF \backsim \triangle FCD$(AA닮음)

$\overline{BE} : \overline{CF} = \overline{BF} : \overline{FD}$

$5 : \overline{CF} = 13 : 8$, $13\overline{CF} = 40$ $\therefore \overline{CF} = \dfrac{40}{13}$

$\therefore \overline{BC} = \overline{BF} + \overline{CF} = 13 + \dfrac{40}{13} = \dfrac{209}{13}cm$

260) [정답] ③

[해설] $\overline{DE} = a$라 하면 $\triangle ADE$와 $\triangle AFG$에서

$\overline{FG} = 2\overline{DE} = 2a$

$\triangle ADE$와 $\triangle AHI$에서 $\overline{IH} = 3a$

$\triangle ADE$와 $\triangle ABC$에서 $\overline{BC} = 4a$

또, $\triangle DFQ$와 $\triangle DBC$에서

$\overline{FQ} : \overline{BC} = 1 : 3$이므로 $\overline{FQ} = \dfrac{4}{3}a$

$\triangle BFP$와 $\triangle BDE$에서 $\overline{FP} : \overline{DE} = 2 : 3$이므로

$\overline{FP} = \dfrac{2}{3}a$

$\therefore \overline{PQ} = \overline{FQ} - \overline{FP} = \dfrac{4}{3}a - \dfrac{2}{3}a = \dfrac{2}{3}a$

$\triangle DHS$와 $\triangle DBC$에서 $\overline{HS} : \overline{BC} = 2 : 3$이므로

$\overline{HS} = \dfrac{8}{3}a$

$\triangle BHR$과 $\triangle BDE$에서 $\overline{HR} : \overline{DE} = 1 : 3$이므로

$\overline{HR} = \dfrac{1}{3}a$

$\therefore \overline{RS} = \overline{HS} - \overline{HR} = \dfrac{8}{3}a - \dfrac{1}{3}a = \dfrac{7}{3}a$

$\therefore \overline{PQ} : \overline{RS} = \dfrac{2}{3}a : \dfrac{7}{3}a = 2 : 7$

261) [정답] ①

[해설] $\triangle ABG \backsim \triangle ADH$이므로

$\overline{AG} : \overline{AH} = \overline{AB} : \overline{AD}$ $\cdots$ ㉠

$\overline{GC} // \overline{HF}$이므로 $\triangle AGC \backsim \triangle AHF$

$\overline{AG} : \overline{AH} = \overline{GC} : \overline{HF}$

㉠에 의해 $\overline{AB} : \overline{AD} = \overline{GC} : \overline{HF}$

$\overline{AB} \times \overline{HF} = \overline{AD} \times \overline{GC}$

$\therefore \overline{HF} = \dfrac{\overline{AD} \times \overline{GC}}{\overline{AB}}$

262) [정답] ①

[해설] ㉠ 7, ㉡ 4, ㉢ 19, ㉣ 38

$\therefore ㉠ + ㉡ + ㉢ + ㉣ = 7 + 4 + 19 + 38 = 68$

263) [정답] ⑤

[해설] ① $\triangle ABC$가 직각삼각형이므로

빗변의 중점 D는 $\triangle ABC$의 외심이다.

$\therefore \overline{BD} = \overline{CD} = \overline{AD} = \dfrac{1}{2}\overline{BA} = \dfrac{13}{2}cm$

② $\triangle CAD$에서 $\overline{CE} = \overline{AE}$, $\overline{CF} = \overline{DF}$이므로

$\overline{EF} // \overline{AD}$이고, $\overline{EF} = \dfrac{1}{2}\overline{AD} = \dfrac{13}{4}cm$

$\overline{DF} = \dfrac{1}{2}\overline{CD} = \dfrac{13}{4}cm$ $\therefore \overline{EF} = \overline{DF}$

③ $\overline{EF} // \overline{AD}$이므로 $\overline{EF} // \overline{DB}$이다.

④ 점 G가 $\triangle ABC$의 무게중심이므로

$\overline{CG} : \overline{GD} = 2 : 1$ $\cdots$ ㉠

점 F는 $\overline{CD}$의 중점이므로 $\overline{CF} : \overline{FD} = 1 : 1$ $\cdots$ ㉡

㉠, ㉡에서 $\overline{CF} : \overline{FG} : \overline{GD} = 1.5 : 0.5 : 1 = 3 : 1 : 2$

$\triangle FHG$와 $\triangle FED$에서 $\angle EFD$는 공통

$\triangle FED$에서 점 H는 $\triangle CDE$의 무게중심이므로

$\overline{FH} : \overline{HE} = 1 : 2$, $\overline{FG} : \overline{GD} = 1 : 2$이므로

$\triangle FHG \backsim \triangle FED$(SAS닮음)

이때 $\overline{ED}$는 $\triangle ABC$에서 $\overline{AE} = \overline{CE}$,

$\overline{CB} // \overline{ED}$이므로 $\overline{ED} = \dfrac{1}{2}\overline{CB} = \dfrac{5}{2}cm$

따라서 $\overline{HG} : \overline{ED} = 1 : 3$에서

$\overline{HG} : \dfrac{5}{2} = 1 : 3$, $3\overline{HG} = \dfrac{5}{2}$ $\therefore \overline{HG} = \dfrac{5}{6}cm$

264) [정답] ⑤

[해설] $\overline{FG}$의 연장선과 $\overline{FG'}$의 연장선이 $\overline{ED}$와 만나는 점을 각각 P, Q라 하면

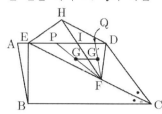

$\triangle FGG'$와 $\triangle FPQ$에서 $\angle PFQ$는 공통,

점 G, G'가 $\triangle EFI$와 $\triangle IFD$의 무게중심이므로

$\overline{FG}:\overline{FP}=\overline{FG'}:\overline{FQ}=2:3$

$\therefore \triangle FGG' \backsim \triangle FPQ(SAS닮음)$

$\overline{FG}:\overline{FP}=\overline{GG'}:\overline{PQ}$에서

$2:3=3:\overline{PQ}$, $2\overline{PQ}=9$ $\therefore \overline{PQ}=\dfrac{9}{2}cm$

점 G, G'가 $\triangle EFI$와 $\triangle IFD$의 무게중심이므로

$\overline{EP}=\overline{PI}$, $\overline{IQ}=\overline{DQ}$이므로

$\overline{ED}=2\overline{PQ}=9cm$

$\overline{DE}//\overline{CB}$이므로 $\angle DEC=\angle ECB$이고

$\angle ECB=\angle DCE$이므로

$\triangle DEC$는 $\overline{DE}=\overline{DC}$인 이등변삼각형

$\therefore \overline{CD}=\overline{DE}=9cm$

265) [정답] ②

[해설] $\overline{AE}$의 연장선과 $\overline{CB}$가 만나는 점을 P, $\overline{AF}$의 연장선과 $\overline{CB}$가 만나는 점을 Q라 하면

$\overline{CP}=\overline{DP}$, $\overline{BQ}=\overline{DQ}$이므로 $\overline{PQ}=\dfrac{1}{2}\overline{CB}$이다.

$\therefore \triangle APQ=\dfrac{1}{2}\triangle ABC$

이때 $\triangle AEF$와 $\triangle APQ$는 $\angle PAQ$는 공통,

$\overline{AE}:\overline{AP}=\overline{AF}:\overline{AQ}=2:3$이므로

$\triangle AEF \backsim \triangle APQ(SAS닮음)$

이때 $\triangle AEF$와 $\triangle APQ$의 닮음비는 $2:3$이므로

넓이의 비는 $2^2:3^2=4:9$

$\therefore \triangle AEF=\dfrac{4}{9}\triangle APQ=\dfrac{2}{9}\triangle ABC$

점 G가 $\triangle AEF$의 무게중심이므로

$\triangle GFE=\dfrac{1}{3}\triangle AEF$

$\therefore \triangle GFE=\dfrac{1}{3}\times\dfrac{2}{9}\triangle ABC=\dfrac{2}{27}\triangle ABC$

따라서 $\triangle GFE$의 넓이는

$\triangle ABC$의 넓이의 $\dfrac{2}{27}$배이다.

266) [정답] ④

[해설] $\overline{PE}:\overline{EH}=\overline{PF}:\overline{FI}=\overline{PG}:\overline{GJ}=2:1$

$\angle P$는 공통이므로 $\triangle PEG \backsim \triangle PHJ(SAS닮음)$이고 닮음비는 $2:3$이다.

즉, $\overline{EG}:\overline{HJ}=2:3$

또, $\triangle IHJ$와 $\triangle FEG$에서

$\overline{HJ}//\overline{EG}$, $\overline{EF}//\overline{HI}$이므로 $\angle IHJ=\angle FEG$(동위각)

$\overline{HJ}//\overline{EG}$, $\overline{FG}//\overline{IJ}$이므로 $\angle IJH=\angle FGE$(동위각)

$\therefore \triangle IHJ \backsim \triangle FEG(AA닮음)$

닮음비는 $3:2$이고 넓이의 비는 $9:4$이다.

$\triangle IHJ=\dfrac{1}{2}\square AHJD=\dfrac{1}{2}\times\left(\dfrac{1}{2}\square ABCD\right)$

$\qquad =\dfrac{1}{4}\times 72=18(cm^2)$

$\therefore \triangle FEG=\dfrac{4}{9}\triangle IHJ=\dfrac{4}{9}\times 18=8(cm^2)$

267) [정답] ②

[해설] $\triangle ABC$가 직각삼각형이므로

$\overline{AC}^2=\overline{CB}^2-\overline{AB}^2=20^2-16^2=144$

$\therefore \overline{AC}=12$

$\overline{CD}=\dfrac{1}{2}\overline{BC}=10$이고 점 E가

$\triangle ACD$의 무게중심이므로 $\overline{CF}=\overline{DF}=\dfrac{1}{2}\overline{CD}=5$

$\triangle CHF$와 $\triangle CAB$에서 $\overline{HF}//\overline{AB}$이므로

$\overline{CF}:\overline{CB}=\overline{HF}:\overline{AB}$

$5:20=\overline{HF}:16$ $\therefore \overline{HF}=4$

$\overline{CH}:\overline{HA}=\overline{CF}:\overline{FB}=1:3$이므로

$\overline{CH}=\dfrac{1}{4}\overline{CA}=3$

$\triangle AHF$에서 $\overline{EG}//\overline{FH}$이고 점 E가 $\triangle ACD$의 무게중심이므로

$\overline{AE}:\overline{EF}=\overline{AG}:\overline{GH}=2:1$

$\therefore \overline{GH}=9\times\dfrac{1}{3}=3$, $\overline{AG}=9\times\dfrac{2}{3}=6$

$\overline{AG}:\overline{AH}=\overline{EG}:\overline{FH}$에서

$2:3=\overline{EG}:4$, $3\overline{EG}=8$ $\therefore \overline{EG}=\dfrac{8}{3}$

사각형 $GEFH$를 $\overline{AC}$를 회전축으로 회전시킬 때 만들어지는 입체도형의 부피는 높이가 $\overline{AH}$, 밑면의 반지름이 $\overline{HF}$인 원뿔의 부피에서 높이가 $\overline{AG}$, 밑면의 반지름이 $\overline{EG}$인 원뿔의 부피를 뺀 것과 같으므로 $\dfrac{1}{3}\times 4^2\pi\times 9-\dfrac{1}{3}\times\left(\dfrac{8}{3}\right)^2\pi\times 6=\dfrac{304}{9}\pi$

268) [정답] ③

[해설] $\triangle ABE$에서 $\angle ABE = \angle BAO = \angle BOA = 60°$

$\angle AOE = 120°$, $\overline{OA} = \overline{OE}$이므로

$\angle OAE = \angle OEA = 30°$

$\angle BAE = 60° + 30° = 90°$

따라서 $\triangle ABE$는 직각삼각형이다.

즉, 원의 중심(O)를 지나는 두 점과 다른 한 점을 연결하면 직각삼각형을 만들 수 있으므로 원의 중심을 지나는 선분은 $\overline{AD}$, $\overline{BE}$, $\overline{CF}$이고 각각의 경우 4가지의 직각삼각형을 만들 수 있다. 따라서 만들 수 있는 직각삼각형의 개수는 $4 \times 3 = 12$(개)

269) [정답] ④

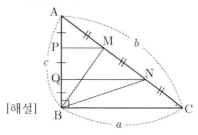

[해설]

$\triangle ABC$에서 $a^2 + c^2 = b^2 = 3$

$\triangle PBM$에서 $\overline{BP} = \frac{2}{3}c$, $\overline{PM} = \frac{1}{3}a$이므로

$\overline{MB}^2 = \left(\frac{1}{3}a\right)^2 + \left(\frac{2}{3}c\right)^2 = \frac{1}{9}a^2 + \frac{4}{9}c^2$

$\triangle BNQ$에서 $\overline{BQ} = \frac{1}{3}c$, $\overline{QN} = \frac{2}{3}a$이므로

$\overline{NB}^2 = \left(\frac{2}{3}a\right)^2 + \left(\frac{1}{3}c\right)^2 = \frac{4}{9}a^2 + \frac{1}{9}c^2$

$\therefore \overline{MB}^2 + \overline{NB}^2 = \left(\frac{1}{9}a^2 + \frac{4}{9}c^2\right) + \left(\frac{4}{9}a^2 + \frac{1}{9}c^2\right)$

$= \frac{5}{9}(a^2 + c^2) = \frac{5}{9} \times 3 = \frac{5}{3}$

270) [정답] ③

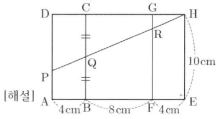

[해설]

위의 그림의 전개도에서 구하는 최단거리는 $\overline{PH}$의 길이이고 $\triangle PHD$에서 $\overline{CQ} // \overline{DP}$이므로

$\overline{HC} : \overline{HD} = \overline{CQ} : \overline{DP}$, $12 : 16 = 5 : \overline{DP}$

$12\overline{DP} = 80$, $\overline{DP} = \frac{20}{3}cm$

$\triangle PHD$는 직각삼각형이므로

$\overline{PH}^2 = \overline{DH}^2 + \overline{DP}^2 = 16^2 + \left(\frac{20}{3}\right)^2 = \left(\frac{52}{3}\right)^2$

$\therefore \overline{PH} = \frac{52}{3}cm$

따라서 점 P에서 점 H까지 움직이는 경로의 최단거리는 $\frac{52}{3}cm$이다.

271) [정답] ②

[해설] $\triangle ODE$와 $\triangle OAB$가 닮음인 경우

$\overline{OD} : \overline{OE} = \overline{OA} : \overline{OB} = 1 : 2$

$\overline{OD} = 1 + x$, $\overline{OE} = 2 + y$이므로

$(1+x) : (2+y) = 1 : 2$, $y + 2 = 2x + 2$, $y = 2x$을 만족하는 x, y를 순서쌍 (x, y)로 나타내면

$(1, 2)$, $(2, 4)$, $(3, 6)$, $(4, 8)$의 4개

$\triangle ODE$와 $\triangle OBA$가 닮음인 경우

$\overline{OD} : \overline{OE} = \overline{OB} : \overline{OA} = 2 : 1$

$(1+x) : (2+y) = 2 : 1$, $2y + 4 = 1 + x$, $2y + 3 = x$을 만족하는 x, y를 순서쌍 (x, y)로 나타내면

$(5, 1)$, $(7, 2)$, $(9, 3)$의 3개

따라서 구하는 경우의 수는 $4 + 3 = 7$(개)이다.

272) [정답] ②

[해설] 주사위를 던져 나온 짝수의 눈을 a, 홀수의 눈을 b라 했을 때, $\frac{1}{2}a - b = 0$을 만족하는 a, b를 순서쌍 (a, b)로 나타내면 $(2, 1)$, $(6, 3)$의 2가지, 이때 짝수의 눈과 홀수의 눈이 나오는 순서는 바뀌어도 상관없으므로 구하는 경우의 수는 $2 \times 2 = 4$(가지)이다.

273) [정답] ②

[해설] 주사위를 던져 첫 번째 나오는 수를 a, 두 번째 나오는 수를 b라 하면

ⅰ) 두 눈의 곱이 소수인 경우를 순서쌍 (a, b)로 나타내면

$(1, 2)$, $(1, 3)$, $(1, 5)$, $(1, 7)$, $(1, 11)$, $(1, 13)$

$(2, 1)$, $(3, 1)$, $(5, 1)$, $(7, 1)$, $(11, 1)$, $(13, 1)$

의 12가지

ⅱ) 두 눈의 곱이 60인 경우를 순서쌍 (a, b)로 나타내면

$(5, 12)$, $(6, 10)$, $(10, 6)$, $(12, 5)$의 4가지

ⅰ)~ⅱ)에서 구하는 경우의 수는 $12 + 4 = 16$가지

274) [정답] ③

[해설] 삼각형의 개수는 6개의 점 중에서 순서를 생각하지 않고 3개를 선택하는 경우의 수와 같으므로 $\frac{6 \times 5 \times 4}{3 \times 2 \times 1} = 20$

이 중 3개의 점이 일직선 상에 놓여있으면 삼각형이 만들어지지 않으므로 삼각형을 이루지 않는 경우는 3가지

따라서 구하는 경우의 수는 $20 - 3 = 17$(개)이다.

275) [정답] ①

[해설] 수요일, 목요일, 토요일, 일요일에 일 할 수 있는 사람은 각각 A, C, D, E로 한 명씩 밖에 없으므로 모든 요일에 배치 가능하도록 지원자를 뽑으려면 지원자 중 A, C, D, E를 선발해야 한다.

월요일에 A 또는 C, 화요일에 A 또는 C, 금요일에 D 또는 E를 배치할 수 있으므로 구하는 경우의 수는 $2 \times 2 \times 2 = 8$(가지)이다.

276) [정답] ⑤

[해설] $x+y+6=0$과 $ax+by-3=0$이 오직 한 점에서 만나려면 $a \neq b$이어야 한다.

모든 경우의 수는 $6 \times 6 = 36$이고 $a=b$인 경우의 수를 순서쌍 (a,b)로 나타내면 $(1,1)$, $(2,2)$, $(3,3)$, $(4,4)$, $(5,5)$, $(6,6)$의 6가지이므로 그 확률은 $\frac{6}{36} = \frac{1}{6}$

따라서 $a \neq b$일 확률은 $1 - \frac{1}{6} = \frac{5}{6}$이다.

277) [정답] ①

[해설] ⅰ) 동전의 앞면과 뒷면이 번갈아 나오는 경우
첫 번째와 두 번째 시행에서 동전의 앞면과 뒷면이 모두 나오는 경우의 수는 (앞, 뒤), (뒤, 앞)의 2가지이고, 동전을 두 번 던졌을 때 모든 경우의 수는 $2 \times 2 = 4$(가지)이므로 그 확률은 $\frac{2}{4} = \frac{1}{2}$

첫 번째와 두 번째 시행에서 같은 눈이 나오는 경우는 $(1,1)$, $(2,2)$, $(3,3)$, $(4,4)$, $(5,5)$, $(6,6)$의 6가지이고 주사위를 두 번 던졌을 때 모든 경우의 수는 $6 \times 6 = 36$이므로 확률은 $\frac{6}{36} = \frac{1}{6}$

따라서 확률은 $\frac{1}{2} \times \frac{1}{6} = \frac{1}{12}$

ⅱ) 동전의 앞면이 연속해서 나오는 경우
첫 번째와 두 번째 시행에서 모두 동전의 앞면이 모두 나오는 경우의 수는 (앞, 앞)의 1가지이고, 동전을 두 번 던졌을 때 모든 경우의 수는 $2 \times 2 = 4$(가지)이므로 그 확률은 $\frac{1}{4}$

앞면이 두 번 나왔을 때 주사위가 A로 다시 돌아오려면 나온 두 눈의 합이 6 또는 12이어야 한다. 첫 번째와 두 번째 시행에서 나온 눈의 합이 6 또는 12가 되는 경우는 $(1,5)$, $(2,4)$, $(3,3)$, $(4,2)$, $(5,1)$, $(6,6)$의 6가지이고 주사위를 두 번 던졌을 때 모든 경우의 수는 $6 \times 6 = 36$이므로 확률은 $\frac{6}{36} = \frac{1}{6}$

따라서 확률은 $\frac{1}{4} \times \frac{1}{6} = \frac{1}{24}$

ⅲ) 동전의 뒷면이 연속해서 나오는 경우
첫 번째와 두 번째 시행에서 모두 동전의 뒷면이 나오는 경우의 수는 (뒤, 뒤)의 1가지이고, 동전을 두 번 던졌을 때 모든 경우의 수는 $2 \times 2 = 4$(가지)이므로 그 확률은 $\frac{1}{4}$

뒷면이 두 번 나왔을 때 주사위가 A로 다시 돌아오려면 나온 두 눈의 합이 6 또는 12이어야 한다. 첫 번째와 두 번째 시행에서 나온 눈의 합이 6 또는 12가 되는 경우는 $(1,5)$, $(2,4)$, $(3,3)$, $(4,2)$, $(5,1)$, $(6,6)$의 6가지이고 주사위를 두 번 던졌을 때 모든 경우의 수는 $6 \times 6 = 36$이므로 확률은 $\frac{6}{36} = \frac{1}{6}$

따라서 확률은 $\frac{1}{4} \times \frac{1}{6} = \frac{1}{24}$

ⅰ)~ⅲ)에서 구하는 확률은 $\frac{1}{12} + \frac{1}{24} + \frac{1}{24} = \frac{1}{6}$

278) [정답] ④

[해설] 동전 세 개와 주사위 한 개를 동시에 던져서 나오는 모든 경우의 수는 $2 \times 2 \times 2 \times 6 = 48$

ⅰ) $\square ABCD = 8$인 경우 $(a, b) = (0, 4)$, $(2, 2)$
$a=2$일 때 HHT, HTH, THH의 3가지 경우이므로 이 사건의 경우의 수는 4가지이다.

즉, 확률은 $\frac{4}{48} = \frac{1}{12}$

ⅱ) $\square ABCD = 12$인 경우
$(a, b) = (0, 6)$, $(1, 4)$, $(2, 3)$
$a=1$일 때 HTT, THT, TTH의 3가지
$a=2$일 때 HHT, HTH, THH의 3가지
이 사건의 경우의 수는 7가지이고 확률은 $\frac{7}{48}$

따라서 구하는 확률은 $\frac{1}{12} + \frac{7}{48} = \frac{11}{48}$

279) [정답] ①

[해설] ⅰ) A, B가 한 번의 스트라이크만 성공할 확률
A는 두 번 모두 스트라이크에 실패해야 하므로
$\frac{2}{3} \times \frac{2}{3} = \frac{4}{9}$

B는 두 번째 또는 세 번째에서 스트라이크에 성공해야 하므로
$\frac{1}{4} \times \frac{3}{4} + \frac{3}{4} \times \frac{1}{4} = \frac{6}{16} = \frac{3}{8}$

따라서 A, B가 한 번의 스트라이크만 성공할 확률은 $\frac{4}{9} \times \frac{3}{8} = \frac{1}{6}$

ⅱ) A, B가 두 번의 스트라이크에 성공할 확률
A는 두 번째 또는 세 번째에서 스트라이크에 성공해야 하므로 $\frac{1}{3} \times \frac{2}{3} + \frac{2}{3} \times \frac{1}{3} = \frac{4}{9}$

B는 두 번 모두 성공해야 하므로 $\frac{1}{4} \times \frac{1}{4} = \frac{1}{16}$

따라서 확률은 $\dfrac{4}{9} \times \dfrac{1}{16} = \dfrac{1}{36}$

ⅰ), ⅱ)에서 구하는 확률은 $\dfrac{1}{6} + \dfrac{1}{36} = \dfrac{7}{36}$

280) [정답] ①

[해설] ⅰ) 부전승으로 독일이 올라가고 결승에서 벨기에를 만나 독일이 우승 확률

부전승으로 독일이 올라갈 확률은 $\dfrac{1}{3}$

벨기에와 영국의 경기에서 벨기에가 이길 확률은 $1 - \dfrac{1}{3} = \dfrac{2}{3}$

독일과 벨기에의 경기에서 독일이 이길 확률은 $1 - \dfrac{2}{5} = \dfrac{3}{5}$

따라서 구하는 확률은 $\dfrac{1}{3} \times \dfrac{2}{3} \times \dfrac{3}{5} = \dfrac{2}{15}$

ⅱ) 부전승으로 독일이 올라가고 결승에서 영국을 만나 독일이 우승 확률

부전승으로 독일이 올라갈 확률은 $\dfrac{1}{3}$

벨기에와 영국의 경기에서 영국이 이길 확률은 $\dfrac{1}{3}$

독일과 영국의 경기에서 독일이 이길 확률은 $\dfrac{3}{4}$

따라서 구하는 확률은 $\dfrac{1}{3} \times \dfrac{1}{3} \times \dfrac{3}{4} = \dfrac{1}{12}$

ⅲ) 부전승으로 벨기에가 올라가고 결승에서 독일과 만나 독일이 우승 확률

부전승으로 벨기에가 올라갈 확률 $\dfrac{1}{3}$

독일과 영국의 경기에서 독일이 이길 확률은 $\dfrac{3}{4}$

독일과 벨기에의 경기에서 독일이 이길 확률은 $1 - \dfrac{2}{5} = \dfrac{3}{5}$

따라서 구하는 확률은 $\dfrac{1}{3} \times \dfrac{3}{4} \times \dfrac{3}{5} = \dfrac{3}{20}$

ⅳ) 부전승으로 영국이 올라가고 결승에서 독일과 만나 독일이 우승할 확률

부전승으로 영국이 올라갈 확률 $\dfrac{1}{3}$

독일과 벨기에의 경기에서 독일이 이길 확률은 $\dfrac{3}{5}$

독일과 영국의 경기에서 독일이 이길 확률은 $\dfrac{3}{4}$

따라서 구하는 확률은 $\dfrac{1}{3} \times \dfrac{3}{5} \times \dfrac{3}{4} = \dfrac{3}{20}$

ⅰ)~ⅳ)에서 독일이 최종 우승할 확률은 $\dfrac{2}{15} + \dfrac{1}{12} + \dfrac{3}{20} + \dfrac{3}{20} = \dfrac{31}{60}$

281) [정답] ④

[해설] $\sqrt{1.0\dot{2} \times \dfrac{b}{a}} = 0.\dot{2}$에서

$\sqrt{\dfrac{92}{90} \times \dfrac{b}{a}} = \dfrac{2}{9}$, $\dfrac{92}{90} \times \dfrac{b}{a} = \dfrac{4}{81}$

$\therefore \dfrac{b}{a} = \dfrac{4}{81} \times \dfrac{90}{92} = \dfrac{10}{207}$

따라서 $a = 207$, $b = 10$이므로
$a - b = 207 - 10 = 197$

282) [정답] ③

[해설] $f(1) = 0$,
$f(2) = f(3) = f(4) = 1$,
$f(5) = f(6) = \cdots = f(9) = 2$,
$f(10) = f(11) = \cdots = f(16) = 3$,
$f(17) = f(18) = \cdots = f(25) = 4$
$f(1) + f(2) + f(3) + \cdots + f(n) = 42$에서
$0 + 1 \times 3 + 2 \times 5 + 3 \times 7 + 4 \times x = 42$라 하면
$4x + 34 = 42$, $4x = 8$ $\therefore x = 2$
$\therefore n = 18$

283) [정답] ②

[해설] 1과 2 사이에는 $\sqrt{2}$, $\sqrt{3}$의 2개
2와 3 사이에는 $\sqrt{5}$, $\sqrt{6}$, $\sqrt{7}$, $\sqrt{8}$의 4개
$\cdots$
7과 8 사이에는 $\sqrt{50}$, $\cdots$, $\sqrt{63}$의 14개
8과 9 사이에는 $\sqrt{65}$, $\cdots$, $\sqrt{80}$의 16개
따라서 7과 9 사이에 있는 무리수가 적힌 카드는 모두 30개이다.

284) [정답] ①

[해설] 정사각형 B의 넓이는 $2\sqrt{3} \times \dfrac{1}{\sqrt{3}} = 2$

정사각형 C의 넓이는 $2 \times \dfrac{1}{\sqrt{3}} = \dfrac{2}{\sqrt{3}}$

정사각형 D의 넓이는 $\dfrac{2}{\sqrt{3}} \times \dfrac{1}{\sqrt{3}} = \dfrac{2}{3}$

따라서 정사각형 D의 한 변의 길이를 x라 하면
$x^2 = \dfrac{2}{3}$ $\therefore x = \sqrt{\dfrac{2}{3}} = \dfrac{\sqrt{6}}{3}$ ($\because x > 0$)

285) [정답] ④

[해설] 원래의 사각뿔과 잘라낸 사각뿔이 서로 닮음이고, 닮음비는 $1:3$이므로 두 사각뿔의 부피의 비는
$1^3 : 3^3 = 1 : 27$
따라서 남은 입체도형의 부피는
$\dfrac{26}{27} \times \left(\dfrac{1}{3} \times \sqrt{18} \times \sqrt{20} \times \sqrt{45} \right)$
$= \dfrac{26}{27} \times \left(\dfrac{1}{3} \times 3\sqrt{2} \times 2\sqrt{5} \times 3\sqrt{5} \right)$

$$= \frac{26}{27} \times 30\sqrt{2} = \frac{260\sqrt{2}}{9}$$

286) [정답] ④

[해설] A, B, C의 넓이가 각각 54, 24, 6인 세 정사각형의 한 변의 길이는 $\sqrt{54} = 3\sqrt{6}$, $\sqrt{24} = 2\sqrt{6}$, $\sqrt{6}$

따라서 이 도형의 둘레의 길이는

$4 \times 3\sqrt{6} + 2 \times 2\sqrt{6} + 2 \times \sqrt{6}$

$= 12\sqrt{6} + 4\sqrt{6} + 2\sqrt{6} = 18\sqrt{6}$

287) [정답] ①

[해설] 넓이가 2, 5, 8인 세 정사각형의 한 변의 길이는 각각 $\sqrt{2}$, $\sqrt{5}$, $\sqrt{8} = 2\sqrt{2}$이다.

따라서 구하려는 도형의 둘레의 길이는

$3\sqrt{2} + (3\sqrt{5} - \sqrt{2}) + (8\sqrt{2} - \sqrt{5})$

$= 10\sqrt{2} + 2\sqrt{5}$

288) [정답] ⑤

[해설] 정사각형 $IFGD$의 넓이가 2이므로

$\overline{ID} = \overline{IF} = \overline{FG} = \overline{GD} = \sqrt{2}$

따라서 $\overline{EF} = \sqrt{7} - \sqrt{2}$, $\overline{FH} = 3\sqrt{2} - \sqrt{2} = 2\sqrt{2}$ 이므로

$\square EBHF = 2\sqrt{2}(\sqrt{7} - \sqrt{2}) = 2\sqrt{14} - 4$

289) [정답] ②

[해설] 모눈종이 한 칸의 길이를 x라 하면

$\square OADE$의 넓이가 45이므로

$5x \times 3x - 2 \times \frac{1}{2} \times 4x \times x - 2 \times \frac{1}{2} \times x \times 2x = 45$

$9x^2 = 45$, $x^2 = 5$ $\therefore x = \sqrt{5}$ $(\because x > 0)$

따라서 피타고라스 정리에 의해

$\overline{OA} = \sqrt{x^2 + (2x)^2} = \sqrt{5}x = \sqrt{5} \times \sqrt{5} = 5$

290) [정답] ④

[해설] 넓이가 $56n$인 과수원의 한 변의 길이는

$\sqrt{56n}$

넓이가 $78 - 3n$인 배추밭의 한 변의 길이는

$\sqrt{78 - 3n}$

$\sqrt{56n} = \sqrt{2^3 \times 7 \times n}$이 자연수가 되려면 소인수의 지수가 모두 짝수이어야 하므로

n은 $2 \times 7 \times$(자연수)^2 꼴이어야 한다.

$\therefore n = 14, 56, 126, \cdots \cdots \bigcirc$

또 n은 자연수이므로 $\sqrt{78 - 3n}$이 자연수가 되려면 $78 - 3n$은 78보다 작은 제곱수이어야 한다.

즉 $78 - 3n = 1, 4, 9, 16, 25, 36, 49, 64$

$3n = 69, 42$

$\therefore n = 23, 14 \cdots \bigcirc$

$\bigcirc$, $\bigcirc$에 의해 $n = 14$이므로

과수원의 한 변의 길이는

$\sqrt{56n} = \sqrt{56 \times 14} = 28$

배추밭의 한 변의 길이는

$\sqrt{78 - 3n} = \sqrt{78 - 3 \times 14} = 6$

따라서 무 밭의 긴 변의 길이는

$28 - 6 = 22$

291) [정답] ③

[해설] (i) $\sqrt{n}$이 유리수가 되도록 하는 n은

1^2, 2^2, 3^2, $\cdots$, 10^2의 10개

(ii) $\sqrt{2n}$이 유리수가 되도록 하는 n은

2×1^2, 2×2^2, 2×3^2, $\cdots$, 2×7^2의 7개

(iii) $\sqrt{3n}$이 유리수가 되도록 하는 n은

3×1^2, 3×2^2, 3×3^2, $\cdots$, 3×5^2의 5개

따라서 (i)~(iii)에 의하여 구하려는 n의 개수는

$100 - (10 + 7 + 5) = 78$

292) [정답] ⑤

[해설] 처음 사각뿔과 잘라낸 사각뿔의 닮음비가 $3 : 1$이므로 부피의 비는 $3^3 : 1^3 = 27 : 1$이다.

따라서 구하려는 입체도형의 부피는

$\frac{26}{27} \times \left(\frac{1}{3} \times \sqrt{12} \times \sqrt{8} \times \sqrt{27} \right)$

$= \frac{26}{27} \times \left(\frac{1}{3} \times 2\sqrt{3} \times 2\sqrt{2} \times 3\sqrt{3} \right)$

$= \frac{26}{27} \times 12\sqrt{2} = \frac{104\sqrt{2}}{9}$

293) [정답] ③

[해설] 네 정사각형 A, B, C, D의 넓이는 각각 10, 5, $\frac{5}{2}$, $\frac{5}{4}$이므로 네 정사각형의 한 변의 길이는 각각

$\sqrt{10}$, $\sqrt{5}$, $\sqrt{\frac{5}{2}} = \frac{\sqrt{10}}{2}$, $\sqrt{\frac{5}{4}} = \frac{\sqrt{5}}{2}$이다.

따라서 도형의 둘레의 길이는

$4 \times \sqrt{10} + 2 \times \sqrt{5} + 2 \times \frac{\sqrt{10}}{2} + 2 \times \frac{\sqrt{5}}{2}$

$= 4\sqrt{10} + 2\sqrt{5} + \sqrt{10} + \sqrt{5}$

$= 5\sqrt{10} + 3\sqrt{5}$

294) [정답] ④

[해설]

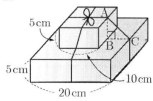

직각삼각형 ABC에서 $\overline{AB} = \overline{BC} = 5$이므로

$\overline{AC} = \sqrt{5^2 + 5^2} = 5\sqrt{2}$

(i) 작은 상자의 윗면에 닿는 끈의 길이는

$10 + 10 = 20$

(ii) 큰 상자와 작은 상자를 연결하는 부분의 끈

의 길이는
$$4 \times 5\sqrt{2} = 20\sqrt{2}$$
(iii) 큰 상자의 옆면에 닿는 끈의 길이는
$$4 \times 5 = 20$$
(iv) 큰 상자의 밑면에 닿는 끈의 길이는
$$20 + 20 = 40$$
(v) 매듭에 사용된 끈의 길이는
$$20$$
따라서 필요한 끈의 전체 길이는
$$(20 + 20\sqrt{2} + 20 + 40) + 20 = 100 + 20\sqrt{2}$$

295) [정답] ⑤

[해설]

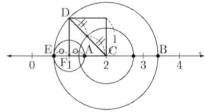

한 변의 길이가 1인 정사각형의 대각선의 길이는
$$\overline{CD} = \sqrt{1^2 + 1^2} = \sqrt{2}$$
$\overline{CD} = \overline{CE} = \sqrt{2}$ 이므로 점 E에 대응하는 수는
$$2 - \sqrt{2}$$
$\overline{CD} = \overline{CB} = \sqrt{2}$ 이므로 점 B에 대응하는 수는
$$b = 2 + \sqrt{2}$$
$$\therefore \overline{EF} = 1 - (2 - \sqrt{2}) = -1 + \sqrt{2}$$
이때 $\overline{EF} = \overline{FA} = -1 + \sqrt{2}$ 이므로 점 A에 대응하는 수는
$$a = 1 + (-1 + \sqrt{2}) = \sqrt{2}$$
$$\therefore a + b = \sqrt{2} + (2 + \sqrt{2}) = 2 + 2\sqrt{2}$$

296) [정답] ④

[해설] $(2009x - 2010)^2$
$$= 2009^2 x^2 - 2 \times 2009 \times 2010 x + 2010^2$$
$$a(x-1)^2 + b(x-1) + c$$
$$= a(x^2 - 2x + 1) + b(x-1) + c$$
$$= ax^2 - (2a - b)x + a - b + c$$
이때 위의 두 식이 같으므로
$$a = 2009^2$$
$2a - b = 2 \times 2009 \times 2010$ 에서
$$b = 2 \times 2009^2 - 2 \times 2009 \times 2010$$
$$= 2 \times 2009 \times (2009 - 2010) = -2 \times 2009$$
$a - b + c = 2010^2$ 에서
$$2009^2 + 2 \times 2009 + c = 2010^2$$
$$\therefore c = 2010^2 - 2009^2 - 2 \times 2009$$
$$= (2010 - 2009)(2010 + 2009) - 2 \times 2009$$
$$= 2010 + 2009 - 2 \times 2009$$
$$= 2010 - 2009 = 1$$
$$\therefore a + b + c = 2009^2 - 2 \times 2009 + 1$$
$$= (2009 - 1)^2 = 2008^2$$

297) [정답] ②

[해설] 밑면에서 띠로 가려지지 않은 부분의 넓이는
$$2(3x-2)(2x+3) = 2(6x^2 + 5x - 6) = 12x^2 + 10x - 12$$
옆면에서 띠로 가려지지 않은 부분의 넓이는
$$10\{2(3x + 2x + 5) - 8\} = 10(10x + 2) = 100x + 20$$
따라서 띠로 가려지지 않는 부분의 넓이는
$$(12x^2 + 10x - 12) + (100x + 20) = 12x^2 + 110x + 8$$

298) [정답] ③

[해설] $\overline{AB} = \overline{AH} = y$ 이므로 $\overline{HD} = \overline{DF} = x - y$
$$\overline{FC} = y - (x - y) = -x + 2y$$
$$\square GECF = (x - y)(-x + 2y) = -x^2 + 3xy - 2y^2$$
따라서 $a = -1$, $b = 3$, $c = -2$ 이므로
$$a + b + c = 0$$

299) [정답] ⑤

[해설] 주어진 식의 양변에 $(9-3)$을 곱하면
$$(9-3)(9+3)(9^2 + 3^2)(9^4 + 3^4) + 6 \times \frac{3^7}{2} = 6 \times x \times 3^y$$
이다.
$$(9-3)(9+3)(9^2 + 3^2)(9^4 + 3^4) + 3^8$$
$$= (9^2 - 3^2)(9^2 + 3^2)(9^4 + 3^4) + 3^8$$
$$= (9^4 - 3^4)(9^4 + 3^4) + 3^8$$
$$= (9^8 - 3^8) + 3^8$$
$$= 9^8 = (3^2)^8 = 3^{16}$$
$$\therefore 3^{16} = 6 \times x \times 3^y$$
그런데 $\frac{1}{2} \le x \le 1$ 이므로 $3 \le 6x \le 6$
$$6x = 3 \qquad \therefore x = \frac{1}{2}, \; y = 15$$
$$\therefore \frac{y}{x} = 30$$

300) [정답] ③

[해설] $2 < \sqrt{7} < 3$ 이므로 $\sqrt{7}$ 의 소수부분은
$$x = \sqrt{7} - 2$$
$x = \sqrt{7} - 2$ 에서
$$x + 2 = \sqrt{7}$$
양변을 제곱하면 $(x+2)^2 = (\sqrt{7})^2$
$$x^2 + 4x + 4 = 7 \qquad \therefore x^2 + 4x = 3$$
$$\therefore (x+1)^2 + 2x + 4 = x^2 + 2x + 1 + 2x + 4$$
$$= x^2 + 4x + 5 = (x^2 + 4x) + 5 = 3 + 5 = 8$$

301) [정답] ⑤

[해설] $\dfrac{1}{f(a)} = \dfrac{1}{\sqrt{a+1} + \sqrt{a}}$
$$= \frac{\sqrt{a+1} - \sqrt{a}}{(\sqrt{a+1} + \sqrt{a})(\sqrt{a+1} - \sqrt{a})} = \sqrt{a+1} - \sqrt{a}$$
$$\therefore \frac{1}{f(1)} + \frac{1}{f(2)} + \frac{1}{f(3)} + \cdots + \frac{1}{f(1001)}$$

$$= (-\sqrt{1} + \sqrt{2}) + (-\sqrt{2} + \sqrt{3}) + \cdots$$
$$+ (-\sqrt{1001} + \sqrt{1002})$$
$$= -\sqrt{1} + \sqrt{1002} = -1 + \sqrt{1002}$$

302) [정답] ①

[해설] $x^2 - 2x + 1 = 0$에서 $x \neq 0$이므로 양변을 x로 나누면

$$x - 2 + \frac{1}{x} = 0 \qquad \therefore x + \frac{1}{x} = 2$$

곱셈공식을 이용하면

$$x^2 + \frac{1}{x^2} = \left(x + \frac{1}{x}\right)^2 - 2 = 2^2 - 2 = 2$$

$$\therefore x^2 - 2x - \frac{2}{x} + \frac{1}{x^2} = \left(x^2 + \frac{1}{x^2}\right) + \left(-2x - \frac{2}{x}\right)$$

$$= \left(x^2 + \frac{1}{x^2}\right) - 2\left(x + \frac{1}{x}\right) = 2 - 4 = -2$$

303) [정답] ④

[해설] 정사면체 주사위의 눈의 수가 모두 소수이므로 $ax^2 + kx + b$를 인수분해하면 $(ax+1)(x+b)$ 또는 $(ax+b)(x+1)$이다.

$$\therefore k = ab + 1 \text{ 또는 } k = a + b$$

(i) $a=2$, $b=2$일 때, $k=5$ 또는 $k=4$
(ii) $a=2$, $b=3$일 때, $k=7$ 또는 $k=5$
(iii) $a=2$, $b=5$일 때, $k=11$ 또는 $k=7$
(iv) $a=2$, $b=7$일 때, $k=15$ 또는 $k=9$
(v) $a=3$, $b=3$일 때, $k=10$ 또는 $k=6$
(vi) $a=3$, $b=5$일 때, $k=16$ 또는 $k=8$
(vii) $a=3$, $b=7$일 때, $k=22$ 또는 $k=10$
(viii) $a=5$, $b=5$일 때, $k=26$ 또는 $k=10$
(ix) $a=5$, $b=7$일 때, $k=36$ 또는 $k=12$
(x) $a=7$, $b=7$일 때, $k=50$ 또는 $k=14$

따라서 자연수 k의 최댓값은 50, 최솟값은 4이므로 그 차는

$$50 - 4 = 46$$

304) [정답] ①

[해설] $x^2 - (a+1)x + a = (x-1)(x-a)$

(i) 공통인 인수가 $x-1$일 때,
$x^2 - (a+5)x + a + 8 = (x-1)(x+m)$이라 하면
$a + 5 = 1 - m$, $a + 8 = -m$
$m = -a - 8$을 $a + 5 = 1 - m$에 대입하면
$a + 5 = 1 + a + 8$ $\therefore a$는 존재하지 않는다.

(ii) 공통인 인수가 $x-a$일 때,
$x^2 - (a+5)x + a + 8 = (x-a)(x+n)$이라 하면
$a + 5 = a - n$, $a + 8 = -an$
$\therefore n = -5$, $a = 2$

따라서 상수 a의 값은 2이다.

305) [정답] ④

[해설] $x^2 y + xy^2 + xz^2 + x^2 z + y^2 z + yz^2 + 3xyz$
$= (x^2 y + x^2 z) + (xy^2 + xz^2 + 3xyz) + (y^2 z + yz^2)$

$$= (y+z)x^2 + (y^2 + 3yz + z^2)x + yz(y+z)$$
$$= (y+z)x^2 + \{(y+z)^2 + yz\}x + yz(y+z)$$
$$= (y+z)x^2 + (y+z)^2 x + xyz + yz(y+z)$$
$$= x(y+z)(x+y+z) + yz(x+y+z)$$
$$= (x+y+z)(xy + xz + yz)$$

306) [정답] ①

[해설] $\sqrt{258 + \frac{1}{256}} = \sqrt{256 + 2 + \frac{1}{256}}$

$$= \sqrt{16^2 + 2 \times 16 \times \frac{1}{16} + \left(\frac{1}{16}\right)^2}$$

$$= \sqrt{\left(16 + \frac{1}{16}\right)^2} = \sqrt{\left(\frac{257}{16}\right)^2} = \frac{257}{16}$$

따라서 $a = 16$, $b = 257$이므로
$b - a = 241$

307) [정답] ⑤

[해설] 첫째 날 거북이의 위치는 $(1^2, 0)$,
둘째 날 거북이의 위치는 $(1^2, 2^2)$,
셋째 날 거북이의 위치는 $(1^2 - 3^2, 2^2)$,
넷째 날 거북이의 위치는 $(1^2 - 3^2, 2^2 - 4^2)$,
…

즉 13일 후 거북이의 위치를 좌표로 나타낼 때,
x좌표는
$1^2 - 3^2 + 5^2 - 7^2 + 9^2 - 11^2 + 13^2$
$= (1+3)(1-3) + (5+7)(5-7) + (9+11)(9-11) + 13^2$
$= -2(1+3+5+7+9+11) + 169$
$= -2 \times 3 \times 12 + 169 = -72 + 169 = 97$
y좌표는
$2^2 - 4^2 + 6^2 - 8^2 + 10^2 - 12^2$
$= (2+4)(2-4) + (6+8)(6-8) + (10+12)(10-12)$
$= -2(2+4+6+8+10+12)$
$= -2 \times 3 \times 14 = -84$

따라서 13일 후 거북이의 위치를 좌표로 나타내면 $(97, -84)$이다.

308) [정답] ④

[해설] 두 자연수 m, n에 대하여
$x = 6m + 2$, $y = 6n + 5$라 하면
$xy = (6m+2)(6n+5)$
$= 36mn + 30m + 12n + 10$
$= 6(6mn + 5m + 2n + 1) + 4$

따라서 xy를 6으로 나누었을 때의 나머지는 4이다.

309) [정답] ⑤

[해설] $A = \left(1 + \frac{1}{7}\right)\left(1 + \frac{1}{7^2}\right)\left(1 + \frac{1}{7^4}\right)\left(1 + \frac{1}{7^8}\right)\left(1 + \frac{1}{7^{16}}\right)$

$$= \frac{7}{6}\left(1 - \frac{1}{7}\right)\left(1 + \frac{1}{7}\right)\left(1 + \frac{1}{7^2}\right)\left(1 + \frac{1}{7^4}\right)\left(1 + \frac{1}{7^8}\right)\left(1 + \frac{1}{7^{16}}\right)$$

$$= \frac{7}{6}\left(1 - \frac{1}{7^2}\right)\left(1 + \frac{1}{7^2}\right)\left(1 + \frac{1}{7^4}\right)\left(1 + \frac{1}{7^8}\right)\left(1 + \frac{1}{7^{16}}\right)$$

$$= \frac{7}{6}\left(1 - \frac{1}{7^4}\right)\left(1 + \frac{1}{7^4}\right)\left(1 + \frac{1}{7^8}\right)\left(1 + \frac{1}{7^{16}}\right)$$

$$= \frac{7}{6}\left(1 - \frac{1}{7^8}\right)\left(1 + \frac{1}{7^8}\right)\left(1 + \frac{1}{7^{16}}\right)$$

$$= \frac{7}{6}\left(1 - \frac{1}{7^{16}}\right)\left(1 + \frac{1}{7^{16}}\right)$$

$$= \frac{7}{6}\left(1 - \frac{1}{7^{32}}\right)$$

$$\therefore 1 - \frac{6}{7}A = 1 - \frac{6}{7} \times \frac{7}{6}\left(1 - \frac{1}{7^{32}}\right)$$

$$= 1 - \left(1 - \frac{1}{7^{32}}\right) = \frac{1}{7^{32}}$$

310) [정답] ④

[해설] $\overline{AE} = (5x - 3y) - (x + 2y) = 4x - 5y$,

$\overline{AG} = \overline{EF} = \overline{ED} = x + 2y$

$\overline{BJ} = \overline{HJ} = \overline{GB} = y$, $\overline{JC} = (5x - 3y) - y = 5x - 4y$

따라서 색칠한 부분의 넓이는

$\square AGFE + \square HJCI$

$= (4x - 5y)(x + 2y) + (5x - 4y)y$

$= 4x^2 + 3xy - 10y^2 + 5xy - 4y^2$

$= 4x^2 + 8xy - 14y^2$

311) [정답] ④

[해설] $f(x) = \dfrac{1}{\sqrt{x+1} + \sqrt{x}}$

$= \dfrac{\sqrt{x+1} - \sqrt{x}}{(\sqrt{x+1} + \sqrt{x})(\sqrt{x+1} - \sqrt{x})}$

$= \dfrac{\sqrt{x+1} - \sqrt{x}}{(x+1) - x} = \sqrt{x+1} - \sqrt{x}$

$\therefore f(1) + f(2) + f(3) + \cdots + f(49)$

$= (\sqrt{2} - \sqrt{1}) + (\sqrt{3} - \sqrt{2}) + (\sqrt{4} - \sqrt{3}) +$

$\qquad \cdots + (\sqrt{50} - \sqrt{49})$

$= -1 + \sqrt{50} = -1 + 5\sqrt{2}$

$= -1 + 5 \times 1.414 = 6.07$

따라서 주어진 식의 값에 가장 가까운 정수는 6 이다.

312) [정답] ⑤

[해설]

$\dfrac{x+y}{(x+1)(y+1)} + \dfrac{y+z}{(y+1)(z+1)} + \dfrac{z+x}{(z+1)(x+1)}$

$= \dfrac{(x+y)(z+1) + (y+z)(x+1) + (z+x)(y+1)}{(x+1)(y+1)(z+1)}$

$= \dfrac{(zx + x + yz + y) + (xy + y + zx + z) + (yz + z + xy + x)}{xyz + xy + yz + zx + x + y + z + 1}$

$= \dfrac{2(x + y + z + xy + yz + zx)}{x + y + z + xy + yz + zx} \quad (\because xyz = -1)$

$= 2$

$\therefore \dfrac{x+y}{(x+1)(y+1)} + \dfrac{y+z}{(y+1)(z+1)} + \dfrac{z+x}{(z+1)(x+1)} + 5$

$= 2 + 5 = 7$

313) [정답] ①

[해설] $x = 1 + \sqrt{5} + \sqrt{7}$ 에서 $x - 1 = \sqrt{5} + \sqrt{7}$

양변을 제곱하면 $(x-1)^2 = (\sqrt{5} + \sqrt{7})^2$

$x^2 - 2x + 1 = 12 + 2\sqrt{35}$

$\therefore x^2 - 2x = 11 + 2\sqrt{35}$

$\therefore 2x^2 - 4x - 3 = 2(x^2 - 2x) - 3$

$= 2(11 + 2\sqrt{35}) - 3 = 19 + 4\sqrt{35}$

314) [정답] ②

[해설] $x^2 - ax + 4b$ 가 완전제곱식이 되려면

$4b = \left(\dfrac{-a}{2}\right)^2$, $4b = \dfrac{a^2}{4}$ $\qquad \therefore a^2 = 16b$

따라서 $a^2 = 16b$ 를 만족하는 순서쌍 (a, b) 는 $(4, 1)$ 의 1가지이다.

315) [정답] ①

[해설] 사다리꼴에서 A부분을 잘라내고 남은 부분의 넓이는

$\dfrac{1}{2} \times \{(3x+1) + (x+3)\} \times (2x-1) - \dfrac{1}{2} \times 4 \times 5$

$= \dfrac{1}{2}(4x + 4)(2x - 1) - 10$

$= (2x + 2)(2x - 1) - 10$

$= 4x^2 + 2x - 12$

$= 2(2x^2 + x - 6)$

$= 2(2x - 3)(x + 2)$

이때 직사각형의 세로의 길이를 B라 하면

$(4x - 6)B = 2(2x - 3)(x + 2)$ 이므로

$B = x + 2$

316) [정답] ①

[해설]

$\left(1 - \dfrac{1}{2^2}\right)\left(\dfrac{1}{3^2} - 1\right)\left(1 - \dfrac{1}{4^2}\right)\left(\dfrac{1}{5^2} - 1\right)\cdots\left(\dfrac{1}{19^2} - 1\right)\left(1 - \dfrac{1}{20^2}\right)$

$= -\left(1 - \dfrac{1}{2^2}\right)\left(1 - \dfrac{1}{3^2}\right)\left(1 - \dfrac{1}{4^2}\right)\left(1 - \dfrac{1}{5^2}\right)\cdots\left(1 - \dfrac{1}{19^2}\right)\left(1 - \dfrac{1}{2}\right)$

$= -\left(\dfrac{2^2 - 1}{2^2}\right)\left(\dfrac{3^2 - 1}{3^2}\right)\left(\dfrac{4^2 - 1}{4^2}\right)\left(\dfrac{5^2 - 1}{5^2}\right)\cdots\left(\dfrac{19^2 - 1}{19^2}\right)\left(\dfrac{20^2}{20}\right)$

$= -\dfrac{(2-1) \times (2+1)}{2 \times 2} \times \dfrac{(3-1) \times (3+1)}{3 \times 3} \times \dfrac{(4-1) \times (4+}{4 \times 4}$

$\times \dfrac{(5-1) \times (5+1)}{5 \times 5} \times \cdots \times \dfrac{(19-1)(19+1)}{19 \times 19} \times \dfrac{(20-1) \times}{20 \times}$

$= -\dfrac{1 \times 3}{2 \times 2} \times \dfrac{2 \times 4}{3 \times 3} \times \dfrac{3 \times 5}{4 \times 4} \times \dfrac{4 \times 6}{5 \times 5} \times \cdots \times \dfrac{18 \times 20}{19 \times 19} \times \dfrac{19 \times}{20 \times}$

$= -\left(\dfrac{1}{2} \times \dfrac{21}{20}\right) = -\dfrac{21}{40}$

317) [정답] ①

[해설] $f(x) = \sqrt{\dfrac{x^3 + x^2 - x - 1}{x^3 + x^2}}$

$= \sqrt{\dfrac{x^2(x+1) - (x+1)}{x^2(x+1)}}$

$$= \sqrt{\frac{(x+1)(x^2-1)}{x^2(x+1)}}$$

$$= \sqrt{\frac{x^2-1}{x^2}}$$

$$= \sqrt{\frac{(x-1)(x+1)}{x^2}}$$

$$= \sqrt{\frac{x-1}{x} \times \frac{x+1}{x}}$$

$$\therefore f(2) \times f(3) \times f(4) \times \cdots \times f(8)$$

$$= \sqrt{\frac{1}{2} \times \frac{3}{2}} \times \sqrt{\frac{2}{3} \times \frac{4}{3}} \times \sqrt{\frac{3}{4} \times \frac{5}{4}} \times \cdots \times \sqrt{\frac{7}{8} \times \frac{9}{8}}$$

$$= \sqrt{\frac{1}{2} \times \frac{9}{8}} = \sqrt{\frac{9}{16}} = \frac{3}{4}$$

318) [정답] ③

[해설] $\sqrt{x} + \sqrt{x+55}$ 가 자연수가 되려면

$\sqrt{x}$, $\sqrt{x+55}$ 모두 자연수이어야 한다.

$\sqrt{x}$ 가 자연수가 되려면 자연수 x는 제곱수이어야 한다.

이때 $x = a^2$이라 하면 $\sqrt{x+55} = \sqrt{a^2+55}$

즉 $\sqrt{a^2+55}$ 가 자연수이어야 하므로

$\sqrt{a^2+55} = b$(단, b는 자연수)

$\sqrt{a^2+55} = b$의 양변을 제곱하면

$a^2+55 = b^2$, $b^2-a^2 = 55$

$\therefore (b+a)(b-a) = 55$

a, b는 자연수이므로

$b+a = 55$, $b-a = 1$ 또는 $b+a = 11$, $b-a = 5$

$\therefore a = 27$, $b = 28$ 또는 $a = 3$, $b = 8$

이때 $x = a^2$이므로 x의 값은 9, 729

따라서 자연수 x의 값을 모두 더하면

$9+729 = 738$

319) [정답] ④

[해설] $x^2-7x+1 = 0$에 $x = a$를 대입하면

$a^2-7a+1 = 0$

양변을 a로 나누면

$a-7+\frac{1}{a} = 0$ $\quad \therefore a+\frac{1}{a} = 7$

$\therefore \left(a-\frac{1}{a}\right)^2 = \left(a+\frac{1}{a}\right)^2-4 = 7^2-4 = 45$

320) [정답] ①

[해설] $x^2+ax+b = x^2+bx+a$

$(a-b)x = a-b$ $\quad \therefore x = 1$

즉 $x^2+(k+1)x+3 = 0$에 $x = 1$을 대입하면

$1+k+1+3 = 0$ $\quad \therefore k = -5$

321) [정답] ③

[해설] $x^2-ax+b = 0$에서 근의 공식에 의하여

$$x = \frac{-(-a) \pm \sqrt{(-a)^2-4\times1\times b}}{2\times1} = \frac{a \pm \sqrt{a^2-4b}}{2}$$

이때 한 근이 $x = \frac{a}{2} - \sqrt{b}$이므로

$\sqrt{a^2-4b} = 2\sqrt{b}$

$a^2-4b = 4b$ $\quad \therefore a^2 = 8b$

즉 $a^2 = 8b$를 만족하는 순서쌍 (a,b)는 $(4,2)$의 1개이다.

따라서 구하려는 확률은 $\frac{1}{36}$이다.

322) [정답] ③

[해설] $f(x) = x^2-4x+4$이므로

$\{f(x)\}^2-4f(x)+4 = x^2-4x+4$에서

$\{f(x)\}^2-4f(x)+4 = f(x)$

$\{f(x)\}^2-5f(x)+4 = 0$, $\{f(x)-4\}\{f(x)-1\} = 0$

$\therefore f(x) = 4$ 또는 $f(x) = 1$

(i) $f(x) = 4$에서

$x^2-4x+4 = 4$, $x^2-4x = 0$

$x(x-4) = 0$ $\quad \therefore x = 0$ 또는 $x = 4$

(ii) $f(x) = 1$에서

$x^2-4x+4 = 1$, $x^2-4x+3 = 0$

$(x-1)(x-3) = 0$ $\quad \therefore x = 1$ 또는 $x = 3$

따라서 모든 근의 합은

$0+4+1+3 = 8$

323) [정답] ④

[해설] $2x^2-4x+m = 0$에서 $2\left(x^2-2x+\frac{m}{2}\right) = 0$

이 이차방정식이 중근을 가지려면

$\left(\frac{-2}{2}\right)^2 = \frac{m}{2}$ $\quad \therefore m = 2$

즉 두 근이 2, 4이고 x^2의 계수가 -2인 이차방정식은

$-2(x-2)(x-4) = 0$, $-2(x^2-6x+8) = 0$

$\therefore -2x^2+12x-16 = 0$

따라서 상수항은 -16이다.

324) [정답] ②

[해설] $\triangle ABC$는 $\overline{AB} = \overline{AC}$인 이등변삼각형이고

$\angle A = 36°$이므로

$\angle B = \angle C = \frac{1}{2} \times (180°-36°) = 72°$

$\overline{BD}$는 $\angle ABC$의 이등분선이므로

$\angle ABD = \angle DBC = \frac{1}{2} \times 72° = 36°$

$\angle DAB = \angle DBA$이므로 $\triangle ABD$는 $\overline{AD} = \overline{BD}$인 이등변삼각형이다.

$\therefore \angle BDC = 36°+36° = 72°$

또 $\triangle BCD$에서 $\angle BCD = \angle BDC$이므로 $\triangle BCD$는 $\overline{BC} = \overline{BD} = 5$인 이등변삼각형이다.

$\therefore \overline{AD} = \overline{BD} = \overline{BC} = 5$

이때 $\triangle ABC$와 $\triangle BCD$는 서로 닮음인 이등변삼

각형이므로

$\overline{AC}:\overline{BD}=\overline{BC}:\overline{CD}$

$5+x:5=5:x$

$x^2+5x-25=0$

근의 공식에 의하여

$x=\dfrac{-5\pm\sqrt{5^2-4\times1\times(-25)}}{2\times1}=\dfrac{-5\pm5\sqrt{5}}{2}$

그런데 $x>0$이므로 $x=\dfrac{-5+5\sqrt{5}}{2}$

325) [정답] ①

[해설] $\overline{BF}=x$라 하면 $\overline{AF}=7-x$

$\square FBDE$는 평행사변형이므로 $\overline{ED}=\overline{FB}=x$

이때 $\triangle AFE$, $\triangle EDC$는 $\triangle ABC$와 닮음인 직각

이등변삼각형이므로

$\overline{AF}=\overline{AE}=7-x$, $\overline{ED}=\overline{EC}=x$

이때 평행사변형 $FBDE$의 넓이가 6이므로

$\dfrac{49}{2}-\dfrac{1}{2}(7-x)^2-\dfrac{1}{2}x^2=6$

$(7-x)^2+x^2=37$

$2x^2-14x+12=0$, $x^2-7x+6=0$

$(x-1)(x-6)=0$ ∴ $x=1$ 또는 $x=6$

그런데 $\overline{AF}>\overline{BF}$이므로

$7-x>x$, $2x<7$ ∴ $x<\dfrac{7}{2}$

∴ $x=1$

326) [정답] ③

[해설] 타일 1개의 긴 변의 길이를 a, 짧은 변의 길이를 b라 하자

큰 직사각형의 가로의 길이에서

$4b=2a+2$ ∴ $b=\dfrac{1}{2}a+\dfrac{1}{2}$ …㉠

이때 큰 직사각형의 넓이가 176이므로

$(2a+2)(a+b)=176$

$(2a+2)\left(\dfrac{3}{2}a+\dfrac{1}{2}\right)=176$

$(a+1)(3a+1)=176$, $3a^2+4a-175=0$

$(3a+25)(a-7)=0$ ∴ $a=7(\because a>0)$

a의 값을 ㉠에 대입하면 $b=4$

따라서 타일 1개의 넓이는

$7\times4=28$

327) [정답] ③

[해설] $\overline{BC}=x$라 하면 $\overline{AC}=14-x$

이때 색칠한 부분의 넓이가 10π이므로

$\dfrac{1}{2}\times\left(\dfrac{14}{2}\right)^2\pi-\dfrac{1}{2}\left(\dfrac{14-x}{2}\right)^2\pi-\dfrac{1}{2}\left(\dfrac{x}{2}\right)^2\pi=10\pi$

$49-\dfrac{1}{4}(14-x)^2-\dfrac{1}{4}x^2=20$

$\dfrac{1}{2}x^2-7x+20=0$, $x^2-14x+40=0$

$(x-4)(x-10)=0$ ∴ $x=4$ 또는 $x=10$

그런데 $\overline{AC}>\overline{BC}$이므로

$14-x>x$, $2x<14$ ∴ $x<7$

∴ $x=4$

328) [정답] ①

[해설] x초 후에 직사각형의 가로의 길이는 $16-x$, 세로의 길이는 $12+2x$

$(16-x)(12+2x)=16\times12$

$x^2-10x=0$, $x(x-10)=0$

∴ $x=10(\because x>0)$

329) [정답] ④

[해설] 작은 정삼각형의 한 변의 길이를 x라 하면 큰 정삼각형의 한 변의 길이는

$\dfrac{12-3x}{3}=4-x$

이때 두 정삼각형의 넓이의 비가 $3:5$이므로

$x^2:(4-x)^2=3:5$

$3(4-x)^2=5x^2$

$3x^2-24x+48=5x^2$, $x^2+12x-24=0$

근의 공식에 의하여

$x=-6\pm\sqrt{6^2-1\times(-24)}=-6\pm2\sqrt{15}$

그런데 $x>0$이므로 $x=-6+2\sqrt{15}$

330) [정답] ③

[해설] 정사각형 모양의 성벽의 한 변의 길이를 x보라 하자.

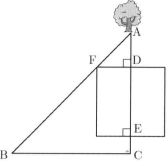

그림에서 $\triangle ABC$와 $\triangle AFD$는 서로 닮음이므로

$\overline{AC}:\overline{AD}=\overline{BC}:\overline{FD}$

$x+15:10=135:\dfrac{1}{2}x$

$\dfrac{1}{2}x(x+15)=1350$

$x^2+15x-2700=0$, $(x+60)(x-45)=0$

∴ $x=45(\because x>0)$

따라서 성벽의 한 변의 길이는 45보이다.

331) [정답] ②

[해설] $(a-1)x^2-(a^2+1)x+2(a+1)=0$에 $x=2$를 대입하면

$4(a-1)-2(a^2+1)+2(a+1)=0$

$-2a^2+6a-4=0,\ a^2-3a+2=0$

$(a-1)(a-2)=0$ $\therefore a=1$ 또는 $a=2$

그런데 주어진 식이 x에 대한 이차방정식이므로

$a-1\neq 0$ $\therefore a\neq 1$

$\therefore a=2$

즉 $x^2-5x+6=0$이므로

$(x-2)(x-3)=0$ $\therefore x=2$ 또는 $x=3$

$\therefore A=3$

따라서 3의 거듭제곱의 일의 자리 숫자는 3, 9, 7, 1로 반복되므로 3^{101}의 일의 자리 숫자는 3이다.

332) [정답] ③

[해설] 이차방정식 $x^2+mx+n=0$이 중근을 가지려면 좌변이 완전제곱식으로 인수분해 되어야 하므로

$n=\left(\dfrac{m}{2}\right)^2$

$n=\dfrac{m^2}{4}$ $\therefore m^2=4n$

이때 $m^2=4n$을 만족하는 순서쌍 (m,n)을 구하면

(i) $n=1$일 때, $m^2=4$이므로 $m=\pm 2$

$(-2,1),\ (2,1)$의 2가지

(ii) $n=2$일 때, $m^2=8$이므로 이를 만족하는 m의 값은 존재하지 않는다.

(iii) $n=3$일 때, $m^2=12$이므로 이를 만족하는 m의 값은 존재하지 않는다.

(iv) $n=4$일 때, $m^2=16$이므로 $m=4$

$(4,4)$의 1가지

(v) $n=5$일 때, $m^2=20$이므로 이를 만족하는 m의 값은 존재하지 않는다.

(vi) $n=6$일 때, $m^2=24$이므로 이를 만족하는 m의 값은 존재하지 않는다.

따라서 구하려는 확률은

$\dfrac{3}{36}=\dfrac{1}{12}$

333) [정답] ⑤

[해설] $y=ax+b$의 그래프가 두 점 $(-4,0),\ (0,2)$를 지나므로

$-4a+b=0,\ b=2$ $\therefore a=\dfrac{1}{2}$

즉 $\dfrac{1}{2}x^2+x-2=0$이므로

$x^2+2x-4=0$

근의 공식에 의하여

$x=-1\pm\sqrt{1^2-1\times(-4)}=-1\pm\sqrt{5}$

그런데 $m>n$이므로

$m=-1+\sqrt{5},\ n=-1-\sqrt{5}$

$\therefore m-n=(-1+\sqrt{5})-(-1-\sqrt{5})=2\sqrt{5}$

334) [정답] ④

[해설] $3x^2-7x+a-1=0$에서 근의 공식에 의하여

$x=\dfrac{-(-7)\pm\sqrt{(-7)^2-4\times 3\times(a-1)}}{2\times 3}$

$=\dfrac{7\pm\sqrt{61-12a}}{6}$

이때 해가 모두 유리수가 되려면 $61-12a$는 0 또는 제곱수가 되어야 한다.

$61-12a=0,\ 1,\ 4,\ 9,\ 16,\ 25,\ 36,\ 49$

$12a=61,\ 60,\ 57,\ 52,\ 45,\ 36,\ 25,\ 12$

$\therefore a=5,\ 3,\ 1\,(\because a$는 자연수$)$

따라서 자연수 a의 값의 합은

$5+3+1=9$

335) [정답] ⑤

[해설] 이차방정식 $mx^2+7x+n=0$에서 근의 공식에 의하여

$x=\dfrac{-7\pm\sqrt{7^2-4\times m\times n}}{2\times m}$

$=\dfrac{-7\pm\sqrt{49-4mn}}{2m}$

이때 두 근이 모두 유리수가 되려면 $49-4mn$의 값이 0 또는 제곱수가 되어야 한다.

(i) $49-4mn=0$일 때, $mn=\dfrac{49}{4}$

즉 이를 만족하는 순서쌍 (m,n)은 존재하지 않는다.

(ii) $49-4mn=1$일 때, $mn=12$

즉 이를 만족하는 순서쌍 (m,n)은

$(1,12),\ (2,6),\ (3,4),\ (4,3),\ (6,2),\ (12,1)$의 6가지

(iii) $49-4mn=4$일 때, $mn=\dfrac{45}{4}$

즉 이를 만족하는 순서쌍 (m,n)은 존재하지 않는다.

(iv) $49-4mn=9$일 때, $mn=10$

즉 이를 만족하는 순서쌍 (m,n)은

$(1,10),\ (2,5),\ (5,2),\ (10,1)$의 4가지

(v) $49-4mn=16$일 때, $mn=\dfrac{33}{4}$

즉 이를 만족하는 순서쌍 (m,n)은 존재하지 않는다.

(vi) $49-4mn=25$일 때, $mn=6$

즉 이를 만족하는 순서쌍 (m,n)은

$(1,6),\ (2,3),\ (3,2),\ (6,1)$의 4가지

(vii) $49-4mn=36$일 때, $mn=\dfrac{13}{4}$

즉 이를 만족하는 순서쌍 (m,n)은 존재하지 않는다.

(viii) $49-4mn=49$일 때, $mn=0$

즉 이를 만족하는 순서쌍 (m,n)은 존재하지 않는다.

따라서 두 자연수 m, n의 순서쌍 (m, n)은 모두 14개이다.

336) [정답] ⑤

[해설] $(1000 + x)\left(700 - \dfrac{1}{4}x\right) = 1000 \times 700$

$\dfrac{1}{4}x^2 - 450x = 0$, $x^2 - 1800x = 0$

$x(x - 1800) = 0$ ∴ $x = 0$ 또는 $x = 1800$

이때 $x > 0$이므로 $x = 1800$

따라서 x원 인상 후 1인 입장료는

$1000 + 1800 = 2800$(원)

337) [정답] ③

[해설] 처음 직사각형의 세로의 길이를 x라 하면 가로의 길이는 $x + 4$

이때 상자의 부피가 330이므로

$2x(x - 4) = 330$

$x(x - 4) = 165$, $x^2 - 4x - 165 = 0$

$(x - 15)(x + 11) = 0$ ∴ $x = 15$ 또는 $x = -11$

이때 $x > 0$이므로 $x = 15$

338) [정답] ③

[해설] t초 후에 $\overline{AP} = 4t$, $\overline{BQ} = 3t$이므로 $\overline{PB} = 24 - 4t$

이때 $\triangle PBQ$의 넓이가 54이므로

$\dfrac{1}{2} \times (24 - 4t) \times 3t = 54$

$t(24 - 4t) = 36$, $-4t^2 + 24t - 36 = 0$

$t^2 - 6t + 9 = 0$, $(t - 3)^2 = 0$ ∴ $t = 3$

339) [정답] ③

[해설] 점 D의 좌표를 (a, a^2)이라 하면 $A(-a, a^2)$, $C\left(a, -\dfrac{1}{3}a^2\right)$

이때 사각형 $ABCD$는 정사각형이므로

$\overline{AD} = \overline{DC}$

$a - (-a) = a^2 - \left(-\dfrac{1}{3}a^2\right)$

$\dfrac{4}{3}a^2 - 2a = 0$, $\dfrac{4}{3}a\left(a - \dfrac{3}{2}\right) = 0$

∴ $a = \dfrac{3}{2}$ ($\because a \neq 0$)

따라서 정사각형 $ABCD$의 한 변의 길이는 3이므로 그 넓이는

$3^2 = 9$

340) [정답] ③

[해설]

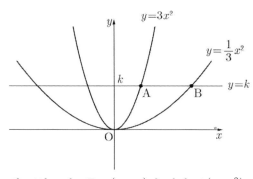

점 A의 x좌표를 $a(a > 0)$라 하면 $A(a, 3a^2)$

∴ $k = 3a^2$

점 B는 $y = \dfrac{1}{3}x^2$ 위에 있으므로

$3a^2 = \dfrac{1}{3}x^2$

$x^2 = 9a^2$ ∴ $x = \pm 3a$

그런데 점 B는 제1사분면 위에 있으므로

$B(3a, 3a^2)$

이때 $\overline{AB} = 2$이므로

$2a = 2$ ∴ $a = 1$

∴ $k = 3a^2 = 3 \times 1^2 = 3$

341) [정답] ②

[해설] 점 B는 $y = ax^2$의 그래프 위에 있고 x좌표가 2이므로 $B(2, 4a)$

점 C는 $y = ax^2$의 그래프 위에 있고 x좌표가 8이므로 $C(8, 64a)$

즉 사다리꼴 $ABCD$의 높이는

$64a - 4a = 60a$

이때 사다리꼴 $ABCD$의 넓이가 100이므로

$\dfrac{1}{2} \times (4 + 16) \times 60a = 100$

$600a = 100$ ∴ $a = \dfrac{1}{6}$

∴ $y = \dfrac{1}{6}x^2$

342) [정답] ②, ⑤

[해설] 이차함수 $y = ax^2$의 그래프가 직사각형 $ABCD$의 둘레 위의 단 한 점을 지나려면

(i) 점 $A\left(\dfrac{1}{2}, 2\right)$를 지날 때,

$\dfrac{1}{4}a = 2$ ∴ $a = 8$

(ii) 점 $C(2, 1)$을 지날 때,

$4a = 1$ ∴ $a = \dfrac{1}{4}$

343) [정답] ④

[해설] $y = \dfrac{1}{3}x^2 - k$에 $y = 0$을 대입하면

$\dfrac{1}{3}x^2 - k = 0$, $x^2 = 3k$ $\therefore x = \pm\sqrt{3k}$

$\therefore \overline{AB} = 2\sqrt{3k}$

이때 $\overline{AB}$의 길이가 정수가 되려면 $k = 3a^2$(단, a는 자연수)의 꼴이어야 하므로

$k = 3,\ 12,\ 27$

따라서 30보다 작은 자연수 k의 값은 3, 12, 27 이므로 그 합은

$3 + 12 + 27 = 42$

344) [정답] ⑤

[해설] O지점을 원점으로 하여 포물선을 좌표평면에 옮기면 $P(0,3)$, $R(4,5)$

포물선의 꼭짓점이 $P(0,3)$이므로 $y = ax^2 + 3$

이 포물선이 $R(4,5)$를 지나므로

$5 = 16a + 3$, $16a = 2$ $\therefore a = \dfrac{1}{8}$

즉 $y = \dfrac{1}{8}x^2 + 3$의 그래프에서 $x = 8$일 때,

$y = \dfrac{1}{8} \times 8^2 + 3 = 11$

따라서 S지점에서 T지점까지의 높이는 $11\,m$이다.

345) [정답] ⑤

[해설] $y = x^2 - 8x$

$= x^2 - 8x + 16 - 16$

$= (x-4)^2 - 16$

이므로 그래프의 축의 방정식은 $x = 4$, 꼭짓점의 좌표는 $(4, -16)$

이때 두 이차함수의 그래프의 이차항의 계수가 같으므로 두 그래프는 평행이동하여 겹쳐질 수 있다.

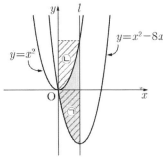

즉 ㉠과 ㉡의 넓이는 같으므로 색칠한 부분의 넓이는 가로의 길이가 4, 세로의 길이가 16인 직사각형의 넓이와 같으므로

$4 \times 16 = 64$

346) [정답] ②

[해설] $f(x) = x^2 + 2x + 3$

$= (x^2 + 2x + 1 - 1) + 3$

$= (x+1)^2 + 2$

$g(x) = x^2 - 2x + 3$

$= (x^2 - 2x + 1 - 1) + 3$

$= (x-1)^2 + 2$

즉 $g(x)$의 그래프는 $f(x)$의 그래프를 x축의 방향으로 2만큼 평행이동한 것이다.

$\therefore f(x) = g(x+2)$

$\therefore \dfrac{f(1)f(3)f(5)\cdots f(49)}{g(1)g(3)g(5)\cdots g(49)} = \dfrac{f(49)}{g(1)}$

$= \dfrac{49^2 + 2 \times 49 + 3}{1^2 - 2 \times 1 + 3} = \dfrac{2502}{2} = 1251$

347) [정답] ③

[해설] $y = -\dfrac{1}{4}x^2 + ax + 4$

$= -\dfrac{1}{4}(x^2 - 4ax + 4a^2 - 4a^2) + 4$

$= -\dfrac{1}{4}(x - 2a)^2 + a^2 + 4$

이므로 그래프의 꼭짓점의 좌표는 $\left(2a,\ a^2 + 4\right)$

$y = -\dfrac{1}{4}x^2 + ax + 4$에 $x = 0$을 대입하면 $y = 4$이므로 $B(0,4)$

이때 $\triangle ABO$의 넓이가 8이므로

$\dfrac{1}{2} \times 4 \times 2a = 8$

$4a = 8$ $\therefore a = 2$

348) [정답] ①

[해설] $y = -x^2 + 2x + k$

$= -(x^2 - 2x + 1 - 1) + k$

$= -(x-1)^2 + k + 1$

이므로 꼭짓점의 좌표는 $A(1, k+1)$

점 A에서 x축에 내린 수선의 발을 H라 하면 $\triangle DBO$와 $\triangle ABH$는 서로 닮음인 직각삼각형이므로

$\overline{BO} : \overline{BH} = \overline{BD} : \overline{BA} = 2 : 3$

$\overline{BO} = b$라 하면

$b : (b+1) = 2 : 3$

$2b + 2 = 3b$ $\therefore b = 2$

$\therefore B(-2, 0)$

즉 $y = -x^2 + 2x + k$의 그래프가 $B(-2,0)$을 지나므로

$0 = -4 - 4 + k$ $\therefore k = 8$

$\therefore A(1, 9)$

$y = -x^2 + 2x + 8$에 $y = 0$을 대입하면

$x^2 - 2x - 8 = 0$, $(x+2)(x-4) = 0$

$\therefore x = -2$ 또는 $x = 4$

$\therefore C(4, 0)$

$\therefore \triangle ABC = \dfrac{1}{2} \times \{4 - (-2)\} \times 9 = 27$

349) [정답] ①

[해설] $y = ax^2 + bx + c$의 그래프에서

(i) 아래로 볼록하므로 $a > 0$

(ii) 축이 y축의 왼쪽에 있으므로

$ab > 0$ $\therefore b > 0$

(iii) y과 원점보다 아래에서 만나므로 $c < 0$

즉 $y = cx^2 - bx - a$의 그래프는

(i) $c < 0$이므로 위로 볼록하다.

(ii) $-bc > 0$이므로 축은 y축의 왼쪽에 있다.

(iii) $-a < 0$이므로 y축과 원점보다 아래에서 만난다.

또 $b^2 + 4uc > 0$이므로 $y = cx^2 - bx - a$의 그래프는 x축과 두 점에서 만나므로 제2, 3, 4사분면만을 지난다.

350) [정답] ④

[해설] $\overline{AB} = 8 - 2 = 6$이므로 $\overline{AP} = \overline{PQ} = \overline{QB} = 2$

$\therefore P(4, 2)$, $Q(6, 2)$

주어진 이차함수의 그래프의 축의 방정식이 $x = 5$이고, 꼭짓점의 y좌표가 4이므로

$y = a(x - 5)^2 + 4$

이때 이 그래프가 점 $P(4, 2)$를 지나므로

$2 = a + 4$ $\therefore a = -2$

$y = -2(x - 5)^2 + 4$ $\therefore y = -2x^2 + 20x - 46$

따라서 $a = -2$, $b = 20$, $c = -46$이므로

$a + b + c = -28$

351) [정답] ①

[해설] 점 B의 x좌표를 a라 하면 점 B가 $y = \frac{1}{2}x^2$의 그래프 위의 점이므로

$B\left(a, \frac{1}{2}a^2\right)$

이때 두 점 C, D의 x좌표는 $2a$이고, 점 D가 $y = \frac{1}{2}x^2$의 그래프 위의 점이므로

$D(2a, 2a^2)$

사각형 $ABCD$가 정사각형이므로

$\overline{BC} = \overline{DC}$

$2a - a = 2a^2 - \frac{1}{2}a^2$

$\frac{3}{2}a^2 - a = 0$, $\frac{3}{2}a\left(a - \frac{2}{3}\right) = 0$

$\therefore a = 0$ 또는 $a = \frac{2}{3}$

그런데 $a > 0$이므로 $a = \frac{2}{3}$

따라서 $\square ABCD$의 한 변의 길이가 $\frac{2}{3}$이므로 넓이는

$\left(\frac{2}{3}\right)^2 = \frac{4}{9}$

352) [정답] ②

[해설] 두 점 A, B는 y축에 대하여 대칭이므로

$A(-1, -3)$, $B(1, -3)$

$\overline{AB} = 1 - (-1) = 2$이므로 $\overline{CD} = 2\overline{AB} = 4$

두 점 C, D는 y축에 대하여 대칭이므로 두 점의 x좌표는 각각 2, -2

$\therefore C(2, 4a)$, $D(-2, 4a)$

이때 $\square ABCD$의 넓이가 21이므로

$\frac{1}{2} \times (4 + 2) \times (4a + 3) = 21$

$3(4a + 3) = 21$, $4a + 3 = 7$ $\therefore a = 1$

353) [정답] ③

[해설] $y = 2x^2$의 그래프 위의 점 A의 x좌표가 4이므로 $A(4, 32)$

$\overline{AC} = 32$, $\overline{AB} = 3\overline{BC}$이므로

$\overline{BC} = \frac{1}{4}\overline{AC} = \frac{1}{4} \times 32 = 8$

$\therefore B(4, 8)$

이때 점 B는 이차함수 $y = ax^2$의 그래프 위의 점이므로

$8 = a \times 4^2$ $\therefore a = \frac{1}{2}$

354) [정답] ①

[해설] $\overline{PS} : \overline{QR} = 2 : 1$에서 $\overline{QR} = k$라 하면 $\overline{PS} = 2k$

두 점 Q, R는 y축에 대하여 대칭이고, $\overline{QR} = k$이므로 두 점 Q, R의 x좌표는 각각

$-\frac{1}{2}k$, $\frac{1}{2}k$

$\therefore Q\left(-\frac{1}{2}k, \frac{1}{4}ak^2\right)$, $R\left(\frac{1}{2}k, \frac{1}{4}ak^2\right)$

두 점 P, S는 y축에 대하여 대칭이고, $\overline{PS} = 2k$이므로 두 점 P, S의 x좌표는 각각

$-k$, k

$\therefore P(-k, bk^2)$, $S(k, bk^2)$

이때 두 점 R, S의 y좌표가 같으므로

$\frac{1}{4}ak^2 = bk^2$, $\frac{1}{4}a = b$ $\therefore \frac{b}{a} = \frac{1}{4}$

355) [정답] ④

[해설] $y = 3(x + 1)^2$의 그래프의 꼭짓점의 좌표는 $(-1, 0)$이고, 축의 방정식은 $x = -1$이다.

두 점 A, B는 직선 $x = -1$에 대하여 대칭이고, $\overline{AB} = 4$이므로 두 점 A, B의 x좌표는 각각

$-1 - \frac{4}{2} = -3$, $-1 + \frac{4}{2} = 1$

$\therefore A(-3, 12)$, $B(1, 12)$

$y = a(x - p)^2 + q$의 그래프의 꼭짓점의 좌표가 $A(-3, 12)$이므로

$p = -3$, $q = 12$

즉 $y = a(x + 3)^2 + 12$의 그래프가 점 $(-1, 0)$을 지나므로

$0 = a(-1 + 3)^2 + 12$, $4a = -12$ $\therefore a = -3$

$$\therefore apq = -3 \times (-3) \times 12 = 108$$

356) [정답] ①

[해설] $A(0,b)$, $C(0,-b)$이므로 $\overline{AC} = 2b$

이때 사각형 $ABCD$는 정사각형이므로

$\overline{BD} = \overline{AC} = 2b$

두 점 B, D는 y축에 대칭이므로 두 점의 x좌표는 각각 $-b$, b

따라서 점 $B(-b,0)$은 $y = ax^2 - b$의 그래프 위의 점이므로

$0 = a \times (-b)^2 - b$, $ab^2 = b$

$\therefore ab = 1$

357) [정답] ①

[해설] 이차함수 $y = a(x-p)^2 + q$의 그래프가

(i) 위로 볼록하므로 $a < 0$

(ii) 꼭짓점 (p,q)는 제1사분면 위에 있으므로 $p > 0$, $q > 0$

즉 이차함수 $y = q(x-a)^2 + p$의 그래프는

(i) $q > 0$이므로 아래로 볼록하고,

(ii) 꼭짓점 (a,p)에서 $a < 0$, $p > 0$이므로 꼭짓점은 제2사분면 위에 있다.

따라서 이차함수 $y = q(x-a)^2 + p$의 그래프는 다음 그림과 같으므로 제1, 2사분면만을 지난다.

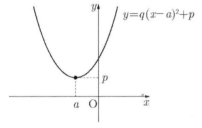

358) [정답] ①

[해설] 이차함수 $y = a(x+3)^2 - 4$의 그래프의 꼭짓점의 좌표는 $(-3,-4)$

이때 꼭짓점 $(-3,-4)$는 제3사분면 위에 있으므로 이 그래프가 제4사분면을 지나지 않으려면

(i) 그래프가 아래로 볼록해야 하므로 $a > 0$

(ii) y축과 원점 또는 원점보다 위쪽에서 만나야 하므로

$9a - 4 \geq 0$ $\therefore a \geq \dfrac{4}{9}$

따라서 (i), (ii)에 의하여 a의 값의 범위는

$a \geq \dfrac{4}{9}$

359) [정답] ②

[해설] $y = \dfrac{1}{2}x^2 + 4ax + 7$

$\qquad = \dfrac{1}{2}(x^2 + 8ax + 16a^2 - 16a^2) + 7$

$\qquad = \dfrac{1}{2}(x + 4a)^2 - 8a^2 + 7$

이므로 그래프의 꼭짓점의 좌표는 $(-4a, -8a^2 + 7)$

$y = 2x^2 + 8x + b$

$\qquad = 2(x^2 + 4x + 4 - 4) + b$

$\qquad = 2(x+2)^2 - 8 + b$

이므로 그래프의 꼭짓점의 좌표는 $(-2, -8 + b)$

두 그래프의 꼭짓점의 좌표가 같으므로

$-4a = -2$ $\therefore a = \dfrac{1}{2}$

$-8a^2 + 7 = -8 + b$

$5 = -8 + b$ $\therefore b = 13$

$\therefore b - 2a = 13 - 1 = 12$

360) [정답] ④

[해설] $y = -x^2 - 10x = -(x+5)^2 + 25$

이므로 그래프의 축의 방정식은 $x = -5$

두 점 A, D는 직선 $x = -5$에 대하여 대칭이므로 $A(-5-k, -k^2+25)$, $D(-5+k, -k^2+25)$라 하면

직사각형 $ABCD$의 둘레의 길이가 50이므로

$2\{2k + (-k^2 + 25)\} = 50$

$-k^2 + 2k + 25 = 25$, $k^2 - 2k = 0$

$k(k-2) = 0$ $\therefore k = 2 (\because k > 0)$

즉 점 A의 좌표는 $A(-7, 21)$

따라서 $a = -7$, $b = 21$이므로

$a + b = -7 + 21 = 14$

361) [정답] ①

[해설] $y = -x^2 + 6x + k$

$\qquad = -(x^2 - 6x + 9 - 9) + k$

$\qquad = -(x-3)^2 + 9 + k$

이므로 그래프의 꼭짓점의 좌표는 $C(3, 9+k)$

$x = 0$일 때, $y = k$이므로 $D(0,k)$

$\triangle ABC = \dfrac{1}{2} \times \overline{AB} \times (k+9)$

$\triangle ABD = \dfrac{1}{2} \times \overline{AB} \times k$

이때 두 삼각형의 넓이의 차가 36이므로

$\dfrac{1}{2} \times \overline{AB} \times (k+9) - \dfrac{1}{2} \times \overline{AB} \times k = 36$

$\dfrac{1}{2} \times \overline{AB} \times \{(k+9) - k\} = 36$

$\dfrac{1}{2} \times \overline{AB} \times 9 = 36$ $\therefore \overline{AB} = 8$

그래프의 축의 방정식은 $x = 3$이고, $\overline{AB} = 8$이므로

점 A의 x좌표는 $3 - \dfrac{8}{2} = -1$

$\therefore A(-1, 0)$

따라서 $y = -x^2 + 6x + k$의 그래프가 점

$A(-1,0)$을 지나므로

$0=-1-6+k$ $\therefore k=7$

362) [정답] ④

[해설] 이차함수의 식을 $y=a(x-p)^2+q$라 하면 그래프의 꼭짓점의 좌표는 $A(p,q)$

두 점 B, O는 $x=p$에 대하여 대칭이므로

$p=\dfrac{-8+0}{2}=-4$

이때 $\triangle ABO$의 넓이가 32이므로

$\dfrac{1}{2}\times 8\times q=32$ $\therefore q=8$

즉 $y=a(x+4)^2+8$의 그래프가 점 $O(0,0)$을 지나므로

$0=16a+8$ $\therefore a=-\dfrac{1}{2}$

$y=-\dfrac{1}{2}(x+4)^2+8$ $\therefore y=-\dfrac{1}{2}x^2-4x$

따라서 $a=-\dfrac{1}{2}$, $b=-4$, $c=0$이므로

$ab-c=-\dfrac{1}{2}\times(-4)-0=2$

363) [정답] ②

[해설] $\angle DEF=\angle GEF$(접은 각), $\angle DEF=\angle GFE$(엇각)이므로 $\angle GEF=\angle GFE=x°$

$\triangle GEF$는 $\overline{GE}=\overline{GF}=3$인 이등변삼각형이다.

직각삼각형 GHF에서 $\overline{GH}=2$이므로

$\overline{HF}=\sqrt{3^2-2^2}=\sqrt{5}=\overline{FC}$

따라서 점 F에서 $\overline{ED}$에 내린 수선의 발을 P라 하면 $\triangle EFP$에서

$\tan x°=\dfrac{\overline{PF}}{\overline{EP}}=\dfrac{2}{3-\sqrt{5}}=\dfrac{3+\sqrt{5}}{2}$

364) [정답] ②

[해설] $\triangle ABD$에서 $\sin x=\dfrac{12}{\overline{AD}}=\dfrac{2}{3}$ $\therefore \overline{AD}=18$

$\triangle ABD\varpropto\triangle CED(AA$ 닮음)이므로

$\angle BAD=\angle ECD=x$

$\triangle CED$에서 $\sin x=\dfrac{\overline{DE}}{12}=\dfrac{2}{3}$ $\therefore \overline{DE}=8$

$\therefore \overline{CE}=\sqrt{12^2-8^2}=4\sqrt{5}$

따라서 $\triangle ACE$에서

$\tan y=\dfrac{\overline{CE}}{\overline{AE}}=\dfrac{4\sqrt{5}}{18+8}=\dfrac{4\sqrt{5}}{26}=\dfrac{2\sqrt{5}}{13}$

365) [정답] ⑤

[해설] $\triangle ABD$에서 $\overline{BD}=\sqrt{10^2+10^2}=10\sqrt{2}$

$\triangle BDH$에서 $\overline{BH}=\sqrt{(10\sqrt{2})^2+10^2}=10\sqrt{3}$

이때 $\triangle BDH\varpropto\triangle DNH(AA$ 닮음)이므로

$\angle DBH=\angle NDH=x$

따라서

$\sin x=\dfrac{\overline{DH}}{\overline{BH}}=\dfrac{10}{10\sqrt{3}}=\dfrac{1}{\sqrt{3}}$,

$\cos x=\dfrac{\overline{BD}}{\overline{BH}}=\dfrac{10\sqrt{2}}{10\sqrt{3}}=\dfrac{\sqrt{2}}{\sqrt{3}}$,

$\tan x=\dfrac{\overline{DH}}{\overline{BD}}=\dfrac{10}{10\sqrt{2}}=\dfrac{1}{\sqrt{2}}$

이므로

$\sin x\times\cos x\times\tan x=\dfrac{1}{\sqrt{3}}\times\dfrac{\sqrt{2}}{\sqrt{3}}\times\dfrac{1}{\sqrt{2}}=\dfrac{1}{3}$

366) [정답] ⑤

[해설] $\overline{DB}=\dfrac{1}{2}\overline{AB}=\dfrac{1}{2}\times 6=3$이므로

$\triangle OBD$에서 $\overline{OD}=\sqrt{6^2-3^2}=3\sqrt{3}$

꼭짓점 O에서 $\overline{DC}$에 내린 수선의 발을 H라 하면

점 H는 $\triangle ABC$의 무게중심이고

$\overline{CD}=\overline{OD}=3\sqrt{3}$이므로

$\overline{DH}=\dfrac{1}{3}\overline{CD}=\dfrac{1}{3}\times 3\sqrt{3}=\sqrt{3}$

$\triangle ODH$에서 $\overline{OH}=\sqrt{(3\sqrt{3})^2-(\sqrt{3})^2}=2\sqrt{6}$

$\therefore \tan x=\dfrac{\overline{OH}}{\overline{DH}}=\dfrac{2\sqrt{6}}{\sqrt{3}}=2\sqrt{2}$

367) [정답] ①

[해설] $\triangle EBC$에서 $\overline{EC}=6\tan 30°=6\times\dfrac{\sqrt{3}}{3}=2\sqrt{3}$

$\therefore \overline{DE}=6-2\sqrt{3}$

$\triangle EDH$에서 $\angle HED=180°-(90°+60°)=30°$이므로

$\overline{HD}=(6-2\sqrt{3})\tan 30°$

$=(6-2\sqrt{3})\times\dfrac{\sqrt{3}}{3}=2\sqrt{3}-2$

따라서 두 정사각형의 겹쳐진 부분의 넓이는

$\square ABCD-\triangle EBC-\triangle EDH$

$=6^2-\dfrac{1}{2}\times 6\times 2\sqrt{3}-\dfrac{1}{2}\times(6-2\sqrt{3})\times(2\sqrt{3}-2)$

$=36-6\sqrt{3}-(6-2\sqrt{3})(\sqrt{3}-1)$

$=36-6\sqrt{3}-(8\sqrt{3}-12)=48-14\sqrt{3}$

368) [정답] ⑤

[해설] $\triangle ABE$에서 $\sin 30°=\dfrac{4}{\overline{AB}}=\dfrac{1}{2}$이므로 $\overline{AB}=8$

$\tan 30°=\dfrac{4}{\overline{AE}}=\dfrac{\sqrt{3}}{3}$이므로 $\overline{AE}=4\sqrt{3}$

$\triangle ADE$는 $\overline{AD}=\overline{DE}$인 직각이등변삼각형이므로

$\angle DAE=\angle DEA=45°$

$\sin 45°=\dfrac{\overline{ED}}{4\sqrt{3}}=\dfrac{\sqrt{2}}{2}$이므로 $\overline{ED}=2\sqrt{6}=\overline{AD}$

$\overline{FE}//\overline{AD}$이므로 $\angle FEG=\angle DAE=45°$

$\triangle BEF$에서 $\angle BEF=90°-45°=45°$이므로

$$\cos45° = \frac{\overline{FE}}{4} = \frac{\sqrt{2}}{2} \qquad \overline{FE} = 2\sqrt{2}$$

$$\sin45° = \frac{\overline{BF}}{4} = \frac{\sqrt{2}}{2} \qquad \therefore \overline{BF} = 2\sqrt{2}$$

$\triangle ABC$에서 $\angle BAC = 30° + 45° = 75°$ 이므로

$\angle ABC = 180° - (75° + 90°) = 15°$

$$\therefore \sin15° = \frac{\overline{AC}}{\overline{AB}} = \frac{2\sqrt{6} - 2\sqrt{2}}{8} = \frac{\sqrt{6} - \sqrt{2}}{4}$$

369) [정답] ⑤

[해설] $\triangle OBC$에서 $\sin a = \frac{\overline{BC}}{10} = \frac{4}{5}$ 이므로 $\overline{BC} = 8$

$\therefore \overline{OC} = \sqrt{10^2 - 8^2} = 6$

$\triangle OBC$에서 $\tan a = \frac{\overline{BC}}{\overline{OC}} = \frac{8}{6} = \frac{4}{3}$

즉 $\triangle ABE$에서 $\tan a = \frac{\overline{AE}}{4} = \frac{4}{3}$ 이므로 $\overline{AE} = \frac{16}{3}$

$\therefore \triangle ABE = \frac{1}{2} \times 4 \times \frac{16}{3} = \frac{32}{3}$

370) [정답] ②

[해설] $\triangle OAB$에서 $\overline{OB} = \frac{1}{\sin30°} = 2$

$\triangle OBC$에서 $\overline{OC} = \frac{2}{\cos30°} = 2 \times \frac{2}{\sqrt{3}} = \frac{4}{\sqrt{3}}$

$\triangle OCD$에서

$\overline{OD} = \frac{4}{\sqrt{3}} \times \frac{1}{\cos30°} = \frac{4}{\sqrt{3}} \times \frac{2}{\sqrt{3}} = \frac{8}{3}$

$\triangle ODE$에서 $\overline{DE} = \frac{8}{3}\tan30° = \frac{8}{3} \times \frac{\sqrt{3}}{3} = \frac{8\sqrt{3}}{9}$,

$\overline{OE} = \frac{8}{3} \times \frac{1}{\cos30°} = \frac{8}{3} \times \frac{2}{\sqrt{3}} = \frac{16}{3\sqrt{3}}$

$\triangle OEF$에서

$\overline{OF} = \frac{16}{3\sqrt{3}} \times \frac{1}{\cos30°} = \frac{16}{3\sqrt{3}} \times \frac{2}{\sqrt{3}} = \frac{32}{9}$

$\triangle OFG$에서

$\overline{OG} = \frac{32}{9} \times \frac{1}{\cos30°} = \frac{32}{9} \times \frac{2}{\sqrt{3}} = \frac{64}{9\sqrt{3}}$

$\triangle OGH$에서

$\overline{OH} = \frac{64}{9\sqrt{3}} \times \frac{1}{\cos30°} = \frac{64}{9\sqrt{3}} \times \frac{2}{\sqrt{3}} = \frac{128}{27}$

$\therefore \overline{OH} \div \overline{DE} = \frac{128}{27} \times \frac{9}{8\sqrt{3}} = \frac{16}{3\sqrt{3}} = \frac{16\sqrt{3}}{9}$

371) [정답] ③

[해설] $\overline{GF} = a$ 라 하면 $\triangle BFG$에서

$\overline{BF} = a\tan60° = \sqrt{3}a$, $\overline{BG} = \frac{a}{\cos60°} = 2a$

$\triangle DGH$에서 $\overline{HG} = \frac{\sqrt{3}a}{\tan45°} = \sqrt{3}a$,

$\overline{DG} = \frac{\sqrt{3}a}{\sin45°} = \sqrt{6}a$

$\triangle BCD$에서 $\overline{BD} = \sqrt{a^2 + (\sqrt{3}a)^2} = 2a$

즉 $\triangle BDG$는 $\overline{BD} = \overline{BG}$인 이등변삼각형이다.

점 B에서 $\overline{DG}$에 내린 수선의 발을 M이라 하면

$\triangle BGM$에서 $\overline{MG} = \frac{1}{2}\overline{DG} = \frac{\sqrt{6}}{2}a$이므로

$\cos x = \frac{\overline{MG}}{\overline{BG}} = \frac{\sqrt{6}}{2}a \times \frac{1}{2a} = \frac{\sqrt{6}}{4}$

372) [정답] ②

[해설]

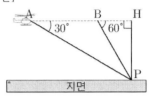

그림에서 $\overline{AB} = 150 \times \frac{1}{60} = 2.5$

$\triangle ABP$에서 $\angle BPA = 60° - 30° = 30°$ 이므로

$\angle BAP = \angle BPA$

즉 $\triangle ABP$는 $\overline{AB} = \overline{BP} = 2.5$인 이등변삼각형이다.

$\triangle BPH$에서 $\cos60° = \frac{\overline{BH}}{2.5} = \frac{1}{2}$ $\therefore \overline{BH} = 1.25$

따라서 헬리콥터가 P지점 바로 위 상공에 도착하기 위해서는 두 번째로 내려다 본 지점으로부터

$\frac{1.25}{150} \times 60 = \frac{75}{150} = 0.5$(분)

더 이동해야 한다.

373) [정답] ①

[해설] 점 B에서 $\overline{AC}$에 내린 수선의 발을 H라 하자.

$\triangle ABH$에서 $\overline{BH} = 8\sin45° = 8 \times \frac{\sqrt{2}}{2} = 4\sqrt{2}$,

$\overline{AH} = 8\cos45° = 8 \times \frac{\sqrt{2}}{2} = 4\sqrt{2}$

따라서 $\triangle BCH$에서 $\overline{HC} = 6\sqrt{2} - 4\sqrt{2} = 2\sqrt{2}$ 이므로

$\overline{BC} = \sqrt{(2\sqrt{2})^2 + (4\sqrt{2})^2} = 2\sqrt{10}$

374) [정답] ②

[해설] 점 B에서 $\overline{AC}$에 내린 수선의 발을 H라 하면

$\triangle ABH$에서 $\overline{AH} = 6\cos60° = 6 \times \frac{1}{2} = 3$,

$\overline{BH} = 6\sin60° = 6 \times \frac{\sqrt{3}}{2} = 3\sqrt{3}$

$\triangle BCH$에서 $\overline{HC} = \frac{3\sqrt{3}}{\tan45°} = 3\sqrt{3}$

따라서 구하려는 입체도형의 부피는

$\frac{1}{3} \times \pi \times (3\sqrt{3})^2 \times 3 + \frac{1}{3} \times \pi \times (3\sqrt{3})^2 \times 3\sqrt{3}$

$= 27\pi + 27\sqrt{3}\pi = 27(1 + \sqrt{3})\pi$

375) [정답] ⑤

물갈퀴의 상류수학 (2024개정판)

[해설] $\overline{AD}=x$라 하면 $\triangle ABC = \triangle ABD + \triangle ADC$에서

$$\frac{1}{2}\times 3\times 2\times \sin 60°$$

$$=\frac{1}{2}\times 3\times x\times \sin 30° + \frac{1}{2}\times x\times 2\times \sin 30°$$

$$\frac{1}{2}\times 3\times 2\times \frac{\sqrt{3}}{2}$$

$$=\frac{1}{2}\times 3\times x\times \frac{1}{2} + \frac{1}{2}\times x\times 2\times \frac{1}{2}$$

$$\frac{3\sqrt{3}}{2}=\frac{3}{4}x+\frac{1}{2}x$$

$$\frac{5}{4}x=\frac{3\sqrt{3}}{2} \qquad \therefore x=\frac{6\sqrt{3}}{5}$$

376) [정답] ③

[해설] $\overline{BP}:\overline{PC}=2:1$이므로

$$\overline{BP}=3\times \frac{2}{3}=2, \quad \overline{PC}=3\times \frac{1}{3}=1$$

마찬가지로 $\overline{CQ}=1, \overline{QD}=2$

$\triangle ABP$에서 $\overline{AP}=\sqrt{3^2+2^2}=\sqrt{13}$

$\triangle ADQ$에서 $\overline{AQ}=\sqrt{3^2+2^2}=\sqrt{13}$

이때 $\triangle APQ$의 넓이는

$$3\times 3-\frac{1}{2}\times 2\times 3-\frac{1}{2}\times 3\times 2-\frac{1}{2}\times 1\times 1$$

$$=\frac{1}{2}\times \sqrt{13}\times \sqrt{13}\times \sin x$$

$$\frac{5}{2}=\frac{13}{2}\sin x \qquad \therefore \sin x=\frac{5}{13}$$

377) [정답] ①

[해설] $\overline{CO}$를 그으면 $\triangle BOC$는 $\overline{BO}=\overline{CO}$인 이등변 삼각형이므로 $\angle COB=180°-2\times 30°=120°$

따라서 색칠한 부분의 넓이는
(부채꼴 BOC의 넓이)$-\triangle BOC$

$$=\pi \times 5^2 \times \frac{120°}{360°}-\frac{1}{2}\times 5\times 5\times \sin(180°-120°)$$

$$=\frac{25}{3}\pi -\frac{1}{2}\times 5\times 5\times \frac{\sqrt{3}}{2}$$

$$=\frac{25}{3}\pi -\frac{25\sqrt{3}}{4}$$

378) [정답] ②

[해설] $y=-x^2+6x$에서 $y=5$이면

$$5=-x^2+6x$$

$$x^2-6x+5=0, (x-1)(x-5)=0$$

$$\therefore x=1 \text{ 또는 } x=5$$

$$\therefore A(1,5), B(5,5)$$

$$y=-x^2+6x$$

$$=-(x^2-6x+9-9)$$

$$=-(x-3)^2+9$$

이므로 그래프의 꼭짓점의 좌표는 $C(3,9)$

이때 이등변삼각형 CAB의 꼭짓점 C에서 $\overline{AB}$에 내린 수선의 발을 H라 하면

$\triangle ACH$에서 $\overline{CH}=9-5=4$, $\overline{AH}=\frac{1}{2}\overline{AB}=2$이므로

$$\tan a°=\frac{\overline{CH}}{\overline{AH}}=\frac{4}{2}=2$$

379) [정답] ⑤

[해설] $\triangle ABC$에서 $\sin C=\frac{9}{AC}=\frac{3}{5}$이므로 $\overline{AC}=15$

$$\therefore \overline{BC}=\sqrt{15^2-9^2}=12$$

$\triangle ABC : \triangle DEC=3:2$이므로

$$\overline{BC}:\overline{EC}=\sqrt{3}:\sqrt{2}$$

$$12:\overline{EC}=\sqrt{3}:\sqrt{2} \qquad \therefore \overline{EC}=\frac{12\sqrt{2}}{\sqrt{3}}=4\sqrt{6}$$

$\triangle ABC : \triangle FGC=3:1$이므로 $\overline{BC}:\overline{GC}=\sqrt{3}:1$

$$12:\overline{GC}=\sqrt{3}:1 \qquad \therefore \overline{GC}=4\sqrt{3}$$

$$\therefore \overline{EG}=4\sqrt{6}-4\sqrt{3}$$

380) [정답] ⑤

[해설] $\triangle BCD$에서 $\overline{DC}=\overline{BC}=2$이므로

$$\overline{BD}=\sqrt{2^2+2^2}=2\sqrt{2}$$

$\triangle ABC$에서 $\overline{AB}=\sqrt{4^2+2^2}=2\sqrt{5}$

다음 그림과 같이 점 A에서 $\overline{BD}$의 연장선 위에 내린 수선의 발을 E라 하면

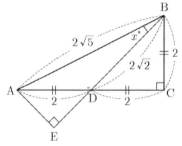

$\triangle BCD \backsim \triangle AED$(AA 닮음)이므로

$\overline{BD}:\overline{AD}=\overline{DC}:\overline{DE}$에서

$$2\sqrt{2}:2=2:\overline{DE} \qquad \therefore \overline{DE}=\sqrt{2}$$

따라서 $\triangle ABE$에서

$$\cos x°=\frac{\overline{BE}}{\overline{AB}}=\frac{3\sqrt{2}}{2\sqrt{5}}=\frac{3\sqrt{10}}{10}$$

381) [정답] ①

[해설] $\triangle HAO$에서 $\tan A=\frac{4}{HA}=\frac{4}{3}$이므로 $\overline{HA}=3$

$$\therefore \overline{AO}=\sqrt{3^2+4^2}=5$$

점 H에서 $\overline{AO}$에 내린 수선의 발을 C라 하면

$$\overline{HA}\times \overline{HO}=\overline{AO}\times \overline{HC}$$

$$3\times 4=5\times \overline{HC} \qquad \therefore \overline{HC}=\frac{12}{5}$$

$\triangle HAC$에서

$\tan A = \dfrac{12}{5} \times \dfrac{1}{\overline{AC}} = \dfrac{4}{3}$ 이므로 $\overline{AC} = \dfrac{9}{5}$

$\therefore \overline{CO} = 5 - \dfrac{9}{5} = \dfrac{16}{5}$

따라서 점 H의 좌표는 $H\left(-\dfrac{16}{5},\ \dfrac{12}{5}\right)$이다.

382) [정답] ③

[해설] $\tan 60° = \dfrac{\overline{CD}}{\overline{OC}} = \dfrac{\overline{CD}}{1} = \overline{CD} = \sqrt{3}$

$\sin 60° = \dfrac{\overline{AB}}{\overline{BO}} = \dfrac{\overline{AB}}{1} = \overline{AB} = \dfrac{\sqrt{3}}{2}$

$\cos 60° = \dfrac{\overline{OA}}{\overline{BO}} = \dfrac{\overline{OA}}{1} = \overline{OA} = \dfrac{1}{2}$

$\therefore \overline{AC} = \overline{OC} - \overline{OA} = 1 - \dfrac{1}{2} = \dfrac{1}{2}$

따라서 사각형 $ACDB$의 넓이는

$\dfrac{1}{2} \times \left(\dfrac{\sqrt{3}}{2} + \sqrt{3}\right) \times \dfrac{1}{2} = \dfrac{3\sqrt{3}}{8}$

383) [정답] ④

[해설] $\sin x = \dfrac{\overline{AB}}{\overline{AO}} = \dfrac{\overline{AB}}{1} = \overline{AB}$

$\cos x = \dfrac{\overline{OB}}{\overline{AO}} = \dfrac{\overline{OB}}{1} = \overline{OB}$

$\tan x = \dfrac{\overline{CD}}{\overline{OC}} = \dfrac{\overline{CD}}{1} = \overline{CD}$

$\sin z = \sin y = \dfrac{\overline{OB}}{\overline{AO}} = \dfrac{\overline{OB}}{1} = \overline{OB}$

$\cos y = \dfrac{\overline{AB}}{\overline{AO}} = \dfrac{\overline{AB}}{1} = \overline{AB}$

$\tan y = \tan z = \dfrac{\overline{OC}}{\overline{CD}} = \dfrac{1}{\overline{CD}}$

$\therefore \dfrac{\cos y}{\sin x} + \dfrac{2\sin z}{\cos x} \times \dfrac{\tan z}{\tan y}$

$= \dfrac{\overline{AB}}{\overline{AB}} + \dfrac{2\overline{OB}}{\overline{OB}} \times 1 = 1 + 2 \times 1 = 3$

384) [정답] ②

[해설] $45° < \angle x < 90°$일 때, $\sin x > \cos x$이므로

$\sin x + \cos x > 0,\ \cos x - \sin x < 0$

$\sqrt{(\sin x + \cos x)^2} + \sqrt{(\cos x - \sin x)^2} = \dfrac{5}{3}$ 에서

$(\sin x + \cos x) + (-\cos x + \sin x) = \dfrac{5}{3}$

$2\sin x = \dfrac{5}{3}$ $\therefore \sin x = \dfrac{5}{6}$

$\angle C = 90°$인 직각삼각형 ABC에서 $\angle B = x$라

하면 $\sin x = \dfrac{5}{6}$이므로 다음 그림과 같이 나타낼

수 있다.

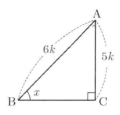

$\overline{BC} = \sqrt{(6k)^2 - (5k)^2} = \sqrt{11}\,k$이므로

$\cos x = \dfrac{\overline{BC}}{\overline{AB}} = \dfrac{\sqrt{11}\,k}{6k} = \dfrac{\sqrt{11}}{6}$,

$\tan x = \dfrac{\overline{AC}}{\overline{BC}} = \dfrac{5k}{\sqrt{11}\,k} = \dfrac{5}{\sqrt{11}}$

$\therefore \cos x \times \tan x = \dfrac{\sqrt{11}}{6} \times \dfrac{5}{\sqrt{11}} = \dfrac{5}{6}$

385) [정답] ②

[해설] $\triangle BCE$에서 $\angle EBC = 90° - 60° = 30°$이므로

$\overline{EC} = 6\tan 30° = 6 \times \dfrac{\sqrt{3}}{3} = 2\sqrt{3}$

$\therefore \overline{DE} = 6 - 2\sqrt{3}$

$\overline{AD},\ \overline{EF}$의 교점을 H라 하면

$\triangle EDH$에서 $\angle HED = 180° - (90° + 60°) = 30°$

이므로

$\overline{HD} = (6 - 2\sqrt{3})\tan 30°$

$\qquad = (6 - 2\sqrt{3}) \times \dfrac{\sqrt{3}}{3} = 2\sqrt{3} - 2$

따라서 색칠한 부분의 넓이는

$\square ABCD - \triangle BCE - \triangle EDH$

$= 36 - \dfrac{1}{2} \times 6 \times 2\sqrt{3} - \dfrac{1}{2} \times (6 - 2\sqrt{3}) \times (2\sqrt{3} - 2)$

$= 36 - 6\sqrt{3} - (8\sqrt{3} - 12)$

$= 48 - 14\sqrt{3}$

386) [정답] ③

[해설] 다음 그림과 같이 헬기의 위치를 A, 3분 후의 헬기의 위치를 B, 배의 위치를 C, 배가 좌초된 지점의 상공을 D라 하자.

$\overline{AB} = 60 \times \dfrac{3}{60} = 3$

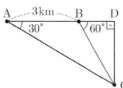

$\overline{BD} = a$라 하면

$\triangle BCD$에서 $\overline{DC} = a\tan 60° = a \times \sqrt{3} = \sqrt{3}\,a$

$\triangle ACD$에서

$\overline{DC} = (3 + a)\tan 30°$

$\qquad = (3 + a) \times \dfrac{\sqrt{3}}{3} = \sqrt{3} + \dfrac{\sqrt{3}}{3}a$

즉 $\sqrt{3}\,a = \sqrt{3} + \dfrac{\sqrt{3}}{3}\,a$ 이므로

$\dfrac{2\sqrt{3}}{3}\,a = \sqrt{3}$ $\therefore \ a = \dfrac{3}{2}$

이때 헬리콥터의 속력은 시속 $60\,km$이므로 초속 $\dfrac{1}{60}\,km$이다.

따라서 헬리콥터가 좌초된 지점의 상공에 도착하기 위해서는 두 번째로 불빛을 관측한 지점으로부터

$\dfrac{3}{2} \times 60 = 90$(초) 더 이동해야 한다.

387) [정답] ②

[해설] 다음 그림과 같이 점 C에서 $\overline{BA}$의 연장선 위에 내린 수선의 발을 D라 하자.

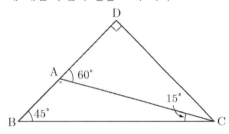

$\overline{AD} = a$라 하면

$\triangle ACD$에서 $\angle CAD = 45° + 15° = 60°$이므로

$\overline{DC} = a\tan60° = a \times \sqrt{3} = \sqrt{3}\,a$,

$\overline{AC} = \dfrac{a}{\cos60°} = a \times 2 = 2a$

$\overline{BD} = \dfrac{\sqrt{3}\,a}{\tan45°} = \sqrt{3}\,a \times 1 = \sqrt{3}\,a$이므로

$\overline{AB} = \sqrt{3}\,a - a = (\sqrt{3}-1)a$

이때 $\triangle ABC$의 넓이가 $6 - 2\sqrt{3}$이므로

$\dfrac{1}{2} \times (\sqrt{3}-1)a \times \sqrt{3}\,a = 6 - 2\sqrt{3}$

$(3 - \sqrt{3})a^2 = 12 - 4\sqrt{3}$

$a^2 = 4$ $\therefore \ a = 2\,(\because \ a > 0)$

따라서 $\triangle BCD$에서 $\overline{BD} = 2\sqrt{3}$이므로

$\overline{BC} = \dfrac{2\sqrt{3}}{\cos45°} = 2\sqrt{3} \times \sqrt{2} = 2\sqrt{6}$

388) [정답] ②

[해설] $\triangle BCD$에서 $\overline{BC} = 8\tan60° = 8 \times \sqrt{3} = 8\sqrt{3}$

점 E에서 $\overline{BC}$에 내린 수선의 발을 H라 하고, $\overline{EH} = h$라 하면

$\triangle BEH$에서 $\angle BEH = 60°$이므로

$\overline{BH} = h\tan60° = h \times \sqrt{3} = \sqrt{3}\,h$

$\triangle CEH$에서 $\angle CEH = 180° - (90° + 45°) = 45°$이므로

$\overline{CH} = h\tan45° = h \times 1 = h$

이때 $\overline{BC} = 8\sqrt{3}$이므로

$(\sqrt{3}+1)h = 8\sqrt{3}$

$\therefore \ h = \dfrac{8\sqrt{3}}{\sqrt{3}+1} = 4\sqrt{3}(\sqrt{3}-1)$

$\therefore \ \triangle EBC = \dfrac{1}{2} \times 8\sqrt{3} \times 4\sqrt{3}(\sqrt{3}-1)$

$\qquad\qquad = 48(\sqrt{3}-1)$

389) [정답] ②

[해설] $\triangle APO$에서 $\overline{AO} = 12$, $\overline{PO} = 6$이므로

$\overline{AP} = \sqrt{12^2 - 6^2} = 6\sqrt{3}$

$\therefore \ \overline{AB} = 2\overline{AP} = 12\sqrt{3}$

따라서 다리의 길이의 합은

$\therefore \ \overline{AB} + \overline{PC} = 12\sqrt{3} + 18$

390) [정답] ④

[해설] 가장 짧은 현을 AB라 하면 다음 그림과 같다.

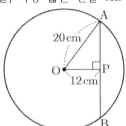

$\triangle AOP$에서 $\overline{AP} = \sqrt{20^2 - 12^2} = 16$

$\therefore \ \overline{AB} = 2\overline{AP} = 32$

또 점 P를 지나는 현 중에서 가장 긴 현은 지름이므로 그 길이는

$2 \times 20 = 40$

따라서 점 P를 지나고 길이가 정수인 현은

$1 + 1 + 2 \times 7 = 16$(개)

이다.

391) [정답] ④

[해설] 원의 중심 O에서 $\overline{AB}$, $\overline{CD}$에 내린 수선의 발을 각각 M, N이라 하자.

$\triangle AOM$에서 $\overline{AM} = \dfrac{1}{2} \times 18 = 9$,

$\overline{MO} = \dfrac{1}{2} \times 14 - 5 = 2$이므로

$\overline{AO} = \sqrt{9^2 + 2^2} = \sqrt{85}$

따라서 원 O의 넓이는

$\pi \times (\sqrt{85})^2 = 85\pi$

392) [정답] ①

[해설] 원의 중심 O에서 $\overline{BC}$, $\overline{AD}$에 내린 수선의 발을 각각 M, N이라 하고, 원의 반지름의 길이를 r라 하자.

$\triangle OPM$에서 $\overline{OP} = r$, $\overline{OM} = 8 - r$, $\overline{PM} = r - 1$이므로

$(r-1)^2 + (8-r)^2 = r^2$

$r^2 - 18r + 65 = 0$, $(r-5)(r-13) = 0$

$\therefore \ r = 5\,(\because \ 1 < r < 8)$

393) [정답] ④

[해설] $\triangle OPA$는 $\angle OAP = 90°$이고, $\overline{PA} = \overline{OA}$이므로 직각이등변삼각형이다.

$\therefore \angle OPA = 45°$

이때 $\triangle OPA \equiv \triangle OPB$($RHS$ 합동)이므로

$\angle OPA = \angle OPB = 45°$

$\therefore \angle APB = 90°$

$\triangle O'PA$는 $\angle O'AP = 90°$이고,

$\overline{O'A} : \overline{PA} = 3\sqrt{3} : 3 = \sqrt{3} : 1$이므로

$\angle O'PA = 60°$

이때 $\triangle O'PA \equiv \triangle O'PB'$($RHS$ 합동)이므로

$\angle O'PA = \angle O'PB' = 60°$

$\therefore \angle APB' = 120°$

따라서 $\angle BPB' = 120° - 90° = 30°$이므로 부채꼴 BPB'의 넓이는

$\pi \times 3^2 \times \dfrac{30°}{360°} = \dfrac{3}{4}\pi$

394) [정답] ④

[해설]

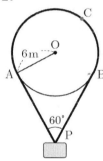

$\triangle OAP$와 $\triangle OBP$에서

$\overline{OP}$는 공통, $\angle OAP = \angle OBP = 90°$, $\overline{OA} = \overline{OB}$

이므로 $\triangle OAP \equiv \triangle OBP$($RHS$ 합동)

$\therefore \angle OPA = \angle OPB = \dfrac{1}{2} \times 60° = 30°$

$\triangle OAP$에서 $\overline{AP} = \dfrac{6}{\tan 30°} = 6\sqrt{3} = \overline{BP}$

사각형 $OAPB$에서

$\angle AOB = 360° - (90° + 60° + 90°) = 120°$

이므로 $\overset{\frown}{ACB}$에 대한 중심각의 크기는

$360° - 120° = 240°$

따라서 원을 두르고 있는 전체 줄의 총 길이는

$\overset{\frown}{ACB} + \overline{AP} + \overline{BP}$

$= 2\pi \times 6 \times \dfrac{240°}{360°} + 6\sqrt{3} + 6\sqrt{3}$

$= 8\pi + 12\sqrt{3}$

395) [정답] ②

[해설] $\overline{AE} = x$라 하면 $\overline{AF} = \overline{AG} = \overline{BG} = \overline{BH} = 6$이므로

$\overline{EF} = \overline{EI} = x - 6$, $\overline{CH} = \overline{CI} = 15 - 6 = 9$

$\triangle CDE$에서 $\overline{ED} = 15 - x$, $\overline{CE} = (x-6) + 9 = x + 3$

이므로

$(15 - x)^2 + 12^2 = (x + 3)^2$

$36x = 360$ $\quad \therefore x = 10$

따라서 색칠한 부분의 넓이는

$\square ABCE - (원\ O의\ 넓이)$

$= \dfrac{1}{2} \times (10 + 15) \times 12 - \pi \times 6^2$

$- 150 - 36\pi$

396) [정답] ③

[해설] 원의 접선의 성질에 의하여 원 O의 반지름의 길이는 3이다.

$\therefore \overline{AI} = \overline{BE} = 3$, $\overline{DI} = \overline{DG} = 9$

$\overline{FE} = \overline{FG} = x$라 하면

$\overline{DF} = 9 + x$, $\overline{FC} = 12 - (3 + x) = 9 - x$

$\triangle DCF$에서 $(9-x)^2 + 6^2 = (9+x)^2$이므로

$36x = 36$ $\quad \therefore x = 1$

원 O'의 반지름의 길이를 r라 하고, 원 O'와 $\overline{FC}$, $\overline{DC}$가 만나는 접점을 각각 P, Q라 하자.

$\overline{CP} = \overline{CQ} = r$, $\overline{FP} = \overline{FH} = 8 - r$, $\overline{DQ} = \overline{DH} = 6 - r$

이때 $\overline{DF} = 10$이므로

$(8 - r) + (6 - r) = 10$

$2r = 4$ $\quad \therefore r = 2$

397) [정답] ③

[해설] $\angle BAC = \dfrac{1}{2}\angle BOC = 60°$

$\overline{AD} = x$라 하면 $\triangle ABC = \triangle ABD + \triangle ADC$이므로

$\dfrac{1}{2} \times 3 \times 2 \times \sin 60°$

$= \dfrac{1}{2} \times 3 \times x \times \sin 30° + \dfrac{1}{2} \times x \times 2 \times \sin 30°$

$\dfrac{1}{2} \times 3 \times 2 \times \dfrac{\sqrt{3}}{2} = \dfrac{1}{2} \times 3 \times x \times \dfrac{1}{2} + \dfrac{1}{2} \times x \times 2 \times \dfrac{1}{2}$

$\dfrac{3\sqrt{3}}{2} = \dfrac{3}{4}x + \dfrac{1}{2}x$

$\dfrac{5}{4}x = \dfrac{3\sqrt{3}}{2}$ $\quad \therefore x = \dfrac{6\sqrt{3}}{5}$

398) [정답] ④

[해설] $\overline{AB}$와 원 O'가 만나는 점을 E라 하자.

이때 $\triangle ADE$와 $\triangle ACB$에서

$\angle A$는 공통, $\angle ADE = \angle ACB = 90°$

이므로 $\triangle ADE \backsim \triangle ACB$($AA$ 닮음)

즉 $\overline{AD} : \overline{AC} = \overline{AE} : \overline{AB}$이므로

$2 : 3 = 8 : \overline{AB}$ $\quad \therefore \overline{AB} = 12$

따라서 원 O의 반지름의 길이는 6이므로 넓이는

$\pi \times 6^2 = 36\pi$

399) [정답] ③

[해설] $\overline{AD}$를 그으면 $\overset{\frown}{AC}$에 대한 원주각의 크기를 $\angle ADC = a$, $\overset{\frown}{BD}$에 대한 원주각의 크기를 $\angle BAD = b$

$\triangle APD$에서 삼각형의 외각의 성질에 의하여

$a+b=60°$

즉 $\overset{\frown}{AC}+\overset{\frown}{DB}$에 대한 중심각의 크기는

$2(a+b)=120°$ 이므로

$\overset{\frown}{AC}+\overset{\frown}{DB}=2\pi\times12\times\dfrac{120°}{360°}=8\pi$

400) [정답] ①

[해설] $\triangle ACD$에서

$\angle ACD=180°-(90°+40°)=50°$

이때 $\angle BDC=\angle BFC=90°$ 이므로 $\square BCFD$는

원에 내접하는 사각형이다.

$\therefore \angle DFB=\angle DCB=16°$

$\therefore \angle ACB=\angle DCB+\angle ACD=66°$